中国近现代针灸文献研究集成 教材卷

王富春 杨克卫／主编

针灸综合分卷

广东篇（二）

北京科学技术出版社

香港针灸专科学院讲义（卷中、卷下）

香港鍼灸專科學院講義

鍼治
灸治
診斷學

卷中

蘇天佑編

針治學目錄

針治學

第一編 總論

第一章 針灸源流

一 鍼灸之開始

鍼灸醫學始於何日，實在無從稽考。但根據內經，是始於黃帝岐伯。黃帝曰：『吾視吾之民，如我之子。我收其稅，而恐其不給，吾民有疾，吾不欲其服彼有毒之藥，及用砭石之法，吾欲用一小針，以通經脈，調和氣血，易用難忘，及可傳於後世者，請爲我作針經』。以上乃黃帝向岐伯所云者。後世人云，作書人故意假托岐黃之名而寫內經，其言之眞假，無從稽考。但鍼灸醫學，歷代相傳，以至今日，名人輩出，不可勝數。更傳至日本及法國，由法而傳至德國及歐洲各小國。近年美洲醫界亦着手研究；不久之將來，針灸醫學必成爲世界醫學也。

二　鍼灸之盛衰

上古之時，萬民有病，多用鍼灸治療，用藥者少；迨後漢張仲景以後，始盛行湯藥之道。醫家以湯藥之法簡易，醫生可免麻煩，病者亦可以免去鍼刺艾灸之痛苦，故多趨之；然當時鍼灸仍爲世人所推重，因其有相當歷史，雖受打擊，亦不衰落。直到清代，海禁大開，歐風東漸，西醫傳入我國。喜新好奇之士，多趨西化，對於國粹，百般詆毀，任意推殘，清代鍼灸，可算爲極衰落之時期。

同時日本方在維新，將鍼灸學設立學校，公開傳授，上下提倡，名人輩出。

三　近代鍼灸學之復興

近代鍼灸名家，用科學理論而解釋鍼灸學理之第一位，可算江蘇承淡安氏，承氏研究中西醫學理，曾遊於日本，觀察日本鍼灸之進步程度。並設立面授函授學校，門生滿天下。有著作多種傳於世，逝世於一九五七年七月十日。

繼承氏而興之南方鍼灸大家，可算先師曾天治先生。他秉承承氏之學，而加以改進，公開傳授，十幾年來，學生約有千人以上。他著有鍼灸大綱並科學鍼灸治療學。惜乎其壽不永，於一九四八年三月十三日，逝世於蘇州，享壽四十八歲。承師與曾師之逝世，實爲近代針灸界一大損失。針灸之學，正在方興未艾，我人當如何努力，以繼其志，而償此缺陷也。

近代醫科雖然發達，然對於人身多種病症仍缺治療之法。而鍼灸恰可補其缺陷。所以針灸在醫界中，實佔重要位置，希望今日後學之士，能用心學習，努力提倡，使人類之疾苦得以解除，實爲厚幸焉。

第二章　針灸技術難學之原

針爲一小物件，何難如意使用，而歷代醫家竟認針術難學，此其故安在哉？

第一　針灸大家不公開傳授。針灸治療功效卓著，凡精針灸者，本應公開傳授，以普濟衆生；可惜國人賦性不公開，傳子不傳女，必得其人，低首下心，願作僕從，尊之如父，然後教授，又教授時多不盡地公開；又或學者天資不高，未能盡地領會，無所發明，針灸技術因此爲群衆認爲難學。此種惡習，在此新時代中，當盡力剷除之。

第二　針灸書對於手術之叙述太抽象。針灸名師已不易得，如針灸書籍，對於手術叙述清楚，學者亦可上手，不幸國人繪圖之手技不高，叙述之本領低下，益以秘訣不公開，公開示人者如鍼灸大家楊繼洲氏，又述種種手術太抽象不具體；且無名家註釋，令學者無可領會，（針灸大成卷五卷六）針灸技術因此難學。

第三　禁忌太多。鍼灸書亦爲玄學鬼所盤據，禁忌甚多，令人腦昏，感鍼灸難學。例如九宮尻神禁忌；「坤踝震腨指牙上，巽屬頭兮乳口中，面背目乾手膊兌，項腰艮膝肋離從，坎時脚肚輪流數，惟有肩尻在中宮。」註此神農所製，其法一歲起坤，二歲起震，逐年順飛九宮，週而復始，行年到處所主傷體，切忌針灸；若誤犯之，輕發癰疽，重則喪命，戒之戒之云云。男避忌日：「壬辰，甲辰，乙巳，……」女避忌日：「甲寅，乙卯，乙酉，……」鍼灸宜忌法「木命人行年在木，則不宜針，……金命人，行年在金，則不宜灸……」多至不可枚舉。

難學之原因已得，玆一一改正之。法用科學方法整理，論述重具體，除抽象。無用之禁忌，一筆勾消。治療秘訣公開傳授，務使針灸技術人人精巧，舉世民衆同獲拯救焉。

第三章　針術之重要

鍼灸治療，不靠藥物，全靠經穴正確，辨症清楚，手術精巧，斯三者中，手術尤爲要緊。蓋經穴已得正確，辨症又清楚，而手術未達到恰到好處，則治療必致徒然。故立心以鍼灸治病者，當用全副精神學習手術，由練習而純熟，由純熟而精巧，精益求精，繼續體認不輟，然後方能「鍼到病除」，「善除痼疾」，爲一鍼灸大家也。

第二編 各論

第一章 針術之定義

針術者，用金屬性細針，刺入人身體各部，成爲一種機械之刺戟，以治療疾病之方法也。

第二章 針之研究

甲 鍼之種類

古人之針分爲九種，亦稱九式。素問有九針之論，然多不適用。在今日之所常用者，只毫針一種耳，姑將古針之九式說明之。一曰鑱針，頭大末銳，主瀉頭部之熱。二曰圓針，身圓而尖，鋒如卵形不銳，捽皮而不傷內之筋肉。三曰鍉針，其鋒如黍粟芒之利，與今之用粗毫針同。四曰鋒針，用以泄血，即三稜針也。五曰鈹針，其形如劍，用以破膿發潰，即今之外科刀之代用品也。六曰圓利針，形如牛尾，圓而且利，用以去暴痺。七曰毫針，有如毫毛，即今之所常用者。八曰長針，較毫針微粗而長。九曰火針，與長針相似，惟頭較圓耳，破膿於骨節間，不宜開刀者用之，以上九針之中，在今日毫針應用最多。鋒針火針偶一用之，餘則僘屣視之矣。

乙　鍼之製法

今之針家，每自稱爲「金針專家」，以金製針，矜奇炫異。實則古之所謂金針者，皆屬鐵製，稱爲金針者，鐵亦金屬之一也。

太古之時，以石製針，繼以竹製針，迨後人智日啓，乃用鐵製。繼而選用馬口銜鐵，再三鍛鍊之，至剛柔適宜，錘成圓細絲而斷之，一端磨之尖利，一端繞以銅絲，用黃土磨擦光利即成。製成後繼用藥煑之；先以烏頭巴豆肉各一両，麻黃五錢，木別子十個，烏梅五枚，與針同置瓦器內，水煑一日，取出洗淨，再用乳香沒藥當歸花蕊石各半両，同針再水煑一日，後取出用皂角水洗淨，復插入犬肉內同煑一日夜，仍用黃土或瓦屑粉磨擦至光圓尖利，始可應用。

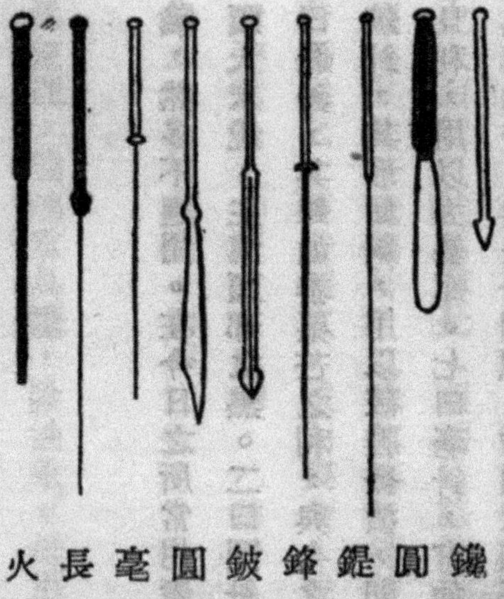

今日製針已不採用前法；乃採用外國出品之混合金屬幼絲（不銹鋼絲），繞以銅絲柄或

鋼絲柄，既幼小光滑而耐用，不易折斷；普通鋼質者，須用油藏之，否則遇空氣，則氧化而長銹。今日之不銹鋼絲，永不長銹，較前進步多矣。

丙　鍼之選擇

針常在人身體緻密之組織中刺入，故不得不加選擇。第一，針尖要銳利，第二，針身須不易屈曲及不損傷。第三，要有彈力。針尖不銳利則穿皮時覺疼痛。針無彈力或軟性，則易於屈曲及有損傷等，則刺入時恐有折針之虞。彈力不足，則難使用。

丁　鍼之大小長短

毫針區別針柄，針體，針尖，三部。而以一寸至二寸爲便。蓋毫針太長必甚柔軟，刺入不易，且不方便，有一寸至二寸長，無論任何部份皆足應用矣。但認眞肥胖之人，須用更長之針。

至於針之大小，以細如毫毛者爲最良。中等長度者以三十號鋼線爲適合，一寸以下者，以三十一號爲佳，若二寸以上以二十九號爲宜。古之針灸師有最短二寸，最長尺二，其粗如箸者，令人恐懼異常。蓋用大于毫毛者，針後有痕跡存留，有失美觀。且增疼痛。針孔大恐有黴菌竄入，或有液質滲出，有碍衛生者也。然古之針師在寒冬時連衣刺入，故需長針，長則必粗，否則柔軟太甚，不能適用矣，此亦環境使然也。

第三章　針能治病之理

甲　針能治病之研究

針刺入人體內，能把疾病治愈，其理由是刺戟神經，控制臟腑，調勻氣血，使內臟機能恢復其正規作用，疾病因以消除；夫人身體受病，神經即失其作用，此即所謂生理失常，若以針刺戟該部神經，該部神經即恢復原有作用，使該臟腑機能照常運用，所謂疾病者即無形消滅矣。

在經驗上言之，神經之本性是如此：即如衰弱者，針刺之即能興奮。過份興奮者，以針刺之，却能發生鎮靜作用。以上两者，合而言之，即「正常作用」是也。

世人每云無藥不能治病。考其實，藥物治病與用針治病之理，實亦異途同歸。

夫有病食藥入胃，由胃入腸，由於腸管之吸收作用，使藥入於血管中，由血管之循環，而走勻全身，血液經過患處時，藥力亦在該處經過，該藥力刺戟患處之神經，神經即起感應，因而恢復正規作用，疾病由此消除。由是觀之，針治與藥治，亦同一理，世人信藥而不信針，皆因不明其理故耳。

假如傷寒初起，病在太陽經，脈浮，發熱，惡寒，頭痛，項强。如用針針合谷，委中，即可發汗，針大椎立退惡寒，針風池即止頭痛及項强，愈疾於五分鐘內，用藥亦能一劑即愈；同是能愈，可見其理相同，而針治較藥治爲快而便利也。藥所不能治之病，而針能之，此針術之所以能存在於科學昌明之今日也。

乙 針刺之生理作用

以針刺入人體以治愈疾病，對於生理之影响，其作用有三：

（一）興奮作用　對於身體各機關之作用衰弱或麻痺者，予以興奮。例如知覺或運動神經麻痺，針刺之興奮其神經，則能恢復原有之知覺或運動之常態，又如對於內臟機能衰弱者，則刺戟交感神經，支配內臟機關，以囘復其機能，其他對於因神經機能之異狀而起之月經閉止，便秘等亦能調整之。

（二）制止作用　肌肉神經等之興奮，或血管擴張，血液之組織灌漑旺盛等（即炎症）針刺之，予以鎮靜緩解收縮作用。例如知覺官能旺盛，而過敏疼痛，運動神經機能亢進，而痙攣搐搦等，刺之能使其緩解，或消化器官之異狀亢進嘔吐下痢，使其鎮靜是也。

（三）誘導作用　遠離患部，而從其他部位刺針，以刺戟末稍神經，導血液於其部位。例如對於腦充血，則刺戟四肢末稍神經，擴張末稍部之毛細血管，同時使腦之血管收縮。（如暈針可為例証），又如深部充血炎症之來時，則刺針於淺部或其他部位，以誘導其血液。

以上三種作用為針刺神經，對於生理所發生之變化，因而治愈疾病者也。

丙　中國針術與內分泌

（上海震旦大學醫學院教授　宋國賓博士著）

假使把中國的醫學，從新整理一下，我以為鍼術是最值得研究的。

鍼術與湯藥皆是中國最古老的東西，而鍼術為尤古，後來因為湯藥的發達，鍼灸遂漸漸不為人們所注意了。考其原因，無非因為鍼術不重空論，而重實行，不近玄學，而近科學。非熟於經穴，精於手術，不能收效，避實就虛，畏難求易，是人們的常情，因此鍼術的醫學遂無形的不大為醫家所採用了。近百年來，科學的新醫學輸入到中國，中國的鍼術却慢慢地抬起頭來了，不但中國的新醫學家注重到牠，就是外國的醫家也相當的重視牠。同時對於牠的治療原理，多少帶有一種神秘之觀念，其實，牠的原理是一點不神秘的。本篇所述者就是這一點。

內分泌之作用，稍懂一點醫學之人，想必都可以曉得的罷。內分泌是一種不由管道，而直接由臟器分泌出來，以滲入血液或淋巴系的物質，內分泌對於其他的器官含有兩種作用；

（一）興奮他力活動

（二）制止他力活動

但是這二種作用，並不是由內分泌直接引起，而是由分泌液刺戟二種神經——交感神經與反交感神經（亦稱副交感神經）所引起的。此二種神經受內分泌的刺戟，對於血管卽發一種張縮的作用——此二種作用因器官而異，因交感神經可收縮血管，亦可擴張血管，反交感神經亦然。不過在普通情形之下，交感神經收縮的作用爲多罷——血管張則器官充血，而作用加緊，血管縮則器官貧血而工作減少，所謂興奮作用者，就是使器官充血之謂，所謂制止作用者，就是使器官貧血之謂，正常人的生理現象，卽維持於此二種神經的作用平衡支配之下，而此二種神經工作之支配，則悉聽命於內分泌腺，假使某種內分泌腺因病而受虧損現象時，則其所管轄下的神經，卽失其充分刺戟的作用，而對某種器官發生病態了。或某種內分泌腺過度充分時，則上述之二種神經中卽有一種受其直接的影響而過度緊張，使生理上的平衡消失，多數的疾病卽發生於此種不平衡狀態之下。總之，交感神經，或反交感神經的作用，支配於內分泌之下，而任何內臟，則又支配於交感神經或反交感神經之下，茲以圖表解釋如下：

所謂任何內臟皆支配於上述二種神經之下者，可舉二例以明之。

（一）心臟　心臟之跳動，每分鐘爲七十次，因爲心臟在交感神經管理之下，而保持這正常的態度，交感神經的作用在促進心臟的活動反交感神經——即迷走神經——的作用，在停止心臟的活動。此二神經的作用平等，故心臟的跳動不疾不徐，假使交感神經過度興奮，則心臟呈過速現象，反之而迷走神經過度興奮，則心臟呈過緩現象。

（二）瞳孔　瞳孔的擴張與收縮亦完全爲交感神經或反交感神經所支配，交感神經之作用在擴張，反交感神經——即第三對腦神經——之作用在收縮，假使這二種神經有一失其平衡，則瞳孔即呈擴張或收縮之不正當狀態也。

因爲交感神經和反交感神經雖有管轄內臟之權，而又支配於內分泌管之下，於是普通科學治療遂有內分泌臟器療法耳，臟器療法者，卽補充內分泌腺不足的一種療法。

中國的鍼術就等於臟器療法。牠的作用，更與內分泌的作用無異，牠利用鍼的刺入來刺戟交感神經，或反交神經，使牠發生制止和興奮二種作用，例如某內臟機能衰弱的病人，因爲內分泌損虧不够刺戟某部分之神經，使牠發生興奮作用，這時如果用鍼來刺戟一下某一穴道下的交感神經，或反交感神經就會發生血管擴張和機能旺盛的現象，又如發炎現象，爲血管擴張，血液壅塞，這時如果用鍼來刺戟一下某一穴道下的交感神經，可使該處血管起收縮的現象，而炎自消，或是刺戟另一穴道的交感神經，或反交感神經使身體的他部發生充血，而使炎部的血向他部轉移。總之，鍼術之作用有「興奮」和「制止」二種，而這二種作用皆是由刺戟交感神經或反交感神經所引起的，這與內分泌的作用，可謂完全相同，而與臟器治療相等，不過其作用比較之迅速而已。

假使以解剖的部位，來解釋鍼術的作用，是永說不通的。卽如針中脘（劍突與臍眼當中）可治霍亂，針曲池（在肘外輔骨之陷中）合谷（在食指拇指凹骨間陷中）可治咽峽炎，拿解剖之部位來說，那裏能講得通呢？因此一般之醫家對鍼術治療原理就不免懷疑起來了，其實他之作用，若以內分泌作用解釋之，又何神秘之有呢？

本篇所述僅其大概，至於何以針某一穴道卽能治某部病症，則尚有待於研究本問題者之努力焉。

錄自民國二十五年十月十五日出版之醫藥評論第八卷第十期。又診療醫報第九卷第一期。

第四章　針治術

一　取穴法

欲鍼灸技術精巧，須用心研究取穴法，據經穴學所載，有種種手術不同，要不離三種原則：容易針得應一也。例如針合谷穴，須與病人相對坐，用拇指押穴，斜向前刺下立卽見效，反之針不應也。不易發生危險二也。例如針睛明穴，須令患者臥於床上，或頭顱靠壁，不然針至麻痺時，病者移動，恐生危險也。

針少商穴須用手執大指之第一二節不令移動，不然只執手指之近甲處，病者覺痛，必致動搖，要傷好肉也。餘類推。取穴後病者不要移動三也。坐取穴則坐針，臥取穴則臥針；不然病者屈曲移動，經穴不正確，差之毫厘，則謬以千里，針治必不效也。

二　刺針法

刺針術，先以右手取毫針，左手探患者刺針之所，以拇指或食指固定刺針部位（稱押手，詳下文）然後右手之針，用拇指與食指持針柄，使下穿過皮膚，名曰穿皮，此時有無痛苦，全在技術之磨練如何，穿皮既終，乃稍稍加强，徐徐將針體刺下，迨針尖達於組織中之個所（卽神經），再行種種之手技。拔針時不宜急劇，應徐徐拔出，然後用左手之中指或食指，以藥棉按針口提擦之，使閉針口。茲將詳細技術列左：

一　刺針有痛之原因

（一）患者存恐懼心理，雖不痛亦覺痛。

（二）針鋒不利或起鈎。

（三）指力不足，屢刺不入。

（四）停針於皮下知覺神經中。

（五）押指不固定，或與針遠離，或輕重不適宜，或放開再押。

（六）針脫出後，再由原處刺入。

（七）患者是皺皮人，刺入時有痛感。

（八）神經質之人，誤用重押手，刺入時反覺如火灼之痛。
（九）刺入後，病者移動身體，針在皮下變成彎曲，皮膚卽有痛感。
（十）刺中靜脉亦有痛感。

二 持針法

持針之法，本無可談，豈知其中亦有法焉。在持針時，當先審查針身有無缺損，銳利否，如有則不宜用之，如針身彎曲如新月之形，則當用拇食二指合持針身，向反方向一捋，便可伸直。若持短針，本甚容易；至持寸半以上之針，持針時當用食指執針柄之下部，用中指傍針身，針鋒則當貼近左手押指之指甲，使針身略成之字形之彎曲；如此，則針身雖長而軟，亦可一變而爲硬性，而易於刺入矣。以上之持針法，雖短針亦當如此。

三 運針法

運針者，卽針刺入皮膚後之運用方法也。普通甫穿皮後，當再刺進一步，隨卽抽出少許，約爲所刺進者三份之一。此抽出少許之作用，爲使肌肉之纖維退離或鬆弛，因針刺入肌肉時，附有壓力，與針身貼近之纖維遂被壓而向下陷，糾纏針身而成緊逼之勢，若繼續刺入，其壓力則愈大。難以進針，或感疼痛。必須抽出少許，使糾纏針身之纖維退離，同時壓力亦已鬆弛；此時再向下刺入，原有已退離之纖維不再將針糾纏，而糾纏針身者，爲針所新進入之肌肉纖維，再如法抽出少許，則針又能活躍前進矣。

迨針達到所欲刺之深度時，若已觸到神經，則種種手術，可在此時進行，若觸不到神經，可抽起一部份，再向左或右等附近探取之，（切戒針身未提起，而先將針柄擺橫。）若已探到神經之所在，再施種種手術可也。

四　穿皮術

穿皮術是以針刺穿皮膚之意，看來似甚簡單，其實並不簡單，與全部針灸術之優劣，有絕大關係。穿皮術之佳者，患者絕不感痛，穿皮術不佳，則患者感覺絕大痛苦，因而引起畏懼之心，不肯繼續求治，故學者必須瞭解如何穿皮也。欲求學得佳美之穿皮術，除針鋒銳利，姿勢正確，與適當之押手（詳下文）外，更要明白患者之體質爲何種體質，此問題卽易於解決（參診斷學）。按穿皮術之種類，大別有八種：計有三步法，慢刺法，直刺法，飛針法，飛針快出法，壓入法，震盪法，鑽入法等共八種，玆分別解釋於下：

甲　三步法　此爲分三個階段穿皮入針之法，在刺針之先，當然先用押指按好刺針穴位，然後刺針，其第一步爲針鋒僅輕觸皮膚，第二步，針鋒已壓實皮膚，第三步稍用力，則針鋒已經穿皮，此法除神經質及具有敏感性皮膚者之外，任何人均可適用；而此法更適用於身體任何部份。但動作須迅速，太慢則反痛矣。

乙　慢刺法　慢刺法為持針直刺皮膚，但其勢為慢進直入，絕不中道停留，針鋒觸皮膚後，卽向前壓入，此法適合於神經質與具有敏感性皮膚之人。但必須配合重力押手，始能成功。

丙　直刺法　直刺法較慢刺法為較速，假如慢刺法需時三秒鐘，則直刺法一二秒鐘卽可完成。此法卽三步法速進之變相，把三步作一步行之。此法除神經質者外，任何人任何部位均可適用。

丁　飛針法　飛針者，言其速之謂也，約需時一秒之四份一，卽可完成。手持針柄之下半部，用中指傍針腰，動作迅速。此適用於神經質而具有敏感皮膚之人之背部及臂，腿等部之結實肌肉；但鬆弛肌肉，仍用慢進法為佳。此法於刺針時不用押手，刺進後，再加上押手。如飛針法仍有痛感者，則改用慢刺法卽可。

戊　飛針快出法　此法祇適用於指頭井穴出血時用之。普通針指（趾）頭穴，若想效能完備，莫如用三步法為佳，蓋三步法施於指（趾）頭穴，除有感應外，更有出血。但本法為適應一般極端畏痛之人，用針對正經穴，用極速之動作，一觸卽出，約為時一秒之十份一，迨患者覺痛時，針已離穴矣。此法爲刺井穴減少痛苦之最佳方法。

己　震盪法　此法甚簡易，右手持針柄，左手用指押穴，亦有人不用押指者，將針鋒在穴上向前輕壓，壓後隨卽向後退，壓入力多，退出力少，如是反覆繼續，而其動作甚速，驟視之，與震盪無異，故稱爲震盪法。此法適用於任何人與任何部位，但對於過敏性之神經質者有時仍不適用。

庚　壓進法　此法只適用於厚皮之處：如手掌足掌等處，皮厚而特別痛者，宜用此法；當用短針，配以重壓手，用强力，快動作，一壓卽入，此法可減去痛苦不少。卽加速之直刺法也。

辛　鑽入法　此法不說自明，一看題名，便已瞭然，將針在皮膚處鑽入，有如木匠鑽木相同，此法應用之機會較少，最適合於有瘡疤之處，或遇靭皮靭肉之時，持針屢刺而不入者，可將針身一轉，轉時乘機用壓力，卽能刺入。此法若用於普通人，普通穴位，則較以上數法，多感痛苦，但有時在有痛感之穴位，如神門，大陵等，用壓進法仍有痛感者，改用鑽入法，反覺不痛或僅有微少之痛感。

古之針家，在穿皮術進行時，每命患者咳嗽一聲，而後入針，使移開患者之注意力，能減去不少痛苦，此法亦有可取之處，但似嫌太古而已。

附註：凡有灸痕而灸瘡仍未愈者，如欲仍刺該穴，則不可在灸痕處刺針，當用左手之中指，將皮拉開，用食指押穴，在灸痕之旁刺針，此已拉開之灸痕之旁，其下卽爲灸穴之原有位置也。

三　消毒法

有古派之不少鍼灸師，不知細菌爲何物，亦不講求衞生，當施針時，把針在鞋底一擦，粗紙拭過，卽放入口內，待溫暖後，卽行刺入；拔出後，仍然放回口中（亦如是敎人）。如此施針，其弊端最少有二：

甲　醫生如有結核菌，白喉菌……糖針之媒介，傳染一切被治者，病人之一切細菌，亦傳到醫者，如是輾轉相傳，流弊實在可怕，何等可憐。

乙　明白細菌傳染之患者，裹足不前，不敢請求醫治；直接影响個人營業，間接影响全體同業，故吾人於施術前當實行消毒。（參觀商務出版之病原微生物學及免疫學，消毒學。）

一　普通病人來治，先命病人洗凈手足，或被針處，然後再用酒精（七十份純酒精和三十份蒸溜水）洗滌醫者之手，患者被針之經穴，針，及置針之器皿。一再洗滌後然後施術，鍼畢，針一再洗滌，拭乾，然後放置於針器內。醫者治一人之後，當用水洗手一次。

二　凡有傳染病，結核病……患者來治，照以上方法消毒倘不足；針治後，針須放入消毒器內（卽注射針之盒，西藥房有售）加水浸過五、六分深，下置有火酒之藥棉，點火燃燒至沸後十餘分鐘之久，用鉗取出拭乾，再用酒精消毒，方可針其他患者。倘該病症險惡，該針只刺該病人，不再刺他人，棄置不用尤妙。

四　刺針之多少久暫

病者請求醫治，經診斷認定某種疾病後，照治療學所定之經穴一一針治乎？抑加多減少乎？依經穴學留幾呼乎？抑加久減少乎？此要當心考慮以求見效者也，據多人之經驗，則有下列七種：

一　小病少針　例如牙痛初起針合谷已經全愈，一針已足；倘久年牙痛者，則針合谷止痛後，尙要針頰車內庭以求根治。

二　大病多針　例如癲狂者針十三鬼穴，腦溢血病者，針十二井穴，委中曲澤等。

三　營養良者，體魄健者，可多針數針，每針可捻運甚久，至於瘦弱者，神經質病者，則針數不可多，且捻運不可久，多而且久，必致暈針，或全身疲倦。

四　男人及壯年，可多針數針，針之捻運可久，女人與小兒，則針不可過多，捻運亦不可久。又神經敏感者，刺中神經，一刺已足，多而且久，必致難受。

五　針至病人疲倦時，（要問病人感覺如何），或暈針時，（要時時留意被針之患者），應卽停止施術。

六　治痛症患者，針至止痛後，要繼用手術數分鐘久，或用置針法若干分鐘，方能全愈，止痛後卽行拔針，往往數分鐘再痛。

七　應多針之患者，已針五、六針後，或針完一局部後，當略休息，然後再針他穴，若須加灸治者，針完一局部後，繼以灸法，然後再針其他部位。

關於本問題多有各家各法之不同。有人採多針政策，不論症候之大小，均一律以多針密刺爲主；其實此是低能者之所爲，對症不知如何用穴，於是用多針，採包圍政策，針既多，必有中的者矣，豈知徒令患者受苦而已。又有一派，每治一病，不論症之大小輕重，多用一至三針，彼等以爲，針刺穴中，自然發生神奇之功效，故不必用多針，據謂古之玉龍歌，肘後歌，百症賦等，均爲每症用二三個穴而已云云。豈知古人身體强壯，飲食簡單，生活簡單，有病較易治愈；今人生活繁忙，飲食複什，身體較古人爲軟弱，故一旦有病，並非二三個穴位可以治愈之也。由是觀之，多針密刺者爲太過，輕針少穴者爲不及，過猶不及，其弊一也，學者不可不知。

至於刺針之久暫，亦宜因人而施。針若不刺中神經，則不論久與暫，對患者均無影响，若已刺中神經，則當視其能忍受之程度而適宜施之。嘗見有一派針師，刺針入穴後，不問刺中神經與否，立即出針，或在針柄上燃艾一壯，然後出針；更有一派與前者相反而行者，每刺入針後，不問中神經與否，必將針旋撚數分鐘；如此情形，不中神經者，則毫無感覺，一旦刺中神經，繼而旋撚如許之久，則患者暈者自暈，不暈者，以後亦長縮不前矣。此亦過猶不及之另一例而已。

五　運針不痛法

病者一聞針刺，必以爲甚痛楚，多不願針，（曾有用針縫衣，偶刺着手，即甚感痛者。）故用針灸治療者，須認眞學運針不痛法，使刺針完全無痛，方有人來治，生意方能旺盛。

第一：病者來治時，須先說明平常縫衣刺着手者，因爲手指最痛，所謂十指痛歸心，故感覺痛，現在按照經穴部位施針，針甚幼小，故不感痛，病者經醫者解釋，已減去恐慌不少，施術時自可減去不少痛覺。

第二：醫者買定油石一塊，把所有毫針之針尖磨至極尖，磨時須轉動針柄，使全針尖都可磨到，針既銳利，運用指力，一刺卽入，故病者不感疼痛。

第三：左手大指食指甲須留長一、二分，每逢施針時（先消毒），先以左手大指甲切經穴，找對痠處，强力壓之，約二、三秒鐘之久，則患者之神經麻痺甚（神經質者不可如此，只可輕押皮膚），且乘大指甲壓實，則針易入，且不感痛。（入皮後，若不移動位置，雖深不痛。）

第四：清晨或晚間，於寂靜之處，無喧呼之地，鋪位靜坐，舉行深呼吸二、三十分鐘，惟須避迎面之風，腰直胸挺，口閉目垂數息。腰直胸挺則身端正，肺張腹滿。目垂內視，則外物不亂其心。口閉不張，則冷氣不侵；吸之以鼻，呼之以口，宜徐宜緩，愈緩愈妙，以數計之，心神合一，久久行之，則腹部充實，氣力倍增，針雖柔軟，有氣力刺入而不感痛矣。

第五：取無用之書一厚冊，先揭二、三頁，持毫針試刺之，如可穿過，則加厚二、三紙，再行刺入，又可穿過，則加厚數紙，直至一寸厚之書，而能不須用力刺入，疾行刺過者，則右手大食二指，指力已足，雖用極幼之毫針，施之人身，都有力刺入，且不感痛。

又法：用棉花一小團，繞以棉紗，以針刺之，覺易刺時，再加繞棉紗，再覺易刺，又繞棉紗，愈繞愈實，指力則愈刺愈强矣。

學者按照上列各法實行，成功時，先刺自己之足三里穴，三陰交穴，看感痛否，如感痛則須繼續練習，未可與人施術，迨全不感痛時，始可出而問世也。

六　針術之七種手技

針術之手技，即刺入後針之動作，適當與否，以發揮刺戟之技也。舊式之補瀉法，其解說甚抽象，（針灸大成卷五）不易明瞭，亦不易照行，且理論欠當。玆廢除不用，改用易明瞭而切實之技術數種，學者須澈底明瞭，熟習，依照實行，方能收治效也。

一　單刺法　針之達於目的部位，神經有感應時，即行拔去，此法主予輕微的刺針時用之。

二　旋撚法　針之刺入經穴，達於目的部時，患者感痠麻，即行左右旋撚之手技，此法較單刺法予以稍强之刺戟時用之。又於頭部經穴，難於刺中神經時，用旋撚法，能收大效。

三　雀啄術　此法恰如雀之啄餌。先使針達於目的部（即神經）後；將針上下提插，强力刺戟於神經中；此手技於强弱之制止，或達興奮之目的時，應用最多。此法遠用爲制止，近用爲興奮。

四　皮針術　在極淺之皮膚，行刺針方法，此法專應用於嬰兒或小兒。另有一種小兒針，只針皮外而不入肉，微微感痛而已。輕症可用，大症無效。

五　置針術　於刺針部位，一針乃至數針，刺入達目的部位時，行數分以至十數分鐘之長時間放置而後拔出，此專應用於神經過於興奮，使達鎮靜目的。頑痛之神經痛症，此法最有效。

六　點刺術　針在患處一點（約入一分深），卽行拔出，再就該患處點刺之，如此而頻頻反覆，使患處全部均須點及。肌肉豐滿處，（見筋骨處不可用），發生炎症時（紅腫痛熱），及皮膚局部麻木失去知覺時，均可應用之。

七　間歇術　針刺入後卽行拔出一半，過相當時間，復又刺入，此法於血管擴張，筋肉弛緩時應用之。

以上七種手技，足以發揮針之刺戟力，達到興奮，制止，誘導三種目的，惟用時須視患者之年齡，體質，疾病之如何而適宜定之，猶之中西醫師，細心決定其藥物之量，不可稍稍疎忽也。

七　刺針之方向

針之刺入組織中之方向有三種，卽直針，斜針，水平針是也。直針直直刺入，斜針向斜方向刺入，水平針最初斜入，入皮膚後與皮膚並行。直針應用於腰部等深部之刺針，斜針因內部貴要內臟，不可深深刺入。水平針應用於皮膚刺針。

八　刺針之押手

押手爲刺針上最重要之事，先以左手姆指或食指，輕輕按撫刺針部位，預使慣於刺戟，次就拇指或食指之甲側，置刺針部位，此拇指或食指，除固定刺針部位外，更加以適度之壓迫，卽押手是也。（施術時，左手大指或食指緊壓經穴外，餘指須按實其他部位）。押手之任務，具體說明如左：

一　保持針之固定。

二　指示下針之方向與位置。

三　若刺針部之皮膚滑動，必覺疼痛，故押手所以防皮膚之滑動。

四　施針時，患者身體每有動搖之事，此所以制止動搖。

五　用押手，使皮膚拉薄，則針之刺入組織較容易。

押手宜視其刺入部位及其病理，而異其押手壓力之輕重。例如皮膚易於滑動之處，或刺針強刺戟時，或深針時，不得不加相當之強壓。神經質之人，皮膚知覺敏銳或不堪強壓之處，或炎症等覺痛之時，則押手不得不輕輕施術；輕押手只觸皮膚，強壓手則術者不得不用全身之力，此點應各自實地研究可知。又神經質，皮膚敏感者，一律不得用強壓手。

九　刺針之深淺

人有大小肥瘦之別，針之深淺，極難一定。惟須知針術不在刺之深淺，而在能否刺中神經，使之起反應。能刺中神經，則能事已盡。如不能刺中，則或加深之，或偏向左右刺之，直至病者感疫麻走氣爲主；惟須謹記，頭部，頸部，胸部，脊部，因腦及貴要臟腑所在，不可深刺，刺中腦及延髓，心，肝，胆，脾，腎，肺等要發生危險。有等江湖針家，無論何處均深刺。又有一派，無論何處均淺刺，此均屬旁門左道之流，不足效法者也。

十　刺針刺戟之強弱

一　患者之體質——多血質，脂肪質者，可用強大刺戟力，神經質者，當用弱刺戟力。（神經質者，刺力強大，會起痙攣或暈針）。

二　男女之別——男性可用強大刺戟力，女性宜用次等刺戟力。

三　年齡——壯年老年，可用强大刺戟力，少年與小兒當用弱刺戟力。

四　營養如何——壯健者，可用强大刺戟力，虛弱者，當用弱刺戟力。

五　病症如何——對於神經痛，麻痺，知覺脫失等病症，應加强大刺戟。對於腹部內臟交感神經之刺針，應極緩刺戟，又身體之部位如顏面，手足掌等，較之身體他部知覺敏銳，亦宜注意。

十一　針之响——响應之意

針刺穴中，在觸其神經時，恰如電流，或起一種牽制之感覺，此謂之响，或謂之氣。此响可收針治之效果。响有緩急，有强弱，施之適度，爲吾刺灸家最要之事，此技不至，其術徒勞。如刺之，久不得其响者，其病多不治。古云再刺氣海穴，如仍無感應者，可決其病不治。（此等情形，有時用直灸法可以補救。）

十二　刺針之時間

鍼經云：新內勿刺，新刺勿內。（內者，性交也）。已醉勿刺，已刺勿醉。新怒勿刺，新怒勿刺。新勞勿刺，已刺勿勞。已飽勿刺，已刺勿飽。已飢勿刺，已刺勿飢。已渴勿刺，已刺勿渴。大驚大恐，必定其氣乃刺之。乘長途車來者，臥而休之，如食頃乃刺之。遠行來者，坐而休之，如行十里頃乃刺之。

十三　針治後何時再針

不少頑痼病，治療一次不能全愈，須針灸二三十次方能根治。已針一次，何時方可再針？凡屬痛症，針治後當立即止痛，如同日再發，可以再針。針灸之次日，不甚疲倦者，可每日施術。如針後患者感疲倦，則隔一日或三日針一次可也。

十四　放血

放血爲針治療法之一，每用于充血性炎性症，或鬱血性等疾病；出血後輕者即愈，重者轉輕，其手術乃擇淺在靜脉，將血液之去路結紮，使血管特別擴張，刺破血管前壁，血流自出，但勿刺破血管後壁，使血液流出後壁外，滲入組織，至起靜脉瘤；此法當用西醫之放血針，則可免刺穿血管之後壁。又動脉不可放血，苟或誤傷，爲害甚大。

十五　針後之腫痛出血補救法

針治疾病，須用全副精神應付，方保無虞，萬一不慎，針及血管前壁，即要流血，針穿血管後壁，即要腫起，針及腱，則作刺痛，如此則使病者懼怕，補救之法：

一　針後發生劇痛時，宜用熱水袋敷之，或以松節油擦之，或以温灸器隔布灸之，或以羌承艾輕灸之，移時痛苦卽除。又針後，針口有疲倦感覺者，亦當溫灸之可解。又針後針穴之神經，過後撫之有電感發出者，次日可在原穴位再針之，用輕針單刺法，針後再加以溫灸，自然可解。

二 針及血管流血時，急用藥棉稍用力按其針口，繼輕搓十餘次後，血卽停止。若仍不止 則以純艾敷之卽止。

三 針穿血管後壁而腫脹時，以一—二%鉛糖水，二-五%食鹽水罨包之，或隔羌灸之，溫灸法亦可，腫卽消散矣。

四 針關節之穴位如委中尺澤等，針後常有牽引作痛之感覺者亦當以溫灸器灸之卽可。

十六 拔針法

拔針時不宜急速拔去，先用押手之指壓住，徐徐拔去；餘一二分時可以急速拔去。拔去後，押指應在其針口縱橫圓散按壓，使閉針口。不論何時，不可不妨折針。

十七 針難出穴之原因與辦法

一 肌肉發生强有力之痙攣，將針吸住。解之之法，於針穴之上下，以爪掐之，掐線約各長四、五寸，約經三、四分鐘，復持針略加捻運，卽可順手而出，或在針旁處刺一針可解。

二　針有缺痕，纖維纏繞難出；解之之法，當轉動針柄，左右迴旋，俾筋肉之纖維退離；于左右迴旋之中，將針身時時試向外提，如久不得脫，只稍用力拔出之可也。

三　當入針後，病者不愼，姿勢屈曲，（以腰部爲甚）當使病者慢慢恢復原有姿勢，審定其屈勢，固執其針柄之露於皮外者，順其方向緩緩用力拔出之。

十八　折針及其處置法

刺針中之折針，多因左之原由：

一　針體有微傷，或一度屈曲之針，伸直使用。（屈曲之針，當在屈曲處剪斷，磨尖作短針用，可免折針）。

二　刺針中患者忽動自己之身體，筋肉乃起壓力。

三　刺針中患者因咳嗽等情形，致身體急劇動搖。

四　針入急劇，致起身體之痙攣强直等。

五　針體乾脆（如縫衣針）刺入時極易折斷。折針多係身體之深部刺戟重要之所。而折針多在針柄與針體之接着部，故在深部刺戟時，針體全部刺入組織中，要有相當之注意。

根據以上諸原因，歸納其總因，實歸咎於針之本身，若針身爲優良之品質，斷不致有折斷之虞。本來鋼質所製之針，不易折斷，近日新出品之不銹鋼絲，更爲堅韌，但因每日用火酒拭抹，日久變質，即易折斷。若日日常用之針，普通鋼絲製者，三月後，當廢而不用；若用不銹鋼絲製者，半年後即不宜再用。若繼續用之，當有危險。此點學者不可不知也。

折針分两種折斷情形，一在針體中道折斷，一在針柄與針體相接部折斷。而折針多在深部刺針時發生。折針另有一原因爲刺針時，動作粗魯，用力太過，偶遇難刺進之時，而勉强加力刺之，致針因而折斷。

折針時不可告知患者，使其驚怖；若針在患者目所能睹之處折斷，則當警告患者，使其勿動。此時針師本身當持極鎮靜之態度對付之。如折針後，針鋒仍露於肌肉之外者，可用爪或鉗拔出之；或用强力磁鐵引出之。若折針後，針身與肌肉平而難以用爪或用鉗者，可用强壓手，在針之週圍，用强力壓迫，使針透達皮膚之外，然後拔去。若不現於皮膚，可用鋒利小刀，照該部劏開，至相當處，用拑子取出可也。至於在深部折斷，則非請西醫施手術不可矣。

附取斷針方

一　用烏鴉翎數根，瓦上焙焦黃色，研細末，酒調服一錢。外用車輪上油垢，調眞磁石末攤紙上，如錢大貼之，每日一換自出。

二　生磁石一両研末，用菜油調敷皮外，離針入處寸許，漸漸移至針口，該針由原處傷口而出，神效。

三　癩蝦蟆眼珠放針口，半日後自出神效。

四　鮮核桃外皮三錢，古銅錢三個，核桃仁三錢，擣敷患處，其針卽化。

按：以上諸方，余二十年來，未嘗一用。柚子核煆灰、油調敷患處能出玻璃。

十九　暈針救治法

貧血與神經衰弱，或腹中飢餓之患者，一遇針之强烈刺戟，多致引動內臟之交感神經，起反射作用，而直奔腦系，因而發生頭暈眼花，胸悶作嘔，同時表部之皮下神經弛張，汗腺失其括約，故自汗淋漓，瞳孔放大，體温减低，四肢厥冷，血壓力降低，心房之搏動因之漸微，不能鼓動血行，故脉伏，全體神經失其作用，人身之知覺與運動廢矣。此之謂暈針。（發生暈針者，收效極速）。

救治之法

一　先使病人臥下，不施手術，亦可漸醒。

二　於患者之人中，少商，中衝三穴，以爪重掐之或針之。使覺痛感，而激動其知覺神經。

三　以溫開水灌之，以壓降神經之反射。

四　飲之以酒，以助血液之流行。

五　針人中及足三里穴。

六　灸百會穴。

七　用西藥之亞摩尼亞，使病者嗅之可醒；蓋亞摩尼亞含有猛烈之臭味，亦足以激動神經故也。（有時亦不甚見效。）

預防暈針之法：

A.　先灸百會穴，使腦部加熱，血壓上升，然後針其他經穴。

B.　用生薑一片予病者嚼碎含之，薑之辣味，刺激上腭及舌神經，反射上腦，使腦神經興奮。

C.　睡在床上針之，永不暈針，因血液平流故也。

二十　針上灸

今之針家，多以針刺穴中，於針柄上，圍以艾團而燃之，雖失前人灸法之本意，然頗著效果，助針力之不及；大概痰濕阻滯神經，或爲慢性症，或爲頑痼之神經痛，及腹中生癌腫等症最爲適宜。金屬傳熱最速，熱力由針柄傳入深部，直達病灶，似較之徒以艾灸皮膚之爲愈矣，蓋不特無灸瘡之苦，且收效大也。

法預先用紗紙捲艾條如姆指大，以漿糊封口，再以刀切粒，每粒約半寸長。當施行針上灸時，先以針刺穴中，針柄之下部須離肉約一寸高，繼以薄片藥棉圍繞針身之貼肉處，再用厚紙片，中穿一孔，，套於針上，此棉及厚紙片，其作用爲隔熱，以免艾球燃燒時灼及肌膚。然後將艾粒之中心，刺一小孔，套在針柄之上，以火燃之，火盡，去其灰，再燃；每一病灶，當燃三粒以上，方能足力而收效也。

二十一　火針

古人於癰疽發背，及無名腫毒，潰膿在內，則施行火針法。先以花生油蘸鍼口上（用粗針）燈火燒紅，按毒上軟處針之，其潤大者按瘡頭尾及中間，以墨點記，連下三針。然針不可太深，恐傷經絡；亦不可太淺，太淺不能去病，適中乃合，針則速退，不可久留。復以左手按其孔，自能止痛，膿出自愈。此法亦適宜於治癧，凡按穴施灸而不效者，在核上用火針刺之，每核針二、三針，一次見效，若按穴施灸而能愈者，此法可免則免。

二十二　刺針之禁忌點

刺針危險之所稱禁忌點

一　延髓部　誤刺之有關生命。
二　眼　球　眼球不可直接刺針。
三　睾　丸　睾丸不可直接刺針。
四　小兒之百會顖會上星穴。
五　大血管之所在部。
六　胸腹部貴要內臟之直接刺針。

二十三　刺針之次序

每種病應針之經穴不少，孰爲先針，孰爲後針乎？述之如下：

一　古人先針上部之經穴，後針下部之經穴，先針前部之經穴，後針後部之經穴。今可不必囿於古人之見，可取其便法而行之，如先針手部之經穴，後針足部之經穴，先針背部之經穴，後針胸腹之經穴是也。此法爲便於施術時行之。

二　先針主要之經穴，後針次要之經穴。（因恐病者怕針，故先針其主要者，有時不針次要者亦能愈。本法只限於輕症，重症則不適用。）

三　先針不痛之經穴，後針劇痛之經穴。（因恐患者感痛不願再針，針完不痛之經穴，後針痛之經穴，則怕痛亦變爲不痛矣）。此法爲應付初針而怕痛者宜之。

四　先針離病灶遠之經穴，後針近病灶之經穴。例如頭痛先針合谷列缺二穴。（反射刺戟），繼針風池頭維二穴，（直接刺戟）。（因先針遠處之經穴，減少痛苦，再針風池頭維，刺針方不感痛）。此法對付重症，爲最適宜。

五　須加灸治者，則先針後灸，或針灸一局部後，然後針灸其他局部。

以上次序，體察病症及當時之情形而酌量用之。

二十四　刺針時不可忽略之事

一　須隨時觀察患者之顏面（面色），眼有無變態，如覺有異，即應停止施術。

二　須常常問患者感痠麻否，不感痠麻時，當刺至痠麻，否則徒勞而無功。勿充老手，以問病人爲可恥者，切宜戒之。

三　須問患者感疲倦否，能忍耐否，感疲倦時，即應暫停施針。休息若干分鐘後，不感疲倦時，如手術未畢，仍可施術。

四　針治之反應力量，有須十數分鐘才完畢者，故當命患者稍爲休息，然後返家。若不休息，恐在途中暈倒。

二十五　治療之次數問題

病者來治，常問若干次可愈，此問題甚難解答，然亦可參考下列各項推測之：

一　刺針入經穴，患者感痠麻如觸電者，病易全愈，無論如何刺戟而不感痠麻者，需時日必多。

二　刺針後即見效者易愈，刺後全無功效者，需時日必多。

三　新起之病易治，久年病症，仍需時日多。

四　痛症最易治愈，但久年痛症，仍需時日多。

五　急性症，危急病，容易治愈，慢性病，需時日必多。

六、身體强健者易治，體弱者需時日必多。

七　能忍受針灸之强刺戟力者，並能忍受艾灸者，容易治愈，不能忍受者，需時日必多。

醫者參考上列各項，而指示患者治療之次數，當不致誤也。答復此項問題，須用心思計量，蓋告知患者快愈，則樂聞，但屆時未愈，有失信仰。說治療次數多，病人怕久，不肯來治，故對於此項問題，最好只告知患者能否治愈。能治愈者爲之治療，不能治愈者，恕不受理。來治者須耐心受治，余惟有盡力爲之治療，以期速愈便是。

二十六　針治之順序

患者到來請求醫治，初施術者，往往手忙脚亂，玆把實施順序列下，請學者參考之：

一　須問明患者之姓名，住址，年齡，職業，病症（既往，現在），然後决定病名，列入診療記事冊內。

二　既診斷其病症，則思何爲主要經穴，何爲次要經穴。

三　當决定應針應灸，針治當用何種手技，灸治當用何種灸法。

四　調節室內空氣，不令太冷太熱及猛風吹來。

五　病人坐立臥之决定與實行。

六　當向病人解釋，針治並不痛苦，以免恐懼暈針。

七　檢點所用之針，有無毛病，尖銳否。

八　嚴重消毒（醫生之手，針，置針之器具，被針處，俱要消毒）。

九　以左手按被針處，以押指按經穴，尋得正確，然後施術，隨時留意患者之顏面，並問感覺如何。

十　針完令患者休息，告以病中修養法，飲食之禁忌等。

二十七　針灸師自身之修養法

針細如毫毛，患者之神經，肉眼不能見，故此種工作，精細之至，苟無康健之身體，充足之精神，決不能幹此精微之手術。所以立心以針灸治病者，須力求康健，精神充足；凡足以喪失健康之習慣，及一切不良嗜好，務須禁絕，日常生活須切合衛生原則爲是。（疲倦時施術，常針不應，治療無效）。

其次，日常治療之病症，如有未甚明瞭者，偶一有暇，卽宜參醫籍，窮其原，竟其委。治療不效者，更當探求不效之故，如何方能收治效。他人對于本症如何治療（參別家書籍或雜誌）針灸外，倘有何完善之治法，又當與老師及有經驗之同學共同研究，當常有不耻下問之心。能如此追求，日積月累，學識必日富，手術必更巧，名譽日彰，多人獲救焉。

末後語

學者治病時，當緊記刺某穴時，痠麻達到何處，感覺如何？刺第二人是否如此？刺此穴後，曾發生何種功效？能如是用心，則手術恰到好處與否，自己可能斷定，從而設法達到恰好處。以後見某部份有病，自能取得某某經穴針對之，又能刺到「恰到好處」也。

勿以現在所學所知者爲滿足，因針灸醫學，等于無窮之寶藏，發掘不盡者，當努力尋求之，但切勿離宗，余曾見少數學生，放棄余之所授，追隨時人之新作而治病，結果全部失敗。愼之，愼之。

針治學終

電針機使用法說明

蘇天佑

1　電針機之說明　電針機與電療機，名不同而實相同，唯用法不同耳！電療機之用法，乃將機中發電之两極，接觸於皮膚之患處而療病，其功效十分輕微。電針機則不同，乃將電機發電之两極，附搭於針柄之上，而針又插於經穴之神經中，如此用法，比之電療機祗電皮膚者，其功效何止數十倍？所以針灸醫家，均樂於採用，其宗旨並非由針灸改爲電療，乃以針法加上電，而取其治療功效之加速而已。從來用電針機之最早者，厥爲法國德國之針灸家，其次爲中國大陸之針灸醫師。日漸推廣，而成普遍化矣。

2　電針機之種類　電針機之種類有多種，有純直流，即純粹將直流電搭於針上以療病；其次爲脈動直流，此種脈動直流機，旣將两極搭於針柄上之後，經穴中之神經有震盪之感覺。三爲交流；此種交流機，其作用與脈動直流機之功用相同，其相異之處即直流機之脈動震盪力，在正電（＋）則强，負電（－）則弱；但在交流機則正負電之强弱相同，此即爲相異之處。四爲中和原子電療機，此種機亦爲脈動電療機。上文所說之脈動機，均用乾電池作電源，其震盪度爲每秒鐘不超過一千次；但中和原子電療機，則一秒鐘能震盪五千次之多。本機必須利用電廠所發之電流作電源，但此機之構造法爲電流少，電壓高，祗適用於皮外電療，不適合於作電針機之用。此機爲香港電療製作專家鄒福松先生所發明，因構造特殊，單在皮膚上電療，已有不可思議之功效，故不須將電極搭於針柄上矣。最後一種爲超音波電療機，每秒鐘震盪二萬次。此種機因電力過强，不適宜搭於針頭上，但治療功效更勝於中和原子電療機。最後之两種電療機，本學院將有出品。但脈動電針機已經問世。

3　電針機之生理作用　針治法乃物理療法之一，電乃電氣療法，两者性質不同，而所發揮之作用，亦有所不同；但两者合而用之，則能發生綜合性作用。對針治疾病，有莫大之補助。電針具有『興奮』與『制止』两種作用。更能增加白血球及促進白血球對細菌之吞食作用。非熟習針灸者，用脉動電療機治病，其功效之不顯著者，皆因不明經穴之所在，今針灸家按經取穴，按穴治病，加上用電於針上，可謂事半功倍矣。

4　電針機之適應症，　電針既有『興奮』『制止』之作用，則對於一切衰弱性，麻痺性之疾患，能於短少時間內，予以興奮及恢復其知覺常態，至於興奮性之疼痛，亦能制止之。此外又有增加白血球及促進白血球食菌之作用，則對於外科有莫大之功效。但治療外科則用『純直流』，其他則用脉動直流或交流爲宜。治療外科多採用對患處包圍方法，即在患處之週圍相隔約二三分之處環繞刺針，然後加上電流。至於其他症候，多採依經穴治療之法，或採用天應刺針法治之。（參電針療法一書，自多明瞭。）如神經痛或風濕症，經用電二次以上而無效者，當改用直接灸法。

5　電針機之使用法　既刺針後，欲加電治，當使針固定，（深穴用長針，淺穴用短針，勿勉強用長針於淺穴而使針固定，）然後搭上電線。如同時用两穴者，倘一穴屬重要性者，一穴屬次要性者，正電當搭於重要性者處，負電則搭於次要者處是；每次不超過五分鐘；（但用『純直流』治外科時，則時間當加長至三十分鐘以上。）如两穴均屬重要性者，當於用電两分半鐘或三分鐘時，將正負两極掉換一次，直至用足時間爲止。如三穴同時用電者，其中之一處搭負電，其餘两穴當搭正電，如需掉換時，亦如前掉換之。如四穴用電，則可用正負两極各二，亦可如前者之掉換法。如單電一穴，可在穴上搭上正電，使患者手持負電亦可。如患者不同意用手持者，則可選一附近經穴，或同經之穴刺針，作搭上負電之用。

在電線搭好之後，當使患者不可動搖身體，更不可偏側，當保持針刺時之固定姿勢。在未開電制以先，當先告知患者，用電時並無痛苦，只有酸，重，顫動，輕跳動，或傳導於上下方等感覺而已，以減少患者之恐懼心理。

電機開始動用時，先把開關制打開，此時機中有顫動聲音時，即有電流發出；此時不可立即向增電方向移動，當稍停一呼吸之久，然後慢慢開動，切忌急速增大，因患者之神經未習慣電之刺激，必感難於抵受而生恐懼之心；在慢慢移動當中，當問患者有電之感覺否，能感受若干電力，若患者感覺電力過强時，當將制扭慢，至恰可而止。在電治進行一分或二分鐘後，患者神經即能感覺有習慣作用，而自覺電力之漸弱，此時即可略爲增電，至患者能感受之程度。

在電治進行當中，醫者對患者之一切經過情形，當密切注意，切勿於開電機後，全部不予理會，而將精神注意其他之事，以致有意外發生時而搶救不及。更不可於搭電後與別人談天說笑，而消失嚴肅之場面，流於兒戲，此舉影响患者之精神甚大，切宜戒之。有時患者之神經不甚敏感，亦不可將電流開得太大，雖然患者當時能抵受之，但過後患者甚感疲倦，甚至毫無功效，反覺病態加重，此因神經太疲勞所影响而發生。在電治完畢時，當先將機扭關閉，此時要注意者，勿誤開爲關，致患者忽然感受强大電力而感痛苦，初用電針機者，常犯此錯誤，切宜留意。

6 使用電針機當注意之事項 所用之針，當極健全，凡彎曲，殘舊之針，切不可用。患者如刺針後已暈針，不可再用電；如加電後然後暈者，當即停電與出針，使之臥於床上休息，再用針治學之對待暈針法處置之。如用電針後因用電力過强，局部感覺麻痺者，可再在原處刺針加電，用輕度電力刺激數分鐘，麻痺自然可解。近心臟部及其附近，以不用電針機爲宜，而心臟衰弱者，以絕對不用爲佳。

7　本院出品脉動電針機之優點　本出品用電只用個半伏特，不必用三伏特，而電壓特高，可同時用两對線，甚至增至四對線，電壓仍不低降。同時亦省電，一個乾電池，每日用三小時計算，可用十日至十二日。機內並無吵鬧之音，以減去患者對電治之恐懼心理。又本品外觀美麗，體積小而身輕，便於携帶及出門之用，本機併附有電線連插共三對，其中一對，專爲探穴及皮外電療之用。可謂爲電針機中之優異出品矣。

灸治學

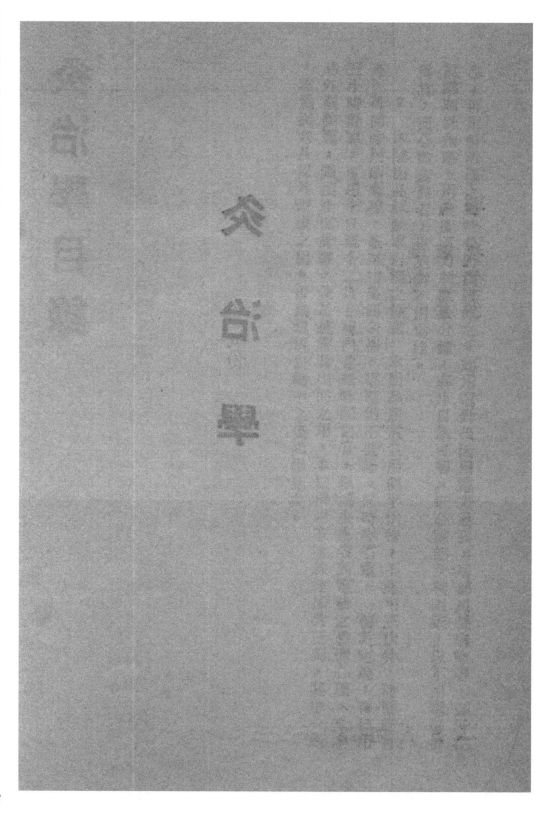

灸治學目錄

灸治學

第一章　灸治之定義

灸治者，在身體一定部位，即選定某局所（經穴），以某種方法，加以温熱的刺戟，由此以導疾病之治愈，或增進健康之方法也。

第二章　艾之研究

甲　艾葉談

使用於灸治之精艾，其功用按藥物考謂：其性温熱，味苦無毒，宜理氣血，利陰氣温中逐冷，除濕開鬱，生肌安胎，暖子宮，殺蚘虫，灸百病，能通十二經血氣，能同垂絕之元陽。今以新學理解釋之；「其性温熱」，有鼓舞神經之功能。「宜理氣血」，即促進血液之循環。利陰氣，温中逐冷，暖子宮」，有輔助體温之偉效。「除濕開鬱」，乃增加白血球，殺滅細菌及促進淋巴發揮新陳代謝之功用。「生肌安胎」，爲增進榮養之機能。灸百病，通十二經血氣，回垂絕之元陽」，無非活動人身關節及組織之細胞生活力也。

乙 艾之化學成份

根據日本大阪市衛生試驗所之分析如左：

一般定量分析

水分	八，九八
含窒素有機物（蛋白質）	二，三一
『依的兒』可容性分	四，四二
無窒素有機物（主在纖維質）	六六，八五
灰分	八，四四

灰分定量分析

酸不溶分	一六，二五
加榴模及那篤榴模（酸化物）	一九，九八
鐵及阿爾米愛油謨（酸化物）	八，〇三
酸化加爾曳謨	六，七七
鱗酸（無水物）	五，八七
硫酸（無水物）	二，二二
酸化鎂	〇，五一

丙　艾之選擇

孟子曰：七年之病，必求三年之艾。故灸病之艾，愈陳愈佳，每年在端陽節前採貯之，去其莖而取其葉，葉片以厚爲貴，厚卽力雄，葉厚而莖高大，最爲良品，取而貯藏之，灸病最良。

丁　艾絨之製造

艾葉收獲之後。去其莖而取其葉。晒乾後。置石臼中擣之，再置於竹篩中以手摩擦之，至再至三，至白凈如棉，方始可用；藏置乾燥玻璃器中，不使受濕，用時，力足而效宏。

戊　製成品之選擇

居於城市之針灸師，自己上山採艾，殊不便利，縱然採下，亦難卽用，因此，多在藥材店中選購現成之艾絨。我等對此，應有所認識；須知艾之「絨」乃生長在艾葉之背面，有如一撮白毛，乾後便爲艾絨之成份，艾身上之葉青，乾後便成灰黑色成份，與艾絨混合，茲述其選擇法如下：

A　顏色　顏色須白色多於灰黑色，此是由大艾葉所製成，絨之成份高；黑白參半者，爲中等貨色，仍然可用。黑多於白者，便是下品。黑白不分，爛碎如泥者，不可用。

又假如艾之灰黑成份，並非灰黑色，而爲黃色或青黃色者，此是新艾，不足一年者，不可用。

B 氣味　舊艾之氣味，芳香樸鼻，愈嗅愈喜其味者。若是新艾，除顏色略帶黃色以外氣味亦兼草青之臭味。學者憑此，可以知新舊矣。

C 彈力　艾之絨質佳者，用手握一把，覺有彈力，放手時能自鬆開者，便爲好艾，絨多雜質少，若握後不能自動鬆開者不可用。

D 聲明　用直接灸之艾，最好用純絨，可減少痛苦，但坊間所售有一種純艾，用水漂過，失去香味，功效不佳。最好用手將艾在畚箕中磨擦之，直至變爲潔白之純絨爲佳。

第二章　灸治之種類

灸治大別爲直接灸，間接灸，藥灸三種：

一　直接灸

在人體一定局所，即施灸經穴處，將艾絨置於施灸點之皮膚上，以火燃燒之，使皮膚上起一種火傷，熱力直透組織，收效甚快。對於頑病，急症，虛寒症，甚爲適宜。

身爲針灸師者，對於針灸技術，不可存偏見，當廣採各家各派之法，盡地發揮，各適其適而使用之，以適合各種疾病之需要。正如商人語云：『百貨中百客』，今可改爲『百法適百病』。直接灸法，不但能適應多種疾病，更有非用直接灸不爲功者。除非不學針灸，學針灸則當瞭解及善用直接灸；直接灸不但功效好，且能使病速愈，病人可節省金錢，時間，及能迅速解除痛苦。且不致誤人疾病及性命。比如癰瘡初起，來勢兇猛，若不直接灸，則不能阻遏其發作之勢，又如霍亂危急，若不用直接灸，則不能救命。比如學中醫，單善用凉藥而不善用溫熱藥，或相反單善用熱藥而不善用凉藥，豈不是笑話，更是誤人矣。『誤人』二字，未必是一定誤投藥物之意，乃是誤人時間，失却挽救之機會，間接誤人性命。所以針灸師若不善用直接灸，亦一樣誤人也；同時亦只可治輕症淺病，斷不能破大症挻頑病而挽危亡也。須知招牌掛起，須對全民衆負起保健及救命之責任，學術當全部了解而精熟，更須令患者省錢速愈爲上。若云恐患者怕痛，畏懼不肯灸而致生意減少者，此爲過慮而已。其實直接灸並不致令人懼怕。反有要求多灸者。病人所怕者，爲反覆治療而不見效，徒受痛苦而疾病纏綿不愈，喪失金錢時間，躭誤病機而已。須知患者心理，多數只求速愈，不計任何方法也，尤以勞苦大衆爲甚焉。其中怕痛不肯灸者，只佔百份之五左右而已。法國醫生之語云：『藥所不能治者，鐵能治愈（針也），鐵所不能治者，火能治愈，火亦不能治者，其病無法可治矣。火者，艾灸也，可見灸術功能之偉大矣。

直接灸之技術

甲　艾絨　以舊而純净者爲佳，尤以用手在脊箕中擦白者爲好，用水漂過者，失去艾味，功效不大。

乙　艾壯　大壯如栗，如花生；中壯如黃豆，紅豆，小壯如綠豆，如米碎，如芝麻咀。

古人之如鼠糞如麥粒，此非尋常所能見之物，難以令人瞭解。

丙　火　古人以火鏡向陽光取火，或以燈芯蘸油燃艾。此爲古人之意見，意謂任何物體之火均有毒，艾火爲無毒者，用有毒之物體點火燃艾，恐其毒火傳入艾中，則艾火將有毒矣。其實不然，因火乃靠物體而產生，既傳於艾，所燃燒者爲艾之火，並非其他物質之火矣。明乎此，今日可用任何物體傳火於艾亦無防也。

丁　撚艾壯法　艾壯不論大小，首先要實，其次要圓。用指頭撚艾，使之圓則易，使之實則難。曾見有人燃直接灸之艾，不圓亦不實者。蓋艾實則力能深入而及遠，圓則所遺留之斑痕不致醜惡。其法用拇指與食指搓艾至圓形，然後用拇指在食指之上，向前將艾用力一搓，以推至盡頭爲止，不可撓回頭，則艾粒即能堅實；用另一手之拇食二指接之，粘於穴上即可。

戊　粘艾壯法　艾壯安放於穴上，必須加上粘性物粘於肌膚上。古人教人用蒜汁粘之，最爲穩固，若不用蒜，可用樟腦膏，或花士苓均可。粘於仰臥位之腹肌爲最容易，粘於坐，立位之腰腿肌膚則較難。第一粒粘好後，以後之艾粒，可粘於艾灰上，將艾粒稍爲用力壓上便可。如仍不能，則當再加粘性物。

己　減痛法　如患者怕痛，可先用接觸灸法，此法於甫覺痛時，即將艾除去，直至不怕痛爲止，然後將艾燒盡，同時以指甲搔抓於艾粒之旁，將皮膚感覺散開，痛苦自然減少。第二法是先用最細小之艾直接灸之，逐粒加大，直加至理想中之大小，再灸數壯便可。有人主張先以麻痺藥注射，或皮膚麻痺法；如此做法，一來多一重手續，二來又怕注射有犯法例，

（香港例中醫不能注射）三來又恐神經受麻痺，失去治療之效能。

庚　灸後處理法　灸後多數因火力過强而潰爛，引起諸多麻煩及多餘之痛苦，最好用外科油（詳下文）塗之。灸後用此油塗灸點，可不潰膿，若已潰膿，則用加波力水或拉蘇水洗之，洗後，敷上白藥膏，或摻上生肌散。（詳下文）。

又在末灸足壯數時，次日仍須施灸者，但因患者洗澡或其他原故，致將灸痕之皮捽去，當用蒜頭一粒，切一片，蓋在灸痕上，在蒜片上安艾灸之。此脫皮之灸痕，若想加速結痂，當塗以紅汞水，次日即能結硬痂，繼以塗油可愈。

辛　艾火無毒之明証　任何燃燒物體，灼人皮膚，均有毒素！能引起疼痛，發炎，甚至潰爛成瘡等後果，但艾絨之火却不然，在皮膚上燃燒時雖覺痛，但火熄後，其痛即止。灸瘡雖潰，雖有化膿現象，而祗限於灸瘡之內，但不能引起旁處發炎，或其他疾患痛苦。此爲艾火無毒之明証。

直接灸乃古代之唯一灸法，後之學者爲減少痛苦及保持美容計，而想出間接灸種種之方法。時至今日，醫家均認爲必須淘汰之一種醫術（直接灸）。豈知其存在，是有其價值與需要者；A救急，B治頑症，C使病速愈。因此直接灸有被認識和採用之必要，此爲其能存在之理由。日本盛行直灸法，所謂「家傳灸法」之招牌乃爲人施直接灸者。更有云及旅行，不可與身無艾灸疤痕之人同行，恐其在中途染病云。又蜀中人語：若要週年安，三里常不乾」，亦指直接灸而云。日人原志免太郎之（中華版）「灸法醫學研究」一書中，一切成效與報告，均爲直接灸者也。

二 間接灸

甲 用薑一片，約一分厚，取艾絨一大粒，約四五分濶，搓圓後用拇，中，食三指持之，向薑片壓下，自能粘着，然後以火燃艾待熱，將羌片下面放正經穴上，若太熱時，離開數秒鐘再放下，如此反復，直至艾盡而止。（不可貼肉太久，太久則將起泡。）

乙 以蒜頭數両，去衣，擣爛。堆放病灶上，（成錐形）（以遮蓋病灶爲合）在蒜上以大艾燃燒，使熱力直透患處，瘡疽初起及無名腫毒等症宜之。

丙 温灸法，以器盛焚着之艾絨，置於穴上，用布隔離，久而久之，內部感覺熱力，血液發生變化，但收效輕微。輕症淺病須艾灸者宜之。

温灸器之種類 温灸器之種類形式甚多，本學院所常用者有四種：一爲方形斗：面方底長圓形，長柄，有蓋者；此器適於身體多部，幾乎任何部份，均可用之，範圍廣濶之病灶亦可適用。二爲三用斗：斗如氣船頭之尖形，適應於灸縫隙，尾部作圓形，適用於灸凹下之穴位，或單一個穴時，對穴灸之；底部平，適宜於普通任何位置；此種亦爲長柄而有蓋者。三爲圓桶形温灸器，圓形無柄，下部有繫帶，此種温灸器適宜於灸肚臍或頭頂，帶之用處爲使固定而不致移動也。此種灸器，內容複什：外有套蓋一個，中心有圓通，上通於頂，下通於底，圓通之頂有小蓋，蓋下附有鋼爪，將艾用紙捲如一英寸粗，切一英寸長，將此一寸長之艾捲納入爪中，燃後，蓋於圓通之頂，再加套蓋，艾烟自圓通旁出，再由套蓋頂之孔上升，熱力自由圓通之底下壓矣。現再將此灸器之底部加以說明；圓通之底有一活圈，圈之底部，可加紗布一層，此紗布中，可納藥末於其中。唯事必先必圓通取出，再取出活圈；加上紗布後，放回活圈，再將圓通加上，然後加上套蓋可矣。此器對虛寒性之腸胃病，及頭部患頭風暈痛者適宜用之。四爲噴烟器：此器之製造，有如三用溫灸器，前端尖形，有一孔，孔後隔以銅紗，以防艾火飛出，器之後部有蓋，開此蓋以置艾於器中，蓋後有數小孔，以便空氣之進入，蓋之後端有一小管，管接以小膠喉，燃着艾火之後，把後蓋關上，用口吹氣入管，器之前端，卽有艾烟噴出。此器用以治皮膚潰爛，長年不收口者適用，亦有人當溫灸之一種，用烟之熱力，刺激經穴。使用此器時須謹愼，太熱則皮膚起泡熱力不足則無效，不可不知也。又有同業用手電筒改裝爲噴烟器，內藏小摩打，但噴力不如理想，用口吹氣，則噴力之强弱，可操縱自如也。

以上諸灸器，均按患處之不同而適宜使用之，而其適應症，均爲病灶祗須有適度之溫暖，已可使病痊癒或見效時，可使用之。但用時須隔一二層紗布，然後可熨，不能直接熨於肌膚也。又初用時器皿猶新，熱度甚高，甚易使皮膚起泡，愼之。經十餘次之使用後，器之本身爲艾油所漬，熱度自然減低，成爲適宜之熱度矣。又法置艾絨於器中時，用力壓實於內，燃着後則熱度不會太高。若祗輕輕放於斗內，則燃着後，熱度將甚高也。

三 藥灸

以藥和艾絨，製成藥條，用時燃着，按於穴上，此亦分二種：

甲、雷火針 以沈香乳香木香茵陳羌活乾羌川山甲各三錢，麝香少許，艾絨二両，以棉紙半尺。先鋪艾絨於上，次將藥末摻勻，捲極緊，外用鷄子清代漿糊，糊一層紗紙，不使散開，陰干，留待取用。用法將火針燃着，將紙六七層或白布六七層隔穴按之，每按二三秒鐘，離開約二三秒鐘再按之，如是往復，針藥之熱已退，再燃紅按之，每穴按數十次，內部覺熱停止，再按他穴。

乙　太乙神針　以人參四両，三七八両，山羊血二両，千年健一斤，鑽地風一斤，肉桂一斤，川椒一斤，乳香一斤，沒藥一斤，穿山甲八両，小茴香一斤，蒼朮一斤，甘草二斤，麝香四両，防風四斤，共爲細末。（按：人參太貴，可用麗參代替。）

按此方之份量，不必全數製造，可依原單抄出十份一之份量，命藥店依十份一之單製四份之一可矣，卽原方四十份之一。此四十份之一，可有製三四對太乙神針之藥料矣。

製法　先用棉紙一張，平鋪案上，將艾絨放在棉紙上攤開，約如棉紙之長，濶約三四寸，高約三四分，（如此則捲好之時，有一寸圓徑，如欲圓徑小，可將艾絨減少。大小長短可隨意變化。）再將藥末（每針約五錢至七八錢）摻於艾絨之上。（藥當摻於艾近身旁之三份一處，如此則捲好時，藥末全部在藥針之中心點，若將藥末摻勻全部之艾絨，則捲好時，藥力分散而不集中矣）藥末旣摻好，則當將艾從近身之一邊捲起，向前搓之，則愈搓愈實，再加上高方紙或玉扣紙兩層，紙當如棉紙橫度之濶，長當有尺二，將紙口揷入棉紙之內再捲之，此時所捲之紙則更實，而針身更堅而不致軟矣。最後更加上士紗紙一層，如法續捲之，捲好後，將兩端用手指將艾壓實，不使散開：預備開始燃燒之一端，將紗紙向內摺入，尾端所餘之紗紙，將之扭緊，最後，藥針全身用鷄子清（蛋白）塗勻陰乾，使粘固及有保護藥針不使有洩氣之作用。如此便完成製造之過程。

用法先用火（酒精燈，洋燭，油燈均可）將針端燃紅，預先剪定紅色布（約丁方三寸濶）七八層至十餘層，用此多層之紅布，緊包燃紅之針頭，先用手掌輕輕一試，看熱度如何，太熱時加布數層，務使熱度適合爲宜，將之按於穴上或患處；按時，患者覺熱難受，當卽離去，少時再按，如是往復，直至穴或患處顯微紅爲合。切不可按於穴上或患處，久而不離，致使患處起泡。一針已冷，再換一針，直至所需灸之穴，灸完爲止。如布燃着，當卽棄之再換新布。灸完後，神針仍然有火，當用酒精蘸熄之，切勿用水，否則不能再燃。

效能 對於虛寒性痛症，風濕，口喎，半身不遂等爲最適宜。總之太乙神針對於寒，濕，風，痺，痛等症均爲適應症。

以上之『雷火針』與『太乙神針，相較，雖然性質相差不遠，但效能則以『太乙神針』爲佳。

四 接觸灸

此灸法介於直接灸與間接灸之間。其法與直接灸相同，不過直接灸乃任艾燃盡，接觸灸法，乃當燃燒至患者覺痛時，卽將艾除去。此法之用途，在於代替直接灸，疾患需要直接灸而患者怕痛，可用此代替之。又疾患須直接灸而該所灸之穴，對於直接灸不甚適宜，因恐灸瘡難愈者，（如大小骨空，中魁等穴）以此代替之。本法祇適合於輕型疾患；重症，頑症，急症及來勢兇猛之疾患，不宜用此法。

第四章　灸治之變化

甲　灸治與血壓之關係　血壓高者，腦充血者，卒中質者，灸治三五壯，即覺喉乾口苦，頭部不舒，因灸治能使患者血行旺盛，血壓增高也。（如發覺病人因灸治而口乾口苦，即應停止灸治。如因灸治而致體温增加者，次日不宜再灸，而令患者服食金銀花水，菊花茶，或西洋菜湯，仁面煲水等。爲之刺委中放血，刺曲池，足三里，三陰交等穴，因此四穴能使血壓低降也）。

乙　灸治時所發之温度　在石綿板上置電熱計之金屬線接合部，在其上燃燒鷄卵大之艾；第一回表示五百七十五度，第二回表示五百六十度。又以艾置水銀槽部之周範，其燃燒温度達攝氏三百六十度之上。復以三十七度之肉片，其上置電熱計之金屬接合部，燃燒巨大之艾炷於其上，前後四回平均温度温達二百九十度。又剃去家兎之腹部之毛，艾灸其部，以寒暖計計之；平均巨大之艾二百度，大切艾九十三度五分，中切艾八十二度五分，中小切艾六十二度五分，小切艾六十一度。

但生物之温度，比較低，因血液流行奪温而去也。又艾壯之大小及品質之良否，亦能使温度生高低之差。

丙　施灸部組織之變化　施灸時組織起灸痕者，艾火起火傷之結果也。施灸處其跡生水泡者，灸艾之温度過高之關係也。蓋火熱弱時（約四十五度）其施灸之部，不過來一時性之充血，若稍强度（約五十度）卽招水疱，若再强度（五十五度）卽陷於壞死。倘更强度，（約六十度）其壞死更及深部。此施灸之瘢痕，初呈赤褐色，經過若干時日，漸次變爲灰白色或白色之斑點。若用顯微鏡視察灸痕部，其皮膚之表皮，失去固有之構造，表面呈單滑，而乳頭毛囊汗腺之排泄管知覺神經末稍之一部等，一時俱破壞消失，其部之皮膚厚量減少，且知覺鈍麻，經過若干時日，再從其部，復生神經纖維，而知覺復元。又施灸部貼膏藥，則膿及壞死性之物質，必充實於內部，所謂引起化膿者是也。灸痕部若化膿，其治愈後，灸痕必稍大。

第五章　灸之生理作用

灸術爲一種溫熱的刺戟療法，可無疑也。然由灸治而及於身體生理的作用者至夥，如增加白血球，（尤以施灸點爲甚）。其次爲血管擴張，血壓上升，促進淋巴之循環旺盛等。茲根據（東京帝國大學醫學部樫田原田两醫學士之實驗）。分述如次！

一　灸之及於血液與影响　由家兎實驗所得之成績，先於各家兎之血液中之赤血球平常數算定，而後施灸。其後翌日乃至數週間，計其血球數之變化，其檢查時間常在午後三時，其食餌常注意避白血球增加之影响，經五次試驗，而統括結果如下！

灸後二分間以內，採取血液中常見白血球之增加多者約達二倍，少者增加三十四%。至翌日一度復其平光，其灸部貼膏藥處化膿，再見白血球之增加；其增加之度，與化膿一致。而其赤血球，則在灸後或增加或減少，常無一定。此依灸而增加白血球對於治療各種疾病上達如何效驗，尙無充分之硏究，不敢斷言。要之此白血球對於炎症性疾患之治愈機轉極關重要，此就病理學上而言。（參中華書局灸法醫學硏究）。

二　灸之及於血管及影響　就蛙之實驗在其皮下（哭拉來）注射，（按哭拉來卽麻痺藥）以止總隨意運動後，其蹼膜之準毛細管動脉，用顯微鏡照測之，次在同側或反對側之上，上腿部或胸部之中，用大艾施灸，其血管先初縮小，其後漸次擴張，而血行同時亦著旺盛，此可證明血行不論何時停止，而在毛細管依灸之刺戟，再行開始循環，此從蛙之實驗而得。確認腸間膜之血管，同一變化。

次就家兎之耳附着部近處，以艾施灸其部之血管，於極短時間縮小，其後則强擴張。依照以上之實驗，以灸而激其溫熱的刺戟，先反射的動脉血管縮少，其後以反應的擴張，其血管擴張之度，在施灸組織之近旁爲最著，人體亦來血管縮少及反應的擴張，其最著充血者，肉眼能目擊之。

三　灸之血壓及作用　由以上之實驗報告，而明灸爲血管作用之事，旣爲血管作用，則及於血壓影響，亦屬當然之事矣。故欲確知此種關係，先就五次之家兎試驗，知其施灸後必有多少之血壓昇騰，其時動物感溫痛，同時血壓急急上昇；刺戟去後，短時間漸次下降而復舊，其上昇之度依於各個不同之動物及其他不明之原因，而有差異；艾炷極小時，其上昇之度少，艾之燃燒速時，其上昇之度大。實驗所得，最强上昇水銀壓上得一〇〇密里米突，最低爲一〇密里米突。

血壓上昇之間，心動多緩，且呼吸深，就人體灸後血壓影響十二名之患者，應用莎氏血壓計測驗其最著者實上昇三十二密里米突，最少爲五密里米突。

四　灸之腸蠕動及其影響　剃去家兎腹部之毛，於其部得明見腸之蠕動，此由於目擊之實驗，卽腹部之中央，灸一個者，多引續一同之蠕動，其蠕動不小者，同時腹部亦明見其高而同時呼吸數亦見增加。

五　灸之吸收作用之促進　施灸後旣如前述，血管擴張，血壓高，血液及淋巴之循環旺盛，而種種滲出物之吸收，亦能促進其他癒着性之疾患，亦有融化作用。

六　灸之神經系統及作用　施灸之神經系統及其影響，由於神經之種別而異，卽依於知覺神經之興奮而疼痛過敏者，能制止疼痛，對於此知覺神經之興奮疼痛，制止之理由有二說，爲晷魯氏之温熱刺戟者，對於知覺神經之興奮有制止之動作，今又有一說爲皮魯氏所倡，温熱刺戟者，良其血液循環，刺戟神經之末端，洗其疼痛所有之害物質，卽直接止痛也。此两說同屬灸爲止痛作用，其理解亦無差異。

七　灸之精神的及其作用　灸治爲温熱刺戟中，予對方以最强印象，施灸之度頻頻者，對於感覺之抵抗力，同時亦强，猶之自信力決斷力，或道德之精力高者，行冷水浴，有同様之效果。但亦有由灸刺戟而生新疼痛，原來之痛亦生不快之感。此係抑制此等感覺作用之故，又灸點若偉大，效果亦大，所謂暗示作用，在病者愈有力也。

八　灸與蛋白體療法　考之施灸術與白血球之增加點，及其他血淸作用點等而觀之，則灸者於血液中發生某種抗毒素，恰如「滑苦精」血淸之注射療法，同一作用，此則近時從學理的立場而能明之。

從來施血清或「滑苦精」療法之際，考其隨伴者，不過一種蛋白體。依近時學者之研究則名蛋白體療法，或非特殊性刺戟療法，而諸學者間亦宣傳之，此蛋白體療法，卽蛋白質非經口的輸入，而依注射等輸入血中，而生活體之疾病治愈，轉機起種種作用也今舉蛋白體非經口的輸入時（卽由注射輸入）及於生活體之影響如左：

1 發熱　此必然的無之，已經多人証明。

2 血液　能增加白血球及血小板。

3 血清之變化　免疫素增加，殺菌力强大。

4 血液之化學的變化　促進血液之凝固作用。

5 腺　腺之分泌作用亢進，卽乳汁分泌增加，淋巴液增加，胆汁增加。胸腺，脾臟淋巴腺等細胞之核分裂作用增强。

6 結締組織之再生作用高。

7 血液增加糖量。

8 對於皮膚之毒物增大抵抗力。

9 新陳代謝之機能旺盛。

以上所稱蛋白質之作用，起於非經口的輸入，與X光線照射，溫浴療法，發泡藥等之起皮膚作用，同一作用。亦卽施灸與蛋白質之注射，起同一作用。何故而云然，蓋灸之溫熱之刺戟作用，及於直接生體，又此溫熱的刺戟，從生活體之蛋白質遊離，生蛋白質類似之分析產物，結果如何，可確然判明矣。

第六章 灸之刺戟作用

艾灸爲溫熱刺戟之一，此刺戟作用有三：卽誘導刺戟法，直接刺戟法，及反射刺戟法——

一 誘導刺戟法 誘導刺戟者，從遠隔患處之部位施灸，以刺戟該部之末稍神經，誘導血液至該部之方法也。例如腦充血性之頭痛症，施灸於肩背部及四肢之末稍部，以擴張此部之毛細管，以誘導腦之血量，使腦之血減少是也。

二 直接刺戟法 此則在疾患之局部直接施灸，以刺戟該部知覺神經，使其局部之血管擴張，增加血液之量，而盛其組織之新陳代謝，促其對於浮腫及炎症疾患者滲出物之吸收，以正復其疼痛麻痺，知覺異狀，鈍麻等之神經機能變態。

三 反射刺戟法 此對於內臟及深在神經發生疾患時適用之。例如胃之消化作用減衰，則刺戟於第十一背椎神經，傳其刺戟於交感神經，以正復胃之消化機能是也。

第七章 灸治術

甲 取穴法 千金方云：凡灸火坐點穴則坐灸，臥點穴則臥灸，立點穴則立灸；須四體平直，毋令傾側，若傾側則穴不正，徒破好肉耳。

注意：取穴後，卽行灸治，須按取穴姿勢灸治。病者如因疼痛或疲倦等往往改變姿勢，醫者卽要糾正。依照取穴姿勢灸治，方能對正神經，發生功效。凡扭腰，側身，聳肩等，均爲不正當之姿勢。

乙　艾炷之大小及壯數之決定　行灸治上，對於艾炷之大小及壯數之決定，最爲重要，猶之中西醫師應各患者而決定藥之份量也。蓋灸治雖萬人同一，而炷之大小與壯數則不可同一。大小壯數，如何決定：第一須視其年齡，而後再視其體質，與性之區別，營養良否，最後更因病症而適宜決定之。（參上直接灸）

丙　灸治之時間　灸治時亦如針治同：凡大飢大渴，飯後困倦等，皆不宜灸治，行路來者，亦當休息十數分鐘，使心平氣和，方可灸治也。

丁　火　昔人燃艾火，取火鏡照陽光引燃，或用燈心蘸油引燃，今可不必囿於古見，隨便可矣。（參上文直接灸篇。）

戊　灸治之注意點　灸治時有數事不可不注意者：

1　當切病人之脉，如脉洪者不可灸，即灸亦不可多。

2　熱度高者不可灸，灸則熱度上升，於病者不利。但肺癆虛熱，必灸方退。

己　灸治之適應症　施灸既有直接反射誘導三作用，不外佳良血液之循環；故對於肺結核，淋巴結核，腸結核，癌症，腺病等收偉大之效果。此外治一般神經痛及筋肉之痙攣，知覺運動之麻痺，消化不良，子宮內膜炎，氣管枝喘息；其他淋病，睪丸炎，身體局部慢性炎症，脚氣，筋肉關節痛，僂麻質斯痛等，能有特殊之效果。

庚　灸治之不適應症。

1　全身發熱者。

2 腦出血脈盛者。腦充血，血壓高，卒中質病人，俱不宜灸。但足部經穴仍可灸。但必須先針至血壓稍低然後施灸。

辛 灸治之禁忌點 禁忌點卽不可灸之部位，若誤灸之，必有大害，玆舉禁忌之部位如下：

1 眼球及眼之週圍。

2 睾丸。

3 大血管或大動脈所在部。

4 心臟部之多壯施灸。

5 妊娠五個月以上之婦人下腹部之多壯施灸，其他如顏面手部等施灸，外面表現醜惡之瘢痕，有傷人體之裝飾美，可避者避之為良。延髓部（風府啞門）施灸亦屬大害。

第八章 灸治之善後

甲 灸後調攝法 灸後不可立卽飲食，恐滯經氣，少停時刻，入室靜臥，遠人事，避色慾，平心定氣，凡事須要寬解，尤忌大勞大怒，大飢大飽，受熱冒寒，至於生冷瓜果，亦宜忌之。如生灸瘡，則戒食薑，若食薑，則灸瘡愈後，生肉瘤如米或豆大凸起，有時會作癢難耐。

乙 灸瘡治理法

使用間接灸者，若小心從事，斷不致起泡，然初期手術不純熟，往往使患處起水泡；旣起水泡後，當將之刺破，流出液體，切勿去其皮，塗以紅汞藥水；泡中不再出液體時，該處自然痊愈。若不慎損其皮，致爲微菌竄入而潰膿時，當以生葱煎湯洗之，或以硼酸水，或拉蘇水洗之，再敷上生肌玉紅膏，白藥膏，紅汞膏均可。

至於直接灸時，灸後即塗上外科油，可免潰爛，若巳潰爛，當改塗紅汞藥水，次日改塗外科油，日塗一二次，數日自愈。

古方書論直接灸，當灸至潰膿，謂不潰膿則病不愈云。此說有然有不然之處。若非大頑大惡之疾患，則不必潰膿，亦可根治；若大頑大惡之疾，則可任其潰膿，其功效當然較大而長久，但潰膿時，使患者多一重痛苦，此可免則免爲佳也。如潰後難收口時，照上之治法治理之。灸瘡將脫痂時，以鷄子清（蛋白）頻塗之，愈後可無瘢痕。

丙　應用諸藥方

1　白藥膏方　星養粉三叉埃多方一叉，加波力二三滴，白花士苓三两，以炭火養溶拌匀可用。

2　生肌玉紅膏方　當歸二两，白芷五錢，白蠟二两，輕粉四錢，甘草一两二錢。紫草二錢。血竭四錢，蓖麻油一斤。先將當歸白芷紫草甘草四味，入油內浸三日，大鍋內慢火熬微枯，細絹濾清，將油復入鍋內煎滾。（當煎乾些方能成膏）入血竭化盡，次下白蠟，微火化開，即行離火；待將凝，入研細輕粉而匀和之，入磁瓶收好，用時用布攤貼患處。用橡皮膏貼固，不使移動。

3　紅汞膏方　用白色花士苓二两，硼酸粉两茶匙，用紅汞藥水染透硼酸粉，合花士苓攪匀便成。（按紅汞藥水當自購紅汞精，用開水溶化，務使顏如硃紅色之深度爲適宜，在藥房購買者，多屬稀而淡色，功力不足也。）

4　生肌散　用珠珍蚌殼爲幼末。用時，先用加波力水或拉蘇水洗患處。（此兩種藥，均以熱開水和之，約開水一磅，藥水十滴至八滴之間爲合。）抹乾後，即用藥散掺上，一日一換，數日自愈。

5　外科油　用正熊胆油五樽（原樽側看，透明者爲正，混濁者爲假貨。）保心安油五樽，正大梅片一兩，川連片一兩。將油及藥，盡傾於另一瓶中，共浸十日後可用，日子愈多愈佳。本方用法甚多，直接灸後，即塗灸點處，可免潰膿。瘡症初起，如來勢不甚兇猛者，塗此油數日即愈。身體不論何處發炎，塗之均有功效，如關節炎，鼻炎，喉炎，扁桃炎，口腔炎等均奏大效。又眼球炎，或眼球不發炎而單獨覺痛，亦見大效。不過眼球組織，較身體別處特別敏感而不能受大刺激。塗油治眼之法，僅用油一滴二十份之一。最簡單之辦法爲用原來盛油之小油樽盛浸成之油，用時以食指壓小樽之口，將樽倒轉，則食指已沾油矣，此時用以搽眼，仍慊過多，當將食指上所沾有多餘之油向樽口一揩，使多餘之油，復流入樽內，以食指之油又不能流動爲合。再將食指與拇指貼合，將油揩於拇指處，兩指相搓，搓至幾不見油爲合。先使患者合眼，一指之油搽於上眼皮，另一指之油搽於下眼皮，此時患者覺有凉氣，直透眼球，直至凉氣盡時，始可開眼。此時眼之痛苦，已全消失矣。但切記用油時，宜少不宜多，多則搽後，反覺眼皮痛也，慎之。

「灸治學終」

診斷學

診斷學目錄

引論

病何在？病何在？研究此事而下斷案者曰診斷學。西醫分爲視診，觸診，打診，聽診，測診，檢診等。中醫則祇有望，聞，問，切，四者。

望者，看形色也。聞者，聽聲音也。問者，訪病情也。切者，診六脉也。四者本不可缺一，而唯望與問爲最要；何也，蓋聞聲一道，不過審其音之低响，以定虛實，咳之悶爽，以定升降。切脉一道，不過辨其浮沉，以定表裏；遲數，以定寒熱；强弱以定虛實。其他胸中瞭瞭，指下難明，故醫家謂據脉定症，是欺人之論。惟細問情由，則先知病之來歷。細問近狀，又知病之深淺。而望其部位之色，望其唇舌之色，望其大小便之色，病情已得八九分矣。再切其脉，合諸所問所望，果相符否？稍有疑義，則默思其故，兩兩相形，虛與實相形，寒與熱相形，表與裏相形，其中自有把握之處，即可斷定；愼斯術也以往，其無所失矣。

據西法診斷，又分開自覺症，他覺症二種：

自覺症候　患者自己有感覺之處：例如疼痛，眩暈，惡心，食慾欠缺，不快，恐怖，疲勞，寒冷，灼熱之感覺。此等自覺的症候，因人之訴說而有多少之差異，故於診斷上之價值較少。

他覺症候　由於他人——醫生之能認知而得之症候也。其認識之方法，有視診，觸診，打診，聽診，測診，檢診，（顯微鏡的檢診及化學的檢診）等，此等他覺的認識方法，總稱之曰『診查』。

茲參合中西診斷法，使學者認識之，使臨診時，對於病症，有更清楚之認識也。

中醫望診法如下：——

望色法　凡病之作也，必有現於外者，故部位形色，不可不講求也。夫額與內外眥肉屬心，心則屬火而赤，而舌又爲心苗。鼻與眼胞屬脾，脾則屬土而黃，而口又爲脾竅。左頰與黑眼屬肝，肝則屬木而青；而两目又爲肝竅。右頰與眼白屬肺，肺則屬金而白，而肺又開竅於鼻。两顴與瞳神屬腎，腎則屬水而黑，而耳又爲腎竅。故刺熱論云：色榮顴骨，其熱內連腎也。大抵外感不妨濁滯，久病忌呈鮮妍；見黑者多兇，爲病最重，惟黃色見於面目，旣不枯槁，又不浮澤，爲欲愈之期。經云，面黃目青，面黃目赤，面黃目白，面黃目黑者皆吉；蓋黃屬土，今惡症雖見，土猶未絕，可救也。若面青目赤，面赤目白，面青目黑，面黑目白，面赤目青皆難治，言無土色，則胃氣已絕也。

望目色　目者，五臟精華之所注，能照物者也，腎水之精也。熱則昏暗，水足則明察秋毫。如常而瞭然者，邪未傳裏也；若赤若黃，邪已入裏矣。若昏暗不明，乃邪熱在內，消灼腎水，腎水枯竭，故目不能朗照，蓋寒則目淸。凡開目欲見人者，陽症也，閉目不欲見人者，陰症也。（血爲陰，氣爲陽，臟爲陰，腑爲陽）。目瞑者，將衄血也。目睛黃者，將發黃也。至於目反上視，橫目斜視，瞪目直視，及眼胞忽然陷下者，爲五臟已絕之症。凡什病忽然雙目不明者氣脫也。目昏者，血脫也。然此已爲危險之候矣。

辨鼻色　經曰，五色決於明堂，明堂者鼻也。故鼻頭色青者，腹中痛。微黑者有痰飲，黃者爲濕熱，白色者爲氣虛，赤色者爲肺熱，明亮者爲無病。鼻塞流清涕者，肺有風寒也。若傷寒鼻孔乾燥者，乃邪熱在陽明肌肉之中，久之必將衄血也。病人欲嚏而不能者，寒也。鼻塞濁涕者，風熱也。鼻息鼾睡者，風濕也。鼻孔乾燥黑如烟煤者，陽毒熱深也。鼻孔出冷氣滑而黑者，陰毒冷極也。凡病中鼻孔黑如烟煤者乃大凶之兆。若見鼻孔煽張，爲肺氣將絕之危候。如產婦鼻起黑色，或衄血者，爲胃敗肺絕之症也。

望唇口色　唇者，肌肉之本，脾之華也。故視其唇之色澤，可以知病之淺深。乾而焦者，爲邪在肌肉，焦而紅者吉，焦而黑者凶。唇口俱赤腫者，肌肉熱甚也，唇口俱青黑者，冷極也。胆熱者口苦。脾熱者口甜。內傷者，口不知味，腹中不和。口燥咽乾者，腎熱也。口噤難言者，或爲痙或爲痰厥，或爲中寒，不相等也。又狐惑症；上唇有瘡，爲狐虫食其臟，下唇有瘡，爲惑虫食其肛也。若病中見唇舌捲，唇吻反青，環口黧黑，口張氣直，或如魚口，或氣出不反，或口唇顫搖不止，皆難治也。

辨舌要訣一　舌爲心竅，凡病俱現于舌，能辨其色，症自顯然。舌尖主心，舌尖後部主肺，舌中主脾胃，舌邊肝胆；舌根主腎。舌上無苔爲病在表；鮮紅爲火，淡白爲寒。津枯而紅，熱證無疑。色淡而潤，寒證無疑。假如津液如常，口不消渴，雖或發熱，尚屬表證。若舌苔粗白，爲在半表半裏。黃苔爲在裏。絳色爲熱邪入心胞。黑苔病入心腎二經多死。舌上無苔，如去油猪腰者，爲亡液，名鏡面舌不治。惟淡紅中微籠少白舌苔，爲胃氣無病之舌也。

辨舌詩　舌上無苔表證輕，白苔半裏古章程，熱紅寒淡參枯潤，陰黑陽黃辨死生。全現光瑩陰已脫，微籠本色氣之平，前人傳有三十六，採摘多岐語弗精。

辨舌要訣二　舌苔薄白，口不燥渴者，尙屬表證。若滿舌雪白色如粉末而暗滯者，爲肺絕不治。如舌苔粗白，漸厚而膩，是寒邪入胃，挾濁飲而欲化火也。迨膩厚而轉黃色，邪已化火，兼有濕熱也。若熱甚失治，則變黑，胃火甚也。至厚苔漸退，而舌底紅色者，火灼水虧也；此表邪之傳裏者也。

其有脾胃虛寒者，則舌白無苔而潤，甚者連唇口面色俱痿白者，此或泄瀉或受濕，是脾無火力。若舌中苔黃而薄者爲脾熱。苔厚而黃者爲胃熱兼濕也。如厚而破裂乾枯者，胃腑熱甚，有實邪也。若舌尖赤，甚或起芒刺者爲心熱。舌中苔厚而黑燥者，胃大熱也。或並現芒刺者，有實邪也。如齒枯唇口俱黑，則胃將蒸爛矣。

舌黑而潤澤者，此係直中寒症兼腎虛也。若滿舌紅紫色而無苔者名絳舌，亦屬虛兼有熱也；更有病後絳舌如鏡發亮而光，或舌底嗌乾而不飲冷，此腎水虧極。

其他如重舌急舌，皆熱甚也。舌强舌短，舌捲舌硬，神亂舌乾，語言不淸者，皆昏危也。

內病外現說——虛實之分

如氣短體弱，面色連口唇俱痿白，大便溏泄，小便短縮，手足厥冷等現於外，則其犯病也必虛。

如氣粗譫語，狂躁不臥，大便堅結，小便黃赤等現於外，則其犯病也必實。

絕症外現表

屍臭（肉絕），舌捲囊縮（肝絕），口不合（脾絕），肌腫唇反（胃絕），髮直齒枯（腎絕）毛焦（肺絕），面黑直視，目冥不見（陰絕），目眶陷目系傾，汗出如珠（陽絕），手撒戴眼（太陽絕），病後喘瀉（脾肺絕），目正圓痙（不治）吐沫面赤，面青黑，唇青人中滿，髮與眉衝起，爪甲下肉黑，手掌無紋，臍突，足趺腫，聲如鼾睡，脉沉無根，面青脉伏，目盲，汗出如油（以上肝絕八日死）。眉傾（胆絕）。手足爪甲青脫落，呼罵不休（筋絕）。肩息回視（心絕立死）髮直如麻，不得屈伸，自汗不止（小腸絕六日死）口冷足腫，腹熱臚脹，泄利無時（肺絕五日死）脊骨疼痛，身重不可轉側（胃絕五日死）耳乾舌腫，溺血，大便赤泄（肉絕九日死）口張氣出不反（肺絕二日死）泄利無度（大腸絕），齒乾枯泄黑，目黃，腰欲折，自汗（腎絕）。

聞聲法

蓋聞聲者，聞其聲音也。審其音之低响以定虛實，嗽之悶爽以定升降。發言壯厲，先重後輕者，是外感邪甚也。出言懶怯，先輕後重者，是內傷中氣也。譫語者為實邪，胃有燥屎，（此胃字或為腸字之誤），錯語而首尾不相顧者為神昏。虛呃痰鳴，皆非吉兆。聲音變舊，卽恐離魂。且肝易怒而聲呼，心則必現喜笑。好思念而發爲狂歌者，脾病無疑。多憂慮而善於悲哭者，病入肺。呻吟多恐，腎病主之。

另有喘症，氣促而粗，疾出聲壯者，爲實邪。氣促而弱，緩出聲細者爲元虛。新病聞呃者，非火逆卽寒逆；久病聞呃者爲胃絕。大抵語言聲音，不異平時爲吉，反者爲凶，此聲之不可不察也。

聞聲詩

肝怒聲呼心喜笑，脾爲思念發爲歌，肺金憂慮形爲哭，腎主呻吟恐亦多。

問症法

張景岳問症詩

一問寒熱二問汗，三問頭身四問便，五問飲食六問胸，七聾八渴俱當辨，九問舊病十問因，再兼服藥參機變，婦人尤必問經期，遲速閉崩皆可見，再添片語告兒科，天花麻疹全占驗。

1問寒熱　蓋寒爲陰，熱爲陽；問其寒熱多寡者，所以審其陰陽之偏勝，細辨其眞假也。如外感則寒熱齊作而無間，內傷則寒熱間作而不齊。外感惡寒，雖近烈火不能除，內傷惡寒，得就溫暖而必解。如初起頭痛發熱惡寒者屬外感，如初起心腹痛及瀉痢等屬內傷。

2問　汗　問其汗之有無，所以辨其風寒表裏，以別其虛實也。

3問頭身　夫頭痛爲邪甚，不痛爲正虛；暴眩爲風火與痰，漸眩爲上虛氣陷。

問身者，問其身之部位，以審經絡。亦以身重爲邪甚，軟弱爲正虛故矣。

大抵病人身輕，自能轉側者爲輕，若身體沉重，不能轉側者爲重。然中濕風濕感寒，皆主身重疼痛，須以兼症辨之。若陰症身重，必厥冷而踡臥，無熱惡寒，閉目不欲向明，懶見人。又陰毒身痛如被杖，身重如山而不能轉側也。總之熱則流通，身輕無痛；寒則凝塞，故身重而痛也。若手足抽搐，角弓反張者痙也。若頭重視身，此天柱骨倒而氣敗也。若頭搖而不止，髮直如粧，頭上擄，皆絕症也。

凡病中循衣摸床，两手撮空，此神去而魂亂也。凡病人皮膚潤澤者生，枯槁者危。如大肉盡脫，九候雖調，尤難治也。

4問二便　如小便秘，黃赤爲熱，清白爲寒。濁如米泔爲濕熱下陷。大便秘爲實，久瀉久痢爲虛，下清白爲寒，下黃赤爲熱。

5問飲食　傷食者不思食，雜症思食，爲有胃氣則生，不思食爲胃氣欲絕則危。喜甘者脾弱，喜酸者肝虛。

6問胸腹　胸　濁氣上干則胸滿痛爲結胸。不痛而脹連心下爲痞氣。先喘後脹病在肺，先脹後喘病在脾。先渴後嘔爲停水之類。

腹　腹乃裏症之中可以辨邪之實與不實也。既問胸前明白，次則以手按腹，若未脹痛者，知邪未曾入裏，入裏必脹痛。若邪在表或半表半裏，必不脹痛。如腹脹不減，及痛不止，此裏症之實，方可攻之（瀉也）。腹脹時減，痛則綿綿，此裏症尤未實也，但可清之。故腹者可以知邪實與不實也。若直中腹痛，則非由陽經傳來，此爲冷氣在內，脉必沉遲，急當溫之。

7問小腹　小腹者，陰中之陰，裏中之裏，可以知邪之結實也。既問胸腹，復以手按其小腹，若小腹未硬痛者，知非裏實也。如邪巳入裏，小腹硬痛，而小便自利，大便黑色，蓄血症也。如小腹繞臍硬痛，小便數而短者，燥糞症也。若小腹脹滿，大便如常，爲溺濇而不通，宜利其小便。

8問聾　問聾者，傷寒以辨其在少陽，三焦，與胆，及厥陰，膻中與肝之什病，以聾爲重，不聾爲輕。

9問渴　夫寒熱虛實俱有渴，如喜熱則內寒，喜冷則內熱。口苦爲熱，口鹹爲寒，淡甘爲脾熱，傷食則口酸。索水不欲飲者爲寒，口中熱引飲不休者爲熱。大渴譫語，不大便者爲實。時欲飲水，飲亦不多，二便通利者爲虛。

10問舊病　所以知其病之淺深也。

11問因　問其致病之因，以定治療之法。

12婦人尤必問經期之遲速，閉崩，有無前後之異，以探病情。又當察其是否有孕也。

十二地支診斷法

十二地支名稱

子、丑、寅、卯、辰、巳、午、未、申、酉、戌、亥。

十二地支與十二時

一晝夜分爲十二時，共二十四小時，卽两小時等于一個時辰。子時在夜半十一時正至一時正。丑時在一時正至三時正。寅時在三時正至五時正。卯時在五時正至七時正。辰時在晨早七時正至九時正。巳時在九時正至十一時正。午時在午間十一時正至下午一時正。未時在一

時正至三時正。申時在三時正至五時正。酉時在五時正至七時正。戌時在七時正至九時正。亥時在九時正至十一時正。十一時又交子時矣。按以上時間，均按標準時間計算。

十二時辰應人身十二臟腑

子時胆，丑時肝，寅時肺，卯時大腸，辰時胃，巳時脾，午時心，未時小腸，申時膀胱，酉時腎，戌時心包絡，亥時三焦。

歌曰：肺寅大夘胃辰宮，脾巳心午小未中，膀申腎酉心包戌，亥三子胆丑肝通。

應用法說明

十二時應十二臟腑者，此乃古人所發明人身中秘密之一。所謂應臟腑者，其意卽謂到某一時，血脉卽行於某臟腑。倘某臟腑有障碍或疾病時，人不自知，但一到某一時，身體上卽有某種病態發現，其時一過，該病態卽告消失。或有某種病時，到某一詩，卽倍覺辛苦，其時一過，又告減輕；憑此點，卽可知其病源之所在。但欲知病者有否此種情形，必須聽取患者自訴；所以此段列入問診，最爲適宜。茲引例如下：

假如頭痛而不發熱，每日均有定時發作者，則當問此發作時爲何時；假如在下午三時開始發作，則下午三時交申時，申時應膀胱，如此則可斷定此頭痛乃屬膀胱經病；取膀胱經穴治之卽愈。假如頭痛發於晨七時，七時正交辰時，辰時應胃，此卽胃經頭痛，取胃經之穴治之卽可。假如頭痛在午十一十二時之間發作，十一二時爲午時應心，乃心經爲病，取心經之穴治之，無不應手而愈。餘此類推。不但頭痛爲然，手足身各部有痛，若有定時發作者，亦同一理。

其他症狀如精神不足而瞌睡者，又有夜間睡眠，到某一時間卽醒，過時又復安睡者，咳嗽者，若均有定時發作者，當問其在某時間發作，按時尋經治之，卽可應手而愈也。此外倘有多種病徵表現，均以同一道理治療之可也。

切脈法

1 脉之部位

從太淵至列缺，爲寸，關，尺，三部位。脉有浮，中，沉，所以又列爲九候；九候者，寸之浮、中、沉；關之浮、中、沉；尺之浮、中、沉是也。

左寸列心，膻中，小腸。小腸爲心之府，膻中乃心之宫城。

左關列肝，胆。肝爲藏血之臟，胆爲肝之府。

左尺列腎，膀胱，小腸，膀胱乃腎之府。

左手三部，主血者多。心主血，肝藏血，膻中代心宣化，小腸與心，表裏相通。

右寸列肺，胸中，大腸。胸中乃肺之部份，大腸與肺相表裏。

右關列脾胃，脾胃居中州。脾主納，胃主化。

右尺列命門，三焦，大腸。難經謂右爲命門，左爲腎。三焦根於命門。大腸位原居於下，故列於下。

右手三部，主氣者多。肺主氣。脾胃之納化，大腸之傳導，三焦之敷布，無不藉氣以行也。

2 脉之大綱

切脉之法，全在識其大綱，而大綱不過浮沉遲數四個字而已。浮沉是審其起伏，遲數是察其至數，浮沉之間，遲數寓焉。

凡脉一見浮，沉，遲，數之象，卽是病脉。若是無病之人，其脉必不浮不沉，而在其中，不遲不數，而每一呼吸四至，（每分鐘約七十二至左右）。是謂平脉。病脉如下：——

（浮）浮象在表，應病亦爲在表；浮者輕按乃得，重按不見之謂也。在浮脉雖或有裏證，而主表是其大綱。

（沉）沉象在裏，應病亦爲裏；沉者，輕按不得，重按乃得之謂也。沉脉雖或有表證，而主裏是其大綱。

（數）一息五六至，（一分鐘逾八十至）者曰數脉。數爲陽，陽主熱，而數有浮沉。浮而數，應表熱；沉而數，應裏熱。雖數脈亦有病在臟者；然六府爲陽，陽脉營其府，則主府是其大綱。

（遲）一息三至或二至（一分鐘不足六十至）者曰遲，遲爲陰，陰主寒，而遲有浮沉。浮而遲，應表寒，沉而遲，應裏寒。雖遲脉多有病在府者。然五臟爲陰，而陰脉營其臟，則主臟是其大綱。

脉狀種種，總該括於浮沉遲數四個字，然四者之中，又當以獨沉，獨浮，獨遲，獨數爲準則，而獨見於何部，卽以何部探求其表裏臟腑之所在，則病無遁情。

故『浮』爲「陽」爲「表」，診爲「風」爲「虛」。『沉』爲「陰」爲「裏」，診爲「濕」爲「實」。『遲』爲在臟，爲「寒」爲「冷」。『數』爲在府，爲「熱」爲「燥」。

註：浮雖爲表，而陰虛者，脉必浮而無力，是浮不可以概言表。沉雖爲在裏，而凡表邪初感之甚者，陰寒束於皮毛，陽氣不能外達，則脉必先見沉緊，是沉不可以概言裏。遲雖爲寒，而傷寒初退，餘熱未清，脉多遲滑，是遲不可以概言寒。微細類乎虛，而痛極壅閉者，脉多伏匿，是伏不可以概言虛。洪弦類實，而眞陰大虧者，必關格（粗大四倍也）倍常，是强不可以概言實。故必參於望色，聞聲，詢情等，四診合參，而病情始獲瞭然。

3 脉之常變

以上所論，不過言乎病脉之常，而猶未盡其變也；今試言其變：——

1 瘦小之人，氣居於表，六脉常帶浮洪。肥盛之人，氣斂於中，六脉常帶沉數。此因肥瘦而異者，其變一也。

2　性急之人，五至方爲平脉；（八十至以上）；性緩之人，四至（七十至）便作熱醫，此因性情而異者，其變二也。

3　身長之人，下指時宜疎，身短之人，下指時宜密，此因短長而異者，其變三也。

4　北方之人，每多强實，南方之人，每多柔弱，此因地之南北而異者，其變四也。

5　春脉弦，夏脉鈎，秋脉毛，冬脉石，此因天氣之寒暖而異者，其變五也。

6　少壯之脉多大，老年之脉多虛，嬰兒之脉常七至，此因年之老少而異者，其變六也。

7　酒後之脉多數，飯後之脉多洪，遠行之脉必疾，久飢之脉必空，此因飢飽而異者，其變七也。

8　婦人女子，尺脉常盛，右手之脉常大。而怨女尼姑，脉多濡弱，此因境遇而異者，其變八也。

明乎此，則知切脉之要，不僅在逐脉審察，尤貴在隨人變通矣。

4　脉之陰陽

關前爲陽，關後爲陰。浮取爲陽，沉取爲陰。燥數爲陽，遲慢爲陰。有力爲陽，無力爲陰。長大爲陽，短小爲陰。故仲景名「浮」「大」「滑」「動」「數」曰陽。「沉」「弱」「濇」「弦」「遲」曰陰。

浮爲在表，沉爲在裏，大爲有餘，弱爲不足。滑爲血多，濇爲氣少，動爲搏陽，弦爲搏陰。數爲在府，遲爲在臟。

如浮大滑動數之脉體雖不變，然始爲有力之强陽，終爲無力之微陽，知陽將絕矣。沉弱濇弦遲之脉，雖喜變而爲陰，如忽見浮大滑動數之狀，是陰極似陽，知反照之不長，餘燼之易滅也。

5 脉之死生

尺脉者，脉之根也。故察人死生，全以尺脉有無爲斷。王叔和曰，『寸關雖無，尺猶不絕，如此之流，何憂殞滅』，謂脉尙有根也。若尺脉已敗，是猶樹木之根，已全腐爛，雖葉綠枝靑，何能持久，然尺脉有無，有兩種候法：

一卽以關脉之下之尺部爲尺脈。一則沉候至骨，以脈來無根爲尺脈無根。按之至骨，舉指來疾者爲腎脈。因六脉浮候皆肺……，沉候皆腎。故沉候無脈，斷爲腎氣已絕。

脈忌

凡病內虛者，脈弱爲宜，洪大則忌。病外感者，陽脈爲宜，陰脈則忌。有神者吉；緩和者吉。

歌曰：外感陰來非吉兆，陰虛陽現實堪悲。

6 婦人脈法

婦人女子，尺脈常盛，而右手脈大，皆其常也。若尺脈微濇，或滑而斷絕不勻，或左尺脈沉，或左關沉急，皆經閉不調之候也。若三部脉浮沉正等，脈來流利，均匀和平，若無他病而月經不至者孕也。體弱之婦，尺內按之不絕，便是有子。經斷病多，六脈不病，亦爲有子。

辨胎脈法

尺中脈滑而旺者胎脈。手少陰（左寸）脈動甚者姙子也。脈滑而疾，重手按之散者，三月胎候也。和滑而代（數至一停，其停有定數者，稱爲代脈）者，二月也。重手按之，但疾而不散者，五月也。左手尺脉洪浮者爲男，右手尺脉沉細者爲女。左手寸口脉大爲男，右手寸口脉沉細爲女。两手尺部俱洪爲两男，两手尺部俱沉實者爲两女。寸關尺連疾相應，是一男一女。

7 小兒脈

小兒五歲以下，氣血未盛，經脉未充，無以別其脉象，故以食指絡紋之象，彰於外者察之。食指第一節爲風關，次節爲氣關，三節爲命關，以男左女右爲則；凡兒有病，必脉紋外現：如現紋赤紫曰熱，紅白爲傷寒，青曰驚風，白曰疳疾，淡黃隱隱爲無病，黑色曰危。在風關爲輕，在氣關爲重，命關爲危。脉紋入掌爲內傷紋，灣裏爲風寒紋，灣外爲食積。再合之唇舌面色，亦可得其八九矣。及至五歲以上，乃以一指取寸關尺之處，常以六至爲率（約每分鐘一百至）加則爲熱，減則爲寒，法與診大人同。

小兒一歲以下，於額前眉端髮際之間，以食中名三指候之；食指近髮爲上指，無名指近眉爲下指，中指爲中。三指俱熱，外感于風，鼻塞咳嗽；三指俱冷，外感于寒，內傷飲食，發熱吐瀉。食中二指熱，主上熱下冷，中名二指熱主夾驚，食指熱主食滯。

陳修園四言脉詩

一　八脉

浮　輕手著於皮膚之上而即見之之謂也。

浮爲主表，屬府屬陽，輕手一診，形象彰彰。浮而有力，「洪」脉火燔（主火）。浮而無力，「虛」脉氣傷。（主氣虛）浮而虛甚，「散」脉靡常（主血散），浮如葱管，「芤」脉血殃。（主失血），浮如按鼓，「革」脉外强。（外强中空，較芤尤甚），浮而柔細，「濡」脉濕妨。（主濕）

沉　重手按於肌肉之上而始見之之謂也。

沉爲主裏，屬臟屬陰，重手尋按，始了於心。沉而著骨，「伏」脉邪深，（主閉邪），沉而硬底，（與革脉同，但革浮而牢沉），「牢」脉寒淫，（主寒實），沉而細軟，「弱」脉虛尋。（主血虛）。沉兼三脉，須守規箴。

遲　一息脉來，三至二至或一息一至也。

遲爲主寒，臟病亦是，三至二至，數目可揣。遲而不愆，（稍遲而不愆四至之期）「緩」脉最美。（無病）遲而不流，（往來不流利），「濇」脉血否。（主血少），遲而偶停，（無定數之停），「結」脉鬱實，（主氣鬱痰滯），遲止定期，（促者數中止也，結者遲中止也，皆無定數，若有定數，則爲代矣。大抵代脉在三四至中，其止有定數）。「代」脉多死。（主氣絕，惟孕婦見此不妨；以氣爲胎所阻，營衛行至胞宮，或略一停頓也）。遲兼四脉，各有條理。

數　一息脉來，五至或七八至也。

數爲主熱，腑病亦同，五至以上，七（至）八（至）人終，數而流利，「滑」脉痰濛。（主痰，主食，若指下清，則主氣和），數而牽轉，「緊」脉寒攻，（主寒主痛），數而有止，「促」脉熱烘。（主陽邪內陷），數見於關，（關中如豆搖動），「動」脉崩中，（脫血也，主陰陽相搏），數見四脉，休得朦朧。

細　脉狀細小如線也。

細主諸虛，蛛絲其象，脉道屬陰，病情可想，細不顯明，「微」脉氣殃。（主陰陽氣絕），細而小浮，（細者脉形之細如絲也。小者脉勢之往來不大也，且兼之以浮，卽昔人所謂如絮浮水面是也）。「濡」脉濕長，（主濕，亦主氣虛，浮脉亦兼之）。細小而沉，「弱」脉失養，（血虛，沉脉亦兼之）。細中三脉，須辨朗朗。

大　脉狀粗大如指也。

大主諸實，形濶易知，陽脉爲病，邪實可思。大而湧沸，「洪」脉熱司。（主熱甚，間亦有主內虛者，惟以脉根之虛實爲辨）。大而堅硬，「實」脉邪持，大兼二脉，病審相宜。

短　脉來短縮，上不及於寸，下不及於尺也。

短主素弱，不由病傷，上下相準，縮而不長。諸脉兼此，宜補陰陽，動脉屬短，治法另商。

長　脉來迢長，上至魚際，下至尺澤也。

長主素强，得之最罕，上魚入尺，（上魚際下尺澤也）。迢迢不短，正氣之治，長中帶緩，若是陽邪，指下湧沸。中見實脉，另有條欵。

註：如浮而數爲表熱，浮而遲爲表寒，沉而數爲裏熱，沉而遲爲裏寒。又於表裏寒熱四者之中，審其爲細，則屬於虛，審其爲大，則屬於實。又須於表裏寒熱虛實六者之中，審其爲短，知其素稟之衰，療病須兼顧其基地；審其爲長，知其素稟之盛，攻邪務絕其根株，此憑脉治病之秘法也。

二 七怪脈

1雀啄連連，止而又作，（肝絕）2屋漏水流，半時一落，（胃絕）3彈石沉弦，按之指搏，（腎絕）4乍密乍疏，亂如解索，（脾絕）5本息（不動也）末搖，魚翔相若，（心絕）6蝦游冉冉，忽然一躍，（大腸絕）7釜沸空浮，絕無根脚，（肺絕）七怪一形，醫休下藥。

三 婦人脉

婦人之脉，尺大於寸，尺脉濇微，經愆定論，三部如常，經停莫恨。尺或有神，得胎如願（左尺大爲男，右尺大爲女）。婦人有胎，亦取左寸。（左寸大爲男，右寸大爲女）。月斷病多，六脉不病，體弱未形，有胎可慶。將產之脉，名曰離經。（離時常脉），新產傷陰，出血不止，尺不上關，十有九死。尺弱而濇，腸冷（小腸也）惡寒，年少得之，受孕良難，年大得之，絕產血乾。

西醫問診法

問診法者，對于患者就其種種病狀詳細相問，以訴之於自己之學問經驗而爲診斷材料之方法也。

其先應問患者之住所，因住所與病，有絕大之關係；例如温暖濕潤之沼澤，地多麻拉利亞，寒風凛烈之地多呼吸器疾患，又如田舍與都會，因空氣之良惡，亦爲致病原因之不同之點。

其次應問年齡，因在某年齡有特發之病故。

其次應問職業，此爲問診中重要之一；職業有種種，故對於患者之傾向，均有充分聽聞，祇就官吏與職工言，已有種種之區別矣；蓋官吏云者，上自大臣，下至書記，名目衆多，職務不同，其所及於身體而爲致病之因者，亦各不同。職工若鐵工，若石工，若木工，若坭工，皆是也，而因其職業之不同，與疾病亦有重要之關係焉。例如石工鐵工，因吸收微細之石粉等而易冒呼吸器病。獸毛，獸皮商之易罹脾發疽。常常坐食且不斷勞腦髓者之易患神經疾患；皆是也。其他因其職業與攝養上之注意不同，亦各有異弱焉。

再次問其生活法，此層在出診者易於判別，對於來診患者則比較困難，此不可不充分問明，例如不飲酒否，吸香烟否？不手淫否否？衣食住之狀態如何等，均須問明，此生活狀態，與其疾病之起，或所以來者，多易知曉。例如不規則者，精神的勞働者，易起神經衰弱是。

再次問其幼少以至現在之間所患之病。對於婦人則問其初次月經在何時開始，何時閉止，結婚否？流產否等。既往症與現在疾患多有關係；如麻疹，痘瘡，腸窒扶斯，猩紅熱，回歸熱等，一度患過不復再患，所謂免疫性者是也。流行性感冒，丹毒，肺炎，急性關節僂麻質斯等，一度患過，不能免其再患而却易罹素因。其他如梅毒，淋疾，結核等，患後後患堪虞，而往往爲疾病之原因。

再次問其遺傳，自父母，兄弟，祖父母以至伯叔父伯叔母等，均須詳細問明，因遺傳病能自祖先而發。如精神病，癲癇，癩病等，殆多屬遺傳；僂麻質斯，心臟瓣膜病等，亦多屬遺傳。以上問明之後，始問現在之病，卽於現症，問明患者自覺之症狀；先問其食慾如何，睡眠如何，全身在何處有不快之處，均須問明。

尤於現症發生之時日，對於其發生之狀態，不可忘却追尋，此爲診斷自上而下之重要事件。例如前者若肺炎，流行性感冒，猩紅熱，丹毒，虎列拉，鼠疫之俄然而起；又若癌腫，慢性結核之徐徐發生；後者之發生狀態，卽症候在肺炎者，來惡寒，戰慄，發熱；腸窒扶斯者，呈惡寒發熱，頭痛，食思缺乏，重篤之全身症狀。肋膜炎胸側有穿刺性疼痛，及乾咳之初徵等，此乃疾病之前驅症狀，實爲至要。

此處最要注意者，實爲患者之隱事；患者所云之事，不可全部盡信，例如歇斯的里性之人等訴以重大之病，或男女生殖器病，均有隱秘不盡訴述之傾向者也；以上爲大體之問診法，讀者深思明辨，觸類旁通之可耳。

望診法

望診法者，一見患者之體格，體質，及身體之外表，而知變化之法也。

1　第一患者之體格如何，與病之發生，將來病之長短，或疾病之後如何，均有重大之關係，此體格良否之決定，須參酌其骨格，筋肉，脂肪之發達，胸廓之構造及其發達等。而區爲强壯，中等，薄弱三等。

强壯者，骨格之發達充分，胸廓厚而濶大，軀幹四肢之筋肉發育良好，皮膚滑而有光澤，此種人對于疾病抵抗之力强。

薄弱者，骨格之發育不良，胸廓薄，筋肉軟瘦，皮膚無光澤，蓋一見卽可知其爲虛弱之體格也。

中等體格則處於右述强弱两者之中間。

2　次觀體質，依患者身體一般之構造狀態，從醫學上從來之經驗，表見其易罹某病之素因，醫學上所稱體質，區別爲癆瘵質，卒中質，神經質，腺病質等；但癆瘵質不必定有肺病，卒中質不必定有中風，此則應行注意者也。

癆瘵質之體質：其頸如鶴之細長，胸廓扁平，肋軟，骨無彈力，全身之構造薄弱，皮膚之色澤蒼白，眼球望人時大而有一種光澤。

卒中質之體質：其骨格，筋肉不稱，全身脂肪豐富，顏大而赤，頸短而厚，肩高聳，發言偉大，合於身體，但僅僅運動，已感呼吸痛苦，心悸增高矣。此種體質之人，雖無卒中之遺傳，若多飲與奮性之飲料，便引起腦溢血等症。

神經質之體質：與其觀其體格及營養如何，寧觀其容儀及行爲所表示之特性；查神經質之人，容貌非常伶俐，見物見事，非常敏捷，男子遇細事卽生氣，應接不必思慮，敎以學問技藝，其會悟輙早於常人，但意志易變，或興奮，或抑鬱，而疑心甚强。

腺病質側重於小兒：凡皮膚蒼白，筋肉瘦而不潤，顔有浮腫之像，鼻及口唇特厚者，稱之爲腺病質中之遲鈍性體質；又身體之弱而狹小，皮膚蒼白，但微加刺戟則面部易於見赤，而靜脉透見者，此可稱謂腺病質中之鋭敏性體質；但腺病質之體質，不論其爲鋭敏性與遲鈍性，其頸部下頷等，均見有淋巴腺之腫起，且往往發其他之濕疹等，而身體之諸粘膜，亦易引起慢性之加答兒症狀。

3 次觀營養狀態。此營養狀態可從筋肉，皮下脂肪組織及皮膚之狀態如何等，而判定之。筋肉之發育善者，卽體格良而多勞働之人也。筋肉具一定之容積與疏密，與骨格成一定之比例。筋肉之容積小而强健者，其人之筋肉必硬，惟脂肪發育較少而已。但其皮膚必有適度之彈力？此筋肉之容積，究爲硬實與弛鬆，實爲診察之要件。

皮下脂肪組織，女子大概比男子較能發育，而由於年齡之差，亦有相異，自幼兒至四十歲前後，脂肪大抵增加，至老則大減，又從飲食之多少，與種類而亦有異，脂肪層之鬆弛者，認其人其先爲虛弱家，雖不中亦不遠。脂肪之瘦者，多屬營養之不充分者也，脂肪之組織，筋肉之容積，比之從前減少者，曰羸瘦；此羸瘦之人，亦屬不少，在診斷學上，應十分注意；凡非老人而爲壯年之羸瘦者，其時必多結核癌腫之潛伏。羸瘦急劇而來者，必係霍虎列拉吐瀉而來；要之身體之瘦，必係分泌排泄量多於攝收食物量所致，但高度身體衰弱，多係結核，癌腫重症之糖尿病及其他熱性之傳染病，消化器病等而來。尤宜十分注意者，體重之增加，並非必屬可喜之事，因心臟病，腎臟病，卵巢病，或腫瘍發生等之疾患，亦能使體重增加也。

4　次觀容貌　此點第一宜注意眼球，若瞳孔散大，則有寄生蟲發生之可疑，瞳孔縮小，則有無脊髓癆可疑之價値；眼球大而有一種特異之光澤者，多係肺病患者，或有肺病之素因者也，視勢朦朧，眼球失光澤者，係體力大衰之徵候也。其有一種水像之光澤者，必多少伴以充血者也，視勢活潑者，大抵係大量之飲酒家也。

再次就皮膚方面，稍稍加以說明。皮膚之色，雖同係健康之體，而以年齡職業，風土，人種等等不同，亦逈然大異，欲詳加說明，甚屬困難，惟大體可區別爲蒼白色，紅色，藍色，黃色，靑銅色，及銀色等。蒼白色不必定限於病人。例如讀書家專志讀書，終日閉坐室中，絕少照見日光等人，多係蒼白色，其健與不健，可於粘膜（口唇）眼瞼結膜之色見之。粘膜之色鮮者，其顏色雖帶幾分蒼白，亦非有病者也。皮膚與粘膜俱蒼白者，必係貧血之人，且有十二指腸蟲，或結核，鉛毒，水銀毒，或慢性消化器病中之可疑，此不得不參考其他之診斷者也。紅色者，係常照日光，或一般多血症之人，尤以顏色如桃實之熟者，必係腦充血，月經不調，便秘，高熱，飲酒過多等之人；又一時性之精神感動時，顏面亦呈紅色。

皮膚之呈藍色者，曰牽阿諾隨，現於一般之皮膚，但此係甚少有之事。而大抵現於口唇，鼻尖，爪甲等之局部。此牽阿諾隨之由來，由于心臟異常，或過勞，死期及炭酸中毒等，應加注意。又聲門痙攣：氣管枝加答兒，腹水等，因橫隔膜上方壓廹，妨礙肺臟之擴張，其呼吸面頰亦起藍色；又惡寒之際，因皮膚小血管內之血行停滯，亦有起藍色者。

皮膚之黃色者，使胆汁色素，吸收於血液及組織中而發於黃疸，十二指腸加答兒，肝臟疾患等時有之。青銅色者，係砒石中毒之表現。

5　更次就體位姿勢步行方面說明一二。就體位言，可大別爲平穩，不平穩二種，又區別爲他動的及自動的。

平穩的自動的體位，患者之疾苦極少，猶如健康體之隨意之自然體位，平穩之他動的體位者，患者陷于衰弱之狀，手足偏垂，輙爲重量所左右，故足部若從床邊垂下，輙感不能復位。

不穩之體位者，患者就褥不穩，或從甲位置移於乙位置時，常感轉輾反側之苦，尤於臨終，特呈苦悶，此可於神經的疾患時見之。

平穩之體位，又依其方向即仰臥位，側臥位，腹臥位，坐位等而有區別。因呼吸困難而不能取仰臥位者，稱起坐呼吸，此可於腹中強度之滲出性肋膜炎心臟病之呼吸困難之際見之。持續的側臥位者，則可於胸腔臟器之偏側疾患之際見之；例如肋膜炎之初期，對於氣胸取健側臥位，肺炎及肋膜炎後期，則取患側臥位是也。

步行及姿勢，患者尤以神經疾患者，對于各自特有之疾患，而有特有之步行，望診從步行方向可以診斷之。步行之種類有左列五種：

一　麻痺性步行與不全麻痺性步行　視該肢節之完全與否定之。但既起不全麻痺亦不能行生理的運動。故其肢節若乏運動或運動力弛緩，可於腰髓炎，脊髓性小兒麻痺，脚氣，多發性神經炎等見之。

二　痙攣性步行　此係下腹筋肉受强度之收縮，因之足部提舉困難。步行時患脚常在地上曳引，可於頸髓炎，腰髓炎，痙攣性脊髓麻痺，腦性小兒麻痺等見之。

三　蹣跚性步行　此酷似爛醉如泥者之步行，可於骨盤及大腿之變形，筋病性筋萎縮等見之。

四　失調性步行　脚向前方强度放擲，而與地上衝突，在閉目之際，體之平均，有側倒之虞，此係從脊髓癆，遺傳性小腦失調症等而來。

五　踔跛性步行　一脚短少，此或係一脚之關節及骨質等疾病者來，或係疼痛發於所現之處而成。

檢温法

計測體温爲診斷上重要之事，檢温普通行於腋窩，檢温器有一分間或三分間計種種。但實際不得不有十分間以上。檢温之最迅速者，可塗油於檢温器，插入肛門或膣五六分間。但其計測比之腋窩高〇．二度乃至半度之程，健康體之常温，依生理學所述爲攝氏三十七度以下（但幼兒有別，）者曰中等度，日暮五時至八時之間最高，夜間步步低降，從午前二時至六時之間最低。但其他因運動，飲食物之攝取等亦微有差異，而年齡之高低，亦有溫度相異之處，今區別熱型爲左列之三種：

1　稽留熱　一日之差，越一度以上。

2　弛張熱　一日之差，一度。

3　間歇熱　熱之最高點甚高，而最下點在平溫點以下，但體溫高達四十二度以上，低至三十三度以下者，有危篤必死之虞。

發熱達高度時，易來精神之障害，而隨之以譫語，此亦診斷上大可注意者，且譫語關於病質，亦宜注意。

今分熱性溫如左：

輕　熱　三八・〇度乃至三八・五度

中　熱　三八・五度乃至三九・五度

高　熱　三九・五度乃至四〇・五度

最高熱　四〇・五度以上。

今以左之熱，就專門語解釋之。

相　差　日日定時變動，爲最高點最下點之差。

弛　縱　朝降夕升以爲常，而稱其降曰弛縱。

險　惡　同上，而稱其昇曰險惡。

反射定型　朝降而昇，朝昇而降。

稽留熱　日差越一度以上。

弛張熱　日差一度。

間歇熱　熱之最高點極高，最下點平温或在平温以下。

回歸熱　熱度昇騰有數日間稽留，次後或降至常温以下。數日後又復如初。

增進期　熱度之多少增進者，稱爲增進期。

極　期　熱度依然留其極度。

不明期　捉摸不定，着着變動之期。

解散期　治愈或死亡之轉期也。

分　利　熱于一日中解散。

渙　散　分利之漸漸者也。

僞分利　熱在稽留之際，一時降下，恰如分利之時，而不久再昇者。

間歇分利　熱俄然而下，至分利之前，復少昇之謂也。

檢脈法

診斷學上對于檢脈，亦屬甚重要之事，今分舉檢脈法如左：脈搏，脈調，遲速，大小，虛實。

檢脈之最便利者，莫如計橈骨動脈之下端，原來動脈之搏動，到處多有，例如上膊之內側，肘窩上膊動脈之橈骨尺骨分岐部，大腿之內側，顳顬部，頸動脈等多有之。而最便利者爲橈骨動脈。

檢脈之法，先以食指中指及無名指之指壓患者之橈骨動脈下端部，細檢其脈象如何？

一　脈搏　健康之人，依生理學之指示，爲一分間七十二計，但因爲健康之人，而脈搏不定爲七十二計，故普通凡六十至八十之間，猶係健康者。少於六十或多於八十者，有病之可疑者也。但生理的身體運動，精神興奮非常之多者，脈搏或一時的或持續的多，亦非病之徵象。但老人之搏動，大抵自七十至九十，小兒之搏動，自百〇九至百四十。小兒睡眠之時，自九十乃至百度，十歲之小兒，以九十搏爲度。十五歲以上，方與普通人同一搏動，男女之差，凡同年齡者，以女子之搏動稍高。

但一日中脈膊之增減與熱同。又食後脈膊增加，飢餓時則減，運動後大大增加，又依於外界之溫度而亦有增減，惟自六十膊以下者，定有疾病，而其疾病大抵爲黃疸，神經刺戟，心臟神經之麻痺，腦膜炎之初期，貧血，心筋炎，脈管硬化症，腦出血，鉛及酒精中毒，腸窒扶斯等。八十膊以上之增脈者，必來熱性諸病。大凡增加脈膊，如心臟瓣膜症，心臟內膜炎，貧血狀態，神經性心悸亢進，狹心症及其他種種疼痛之時，依其病之輕重，而隨之增加若干。

二　脈調　卽脈之調子也。健康體之脈調，其調子平和整齊，此可謂之正調脈，反之其調子不正，卽謂之不整脉，不整脉之中，其膊動有大小之異，或者一時間爲瞬間的休止，此一時間爲瞬間的休止時，其脉不觸，特名之曰脉膊結滯，此結滯脉中皆每二膊或三膊等於一度結膊者，爲正規則之結滯，若二三十膊連續而三四膊休止，或七八膊之後，一度休止時，爲不規則結滯，此在心臟瓣膜障碍之時或心臟之大衰弱等時有之。

又有交代脉者，其脉膊之來，脉波一次高，一次低，如此相互續續交代，此在小兒之重病如腦膜炎等有之。又有變細脉者，當空氣呼出之傾，脉膊呈普通之象，而在空氣吸入之際，脉甚細微，或竟全消，此係氣管狹窄之徵候，或者心臟病時有之。

三　疾除脉　卽脉之收縮與緊張之速度是也。疾脉係心臟機能增進且强或心臟左側之肥大而來。徐脉係老人及大動脉狹窄等而來。

四　大小脉　卽脉之高低之謂也。大脉屬心臟之左室肥大，或大動脉瓣之閉鎖不全等。小脉係心臟衰弱，或者心臟腔之狹窄。或高度之貧血而來。

五　虛實脉　卽脉之力也。虛脉爲大動脉系統貧弱之徵象，實脉係心臟之壓力亢進時而來。

以上大體說述診脉之法，要之須賴於醫師銳敏之觸覺，至欲以充分之筆，詳說其法，實有種種困難，讀者心領而神會之，斯可矣。

檢尿法

檢尿法有種種，今擇其中最簡易且能應用於針灸家者，舉其一二。

一　蛋白尿　尿中混有蛋白質者曰蛋白尿。此蛋白尿所來之疾病爲慢性腎臟炎，腎靜脉之鬱血，心臟，肺臟疾患，重症之貧血，白血病，熱性病，急性中毒等。

其檢出之方法，先入尿於試驗管，而用亞爾箇保兒燈（理化學實驗用之燈）煮之，加以硝酸，如有白色或褐色之凝結，沉澱於管底者爲蛋白無疑。

二　糖尿　糖尿卽含有葡萄糖疾病之病也。凡糖尿病，莫兒比涅之中毒（莫兒比涅係醫藥用品，少量服之能催眠多則有毒）。急性傳染病，精神過勞，腦震盪，癲癇發作，其次如延髓之病，其他如糖分之過食等有之。

其尿中糖分之檢出方法，亦有種種，行之最多者爲篤洛密兒氏法。此法約以尿十瓦入於試驗管內，以其三分之一卽約三瓦加十%之加里液而震盪之，滴下五%之硫酸銅，在淡清色之沉澱完全溶解之間，其滴下與震盪，不絕的反覆，其新滴下者而生沉澱，振盪而不溶解。乃以火焰徐徐煮沸而至液之上部，並注意其熱，此時含糖者液之上部生黃赤色之變色，此變色既現，直至加溫後，尙向液下之層蔓延。

腹部診斷法

觸診於腹部，先當溫暖診者之手，否則患者受驚，硬固腹壁，每致誤於診斷，而手指亦不可一時強壓，宜徐徐及於深部，但腹壁觸診時，宜立而屈膝，或者交換談話，以轉換患者之意志。

胃之六分之五，位於身體左側，其六分之一在右側，胃之小灣及幽門被以肝左葉，賁門位於胸骨劍狀突起之高處，大灣在臍上二仙米突乃四仙米突。打診於胃之境界，宜先定橫隔膜之位置，及肝臟腸與脾臟等境界爲要，此腹部諸診器中，胃之鼓音低，腸之鼓音高，鼓音之上部，即肺之境界。定胃之大小，先用人工的使胃膨脹，視其擴張至何程度而定，人工膨脹之方法，以左之方法爲佳。

先以酒石酸四瓦，溶解於水，飲之，續以重曹水五瓦飲服，使其胃中沸騰，胃中發生炭酸瓦斯。而使胃膨脹，此時命患者直立診者打其下部呈濁音，與腹部之鼓音能診別之，若胃之底，達於臍下，則爲胃擴張病無疑，若胃因振盪而有振水音者，更可確切無疑，斷爲胃擴張病。

肝臟脾臟之上發濁音，腸之上發鼓音，雖積多量之糞便時，亦不發濁音。腹部觸診，非常切要，法使患者取仰臥之位置而後以手指靜壓，若爲胃癌等觸手即知，腹部診斷，第一宜壓其疼痛之部，而知其疼痛之範圍，若範圍擴大，不無腹膜炎之可疑。然亦有限局性之腹膜炎，僅發於一局所云。

腹部疾患，在右腸骨窩而來疼痛之疾患者，爲腸窒扶斯，腸結核，盲腸炎，盲腸周圍炎等，赤痢等每從右腸骨窩疼痛而來。

觸於下腹部而有硬之結節者，此大多爲糞便鬱滯於腸內之徵，又腸之癌腫，每有誤診之時，此應審愼注意。又腸中雷鳴（咯咯咯咯之音）者，係腸中留有瓦斯之徵。肝臟之下方轉位者，大抵係横隔膜下降而來，此因高度之肺氣腫與右側之胸膜炎，滲出物等多量之時，而來横隔膜之壓迫故也。

脾臟在左季肋部第九肋骨與第十一肋骨之間，其縱徑自後上方斜向前下方。健康之體，外觀上不認知脾臟，但顯著肥大，而左季肋部隆起，又健康體不能觸脾臟，而於其肥大或轉位之時能觸之，卽急性傳染病麻拉利亞，脾臟硬變之白血病等，占領腹部全半側之大。斯時觸診若訴疼痛之際，不可不有何種新生物之可疑。

脾臟之轉位，因固定之靱帶弛緩，故對于普通之位置全去，此種轉位凡移動甚易，而復位亦易者，名之曰遊走脾臟。又左側之胸膜炎性滲出物或者吸氣之際，因横隔膜之下降不免有多少之轉位。此處應注意者，胃或結腸內有固形物存在之時，而誤爲脾臟。

打診法

打診法者，打於身體中尤其於腔壁，察其內部各所臟器之模樣之法也。其打法有直達打診法與介達打診法二種。

直達打診法者，以右手之中指或環指之指頭或打診槌，直接打診於體壁之謂也。但當今廣行之打診法，往往以左手之中指，置於打診之場所，而以右手之中指或環指屈其半而在左手之中指上徐徐扣打，今述其响之種類如左。

含有空氣之所，猶之打於緻密之物件，其放響極微弱而短者曰純音，大腿之四頭股筋，亦發純濁音，故又名股音。

於打診之領域內，含空氣之臟器，有一定之音放响，名曰清音，清音有鼓音與非鼓音之區別。

鼓音如蓬蓬大鼓，打之時發，凡空氣之包含愈多者，其音亦愈高；非鼓音打於健全人之肺部時發之，故一名肺音，此外尙有破壺音者，係清音中伴以鼓音之一種。恰似以鐵棒叩打破壺之音，欲會得此音，須打診板不密着於胸壁，使其間有幾分之空氣層，而打於其上，可發此音。此音又似錢貨搬動之音，故一名錢貨音云。

今順序就內臟之診法一述之。

肺臟打診，凡就床不能起者，苟非重病則限於正座，從前面打診，次及背面，如遇不能正座之重症患者，則取仰臥位置，打於前面，而背面則由看護者抱重病者之肋正座之，而後打診，萬不可取左右不平等之位置，使一方筋肉强張，一方筋肉弛鬆，以誤診斷，尤於鎖骨上窩卽肺尖部之打診時，患者不可向他方傾向爲要。

打之順序，先從前面鎖骨上窩之右側起，而後及於左側，其次左右之鎖骨下窩，其次第一肋間，第二肋間，第三肋間，第四肋間，左右交互比較，自上及下。

從此再及背面，先打兩側之肺尖而比較之，次打診於左右之肋間，以至肺之下界。

於胸廓打診，凡健全之體，其肺臟常發淸音，從此肺臟移於心臟之境界線，可以判然分明，肺臟如有左項症狀之時機則呈濁音。

一　肺內之生物，生無機組織之際，例如格魯布性肺炎等，其肺氣胞硬，以充纖維素性之滲出物，恰如肝臟之硬，胸廓之大部發濁音，抵抗之觸覺頗强。

二　胸壁與肺臟間，因有無氣之中間物時，則發濁音，例如肋膜炎，因胸水液體集於肋膜腔內者是。

總之無論何時，肺上發鼓音者，必來左項症狀之時機。

1　肺之組織內生空洞之時，尤於生結核之空洞之際爲多，而其開口必鼓音高，閉口必鼓音低，此時限於肺之空洞。

2　肋膜內積集瓦斯之際，即氣胸病之時機，則發鼓音。

3　於滲出性肋膜炎時發鼓音。

4　肺炎。

5　胸廓腔狹小，以壓迫肺臟之諸般疾病，例如心囊滲出物，心臟肥大等。

破壺音者，在健體如小兒啼泣之際，或大人發高聲時，打診其胸廓，覺壓迫於氣管枝內之空氣，俄然閉其聲門，不能通出，便發此音，在病體則稍稍大之肺空洞與小氣管枝交通時，則發此音，發此音主在鎖骨下窩間。

其他肺炎肋膜炎，氣胸等亦稍稍有發現。

心臟之上呈濁音之異狀者，輒如下之時機：1增大 2狹窄 3轉位

增大者，心臟肥大及心臟擴張，心囊內之液體瀦留故也。

狹窄者，肺氣腫等，因肺臟之掩蔽，而濁音部狹窄也。其他如心囊蓄積空氣，而生心囊氣腫病之時機亦有之。

轉位者，先天的左心臟或補右心臟之不具者，横隔膜之高位，肺臟萎縮等時有之。

皮膚診斷法

皮膚病之診斷心得

眞欲診斷皮膚病，而悉知各疾病之症候，實爲不可能之事，今簡單舉其診斷法之心得如次。

皮膚病診斷之最緊要者，爲各個之發疹，全現象卽皮膚之全部，更進而檢查人體之諸機關，着眼於其經過，次調查其各原發疹經過中之變遷，以確知該病之初期及其現象爲必要。

皮膚病大抵件以癢，因患者之搔破而變其原發之疹狀，對于其表皮之剝奪或破裂，診斷時，宜特予注意。不可輕忽。

患者往往罹二個或二個以上之皮膚病，例如梅毒性皮膚病以上，又襲來疥癬癜風等是。針灸師對於此點，宜特別着眼。

對于皮膚病之外，應考其全身病相互之關係，而後可下斷案，否則於治療上必大失策。

譬如對于濕疹之診察，應考其以前是否應糖尿病而來，若從糖尿病而來，則對于濕疹應如何治療，假使糖尿病益益增加，則濕疹到底難除。

右爲全身病狀皮膚診斷法次第診斷之心得。眞純皮膚病，可簡單述其一般如左。

全身病之皮膚診斷法，可謂爲皮膚病之研究，大有診斷上價値，針灸家應大大記憶。此篇僅就皮膚之色述之，其他已在望診章略爲述說，故從省。

其次爲皮膚之營養狀態，老人之全身皮膚，一般的營養不良，係屬生理的，但壯年者其皮膚營養之衰，必失尋常光澤，彈力少。指上俄然生皺而無元氣，表皮之小片，有如糠片而墮落，此之謂瘵糠皮疹，如斯皮膚之衰者，必來重症之疾患。

次就皮膚之發汗一述之。健康者因筋骨運動而起氣温之昇騰，與夫飲料如何，及精神狀態等而發汗，或增或減，均可不論；而病的身體，因其分泌之多寡，其汗亦增或減，增者曰多汗，或脫汗，減者曰減汗或無汗。多汗有全身多汗，或局所多汗。全身多汗者在急性熱性病，尤其在肺炎回歸熱等之引熱時，或如間歇熱之體温，俄然而昇，俄然而降時有之。或其他急性僂麻質斯及高度之呼吸困難，喘息，肋膜炎，破傷風等；或因苦悶之精神作用上而來血液循環之鬱血，或因呼吸障礙而起。如肺結核患者之盜汗，恐怖之際之恐怖汗，內服發汗劑時發汗，疲勞時血管裝置之易興奮時之疲勞汗等，皆屬此全身多汗也。

局所多汗者，如偏頭痛，或精神病等，於其偏側尤其在頭部之半側起半身發汗，或在腋窩，或手足，或陰部生惡臭之汗分泌。

減汗或無汗之例，如腸窒扶斯，虎列拉糖尿病等，身體顯失水分之病，因而汗之分泌大減或止，又全身水腫者，亦不發汗。

其次毛髮及爪甲之變常，毛髮之色與粗密，依人種與年齡而異，今茲所述者，係屬於病的方面，其中如白癬等毛髮之脫落，及純皮膚病等，茲更略述內科者。

亘長期熱之病後，例如窒扶斯，產褥熱等之後，必顯然脫落，而梅毒，癩病等之頭髮與眉毛□，亦往往有脫落之事。

毛髮之色，檢別亦屬必要，癌腫患者之毛髮眞黑，結核患者之髮早白，受劇烈之精神感動，髮常驟然變白，在青年有白髮之混入者，係該部之色素乏全，或係遺傳。

此外尚有惡液毛者，形似初生兒之毳毛，生於肩上或上膊，此毛或爲永久之脚氣患者生之。但甚稀而大者，必係結核患者，且其病重篤而多生，其病輕則薄，其病痊癒則惡液毛亦從之而減。

爪之異常者，若爲後天性必伴以濕疹癬屑疹等之皮膚病，或梅毒，窒扶斯，脚氣，脊髓癆，糖尿病等，窒扶斯熱性傳染病之後，爪上現橫溝，脚氣糖尿病等，爪現縱文，且爪色混濁，梅毒則爪之發育中一時停止，且現奇妙之形。

其次對於皮膚病發生之所。視察病之如何而診斷其爲如何皮膚症狀，亦最要之事，因疹之種類，千差萬別也。此處所舉以內科之疾病爲主。

麻疹之初，其顏面，頰，口之周圍及前額等，出薄紅之疹，迅速蔓延，及於全身，皮膚之色帶藍，隆起處爲紅色，入於治愈期時，其上皮呈糠狀而剝落，風疹類似麻疹，惟其疹狀較麻疹爲小。

猩紅熱之疹，其始從頸部，胸部，或顏面出淡紅色之小點，間出强度之紅點，次及於全身。痘瘡始出如小豆大之紅尖點，其後忽蔓及全身，或如斑狀，或如小水泡狀，其疹愈大者，中部臍窩，備現紅暈，漸變膿胞，至治愈期變乾燥痂皮，痂皮落去，瘢痕仍殘留。腸窒扶斯第二期之始，發薔薇疹，從皮膚顏面之高處，出淡紅色之小斑點，腹部胸部發生尤多，甚至及四肢，此疹有急性粟粒結核，或腐敗中毒之虞。

熱性病之初期或其經過中，如格魯布性肺炎，流行性腦脊髓膜炎，間歇熱，膿毒症等，尤常現紅色粟粒狀之水泡疹，其初含澄清之液體，其液漸次混濁，終至於乾，呈褐色之痂皮，痂皮剝落，仍留其殘痕。此疹名匐行疹，發於口唇者曰口唇匐行疹。

右之外，熱性病者因久久皮膚乾燥後，再因汗分泌之盛，而露疹樣之小疹，發於前額，胸部，腹部，名結晶狀粟粒疹或汗疹，又蟹中毒或食阿斯匹林，等之藥物，或塗擦而發之疹，其種種形狀。殊爲複雜，茲從略。

次述少溢血之事，溢血者血管壁之最易破者亦有種種疾病，例如壞血病，膿毒症，痘瘡，猩紅熱等，因一時性妨碍靜脉血流之環流，又如咳嗽，嘔吐等因靜脉血鬱積之勢，不得不從皮膚出血，此種血液多呈點狀乃至扁豆大之紫色，或帶青黑之斑點，以指壓之，其色乃消。有時經從種種之色，變爲僅花色，而現青，赤，綠，黃，終至消滅。其出斑部分通常在頭部，口腔喉頭之黏膜，亦有發現，又如急性燐中毒僂麻質斯，發疹窒扶斯，麻疹，猩紅熱，腸窒扶斯之恢復期等。亦有此種皮膚出血，又在營養不良之薄弱者，因皮膚寄生蟲之刺激，其周圍亦有溢血之事。

皮膚之瘢痕

皮膚瘢痕，因患皮膚潰瘍等，或蒙外傷，或受外科的手術而來者也，又塗發泡膏或芥子泥後，亦有現其瘢痕者，故針灸家診察患者，對於發現之瘢痕，應問其何時留此殘跡？因何病而來？對患者之答語，應充分聽受，以爲參考。

其次爲皮膚水腫，凡皮下結締組織粗鬆之所，液體容留之處，其部腫而且膨，增加容積，身體中之凹所消失，皮膚硬，色青白，或間帶藍色，皺處變滑，以指頭壓之，顯現凹陷之跡，不久又恢復矣。此因指壓時，其液體一時入于鄰處之結締組織內，迨外部之壓力既去，再從而恢復其位置故也。

右爲普通之水腫，在表所之徵候，其高度者，全身之皮膚，尤其上腹下肢帶青色，而帶幾分白色，底現光澤之線。此因液體與眞皮膚之結締組織相互爲壓，液體充於該處之空間，極近表皮而來，又最高度之水腫，表皮上能生水泡，水泡破時，水液流出，但此水腫達全消時，其部必殘留白痕，恰如姙娠線然。

水腫之原因，常因毛細管或小靜脈之血漿漏出旺盛之處而起。健康體對于小量之血漿，漏出組織，必與癢共，癢之餘分，吸收入淋巴管，蓋漿液之泌出，普通多能從淋巴管吸收之，其液溜至皮下，遂生水腫，斯卽水腫之原因也。概括言之：

1 靜脉血之循環障礙，血行遲緩。

2 血漿從血管壁泌出之作用過旺。

3 血液性狀之變性。

一例如心臟瓣膜病，肺氣腫，肝臟癌腫，腹膜炎等，其始下肢現水腫，夜間上床就寢後，回復如平時，明朝離床復腫，如此經過多日，漸及全身是也。

二例如發炎時，於其部之近傍，生化膿性胸膜炎，卽於其局部見浮腫是。

三例腎臟炎，因尿中排泄多量之蛋白質，尿中水分之排泄減少，血液中較多水分，因之血液性質，異於平常，溜於皮下，而生水腫。

慢性之下痢，十二指腸蟲病，結核，其他營養不足等所發之水腫，亦從血液變性而起。其初犯於下腹，久之及於顏面眼瞼，因及於足部手部之浮腫，次第向上方進行，其例同。彼赤貧之民，以僅微之米，多煮爲水量過多之粥，複雜食物如鹽蘿蔔乾，牛猪等，不惜盡量啖食，以致營養不良，水分多於血液，俗言靑浮腫者，卽水腫之起因也，迨與以適當之滋養料，亦能次第挽回。消失水腫，多見良好。

次就皮膚之氣腫述之，此卽前者液體所貯之場所，溜有氣體之疾患也。或在頸部，腦部，或上腹部之限局，或者身體之大部分，或悉及於全身，其總部呈靑白色，凡腋窩肋間凹之場所，悉變爲平。甚至起高隆之狀，此一見卽可知其與高度之水腫異，蓋水腫以手壓之，其跡卽覺有異，次第復爲故態也。氣腫者，指頭一離，忽然不腫，指頭壓迫之際，每感一種「奇啊哩哩」音响也。

考皮膚氣腫之原因，有二種區別，一從外部而來，二從內部而來。從外部而來者，因皮膚之外傷，外部之氣體，小小侵入傷口，卽往往着爲氣腫。從內部而來者，氣體貯於內臟；例如肺臟，其壁自然的，若外傷的損裂，氣體從此漏出，浸入皮下，故在喉頭食管枝潰瘍時，每穿孔其壁。强烈之咳嗽，因肺胞之破，氣體從組織內侵入。又在食道，胃或腸之潰瘍而生穿孔之時，亦發氣腫。

學者熟讀此篇，加以治療學對每症之描述詳盡，於診症時，自可瞭然於胸也。

診斷學終

香港鍼灸專科学院講義

治療學

卷下

蘇天佑編

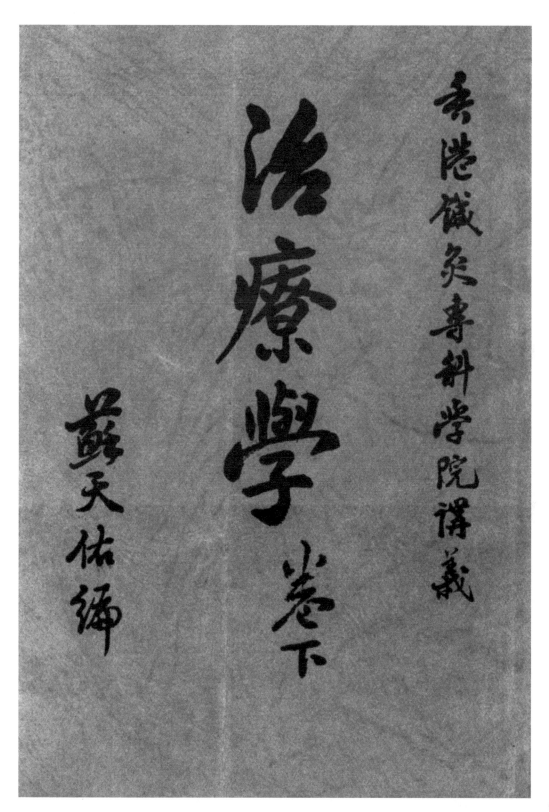

治療學目錄

齒的生理解剖

淋巴系統的生理解剖

頸部疾患

呼吸器的解剖

下腹部疾患

泌尿器的生理解剖

脊髓的生理解剖

婦科疾患

兒科疾患

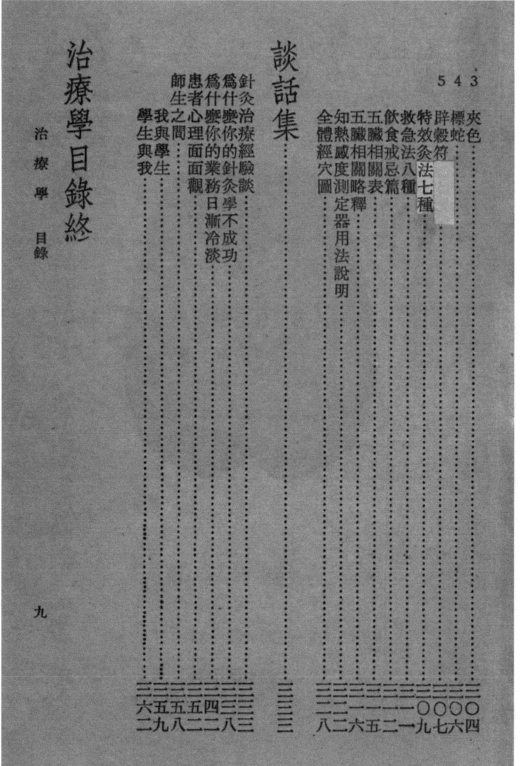

談話集……三三三

治療學目錄終

腦的解剖和生理

腦在顱腔內；主要的部份是大腦，小腦和延髓。

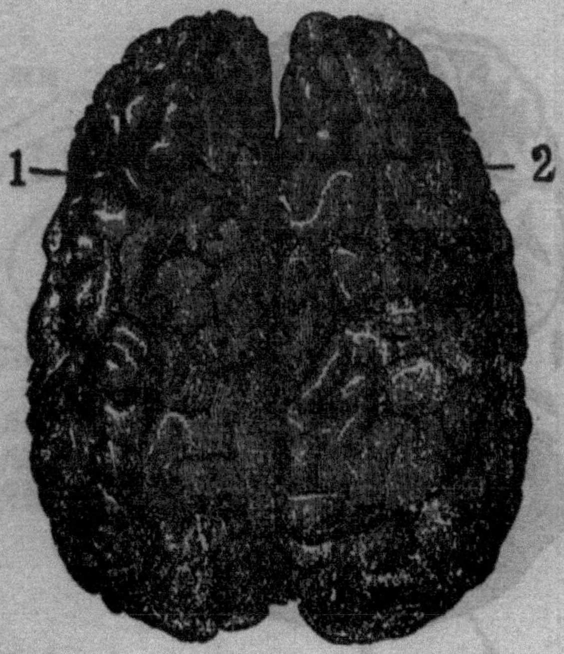

大腦的上面

1. 左側大腦半球

2. 右側大腦半球

大腦 人類的大腦最是發達，由上方看起來，全體是卵圓形的，中央有一條縱溝，將大腦分成左右两半球；這两半球間的連絡部份，在縱溝的底部，叫做胼胝。大腦內部的白質，也叫做髓質。外部的灰白質，也叫做皮質。皮質的表面，有許多皺襞，叫做迴轉。

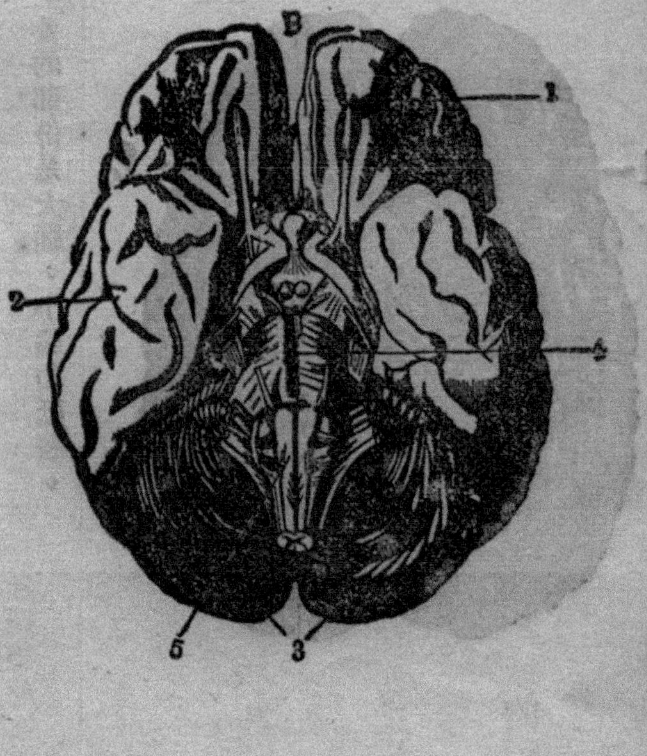

大腦的下面

1. 左側大腦半球　2. 右側大腦半球
3. 小腦　4. 腦橋　5. 延髓

大腦又可以分做四部份：最前部份叫做額葉；中部叫做頂葉；最後部做枕葉；側部叫做顳葉。大腦的底面，有一對大腦脚；後方還有一個腦橋和延髓相連。這两部份都是神經纖維的通路。大腦脚的背面，還有四疊體。

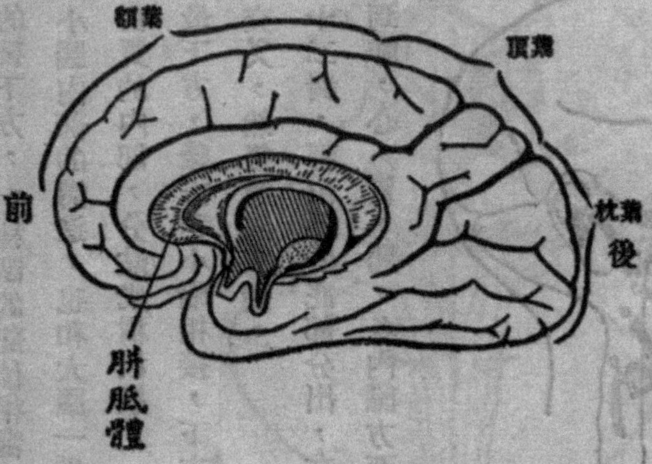

大腦半球的內側

小腦　小腦在大腦的後下方，和枕臥的部位相當，大部份被大腦遮着，表面有許多橫皺襞，叫做小腦迴轉。小腦內部的溝造，也和大腦一樣；內層是白質，外層是灰白質；但是白質的部分，却深入灰白質的內部，分歧成樹枝狀。

延髓　延髓在腦的最下方，後方和小腦相接，下方和脊髓相連，大腦的各種神經纖維，在這延髓的部分，左右交叉，然後通入脊髓。

腦神經　腦神經有十二對，都由腦的底部分出，在頭部的肌肉和面部的感覺器內分佈着。第十對的腦神經，分到肺，心，胃，腸，各內臟方面，這叫做迷走神經。

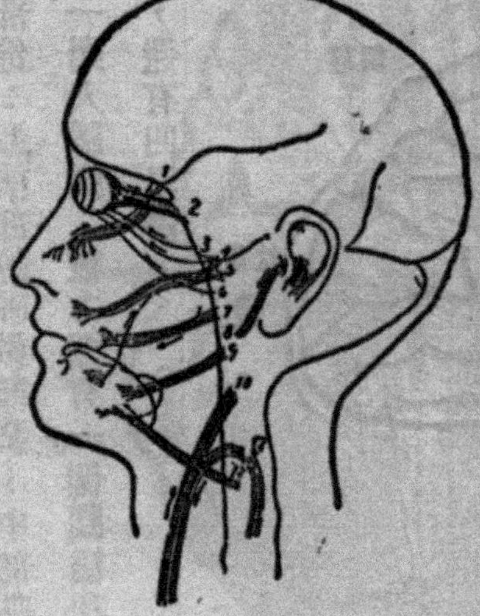

十二對腦神經的分布狀態

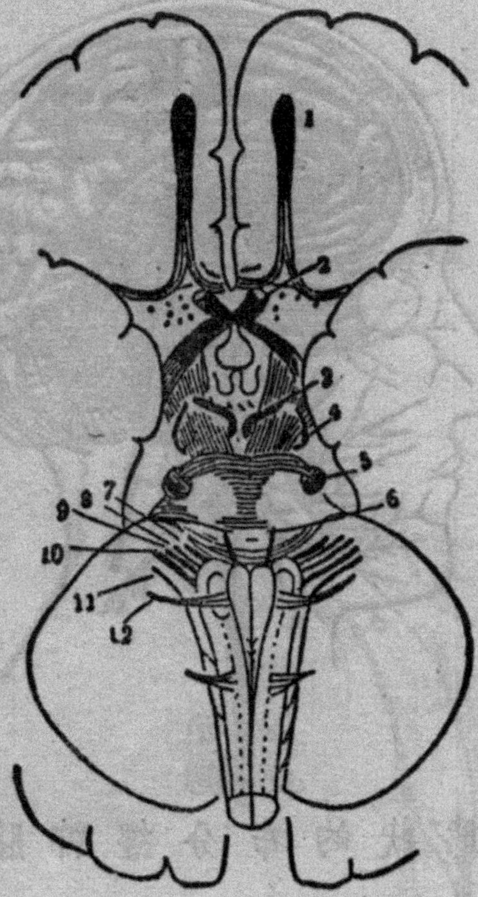

腦髓下面的十二對腦神經起點

1. 嗅神經　2. 視神經　3. 動眼神經

4. 滑車神經　5. 三叉神經　6. 外旋神經

7. 顏面神經　8. 聽神經　9. 舌咽神經

10. 肺胃神經　11. 副神經　12. 舌下神經

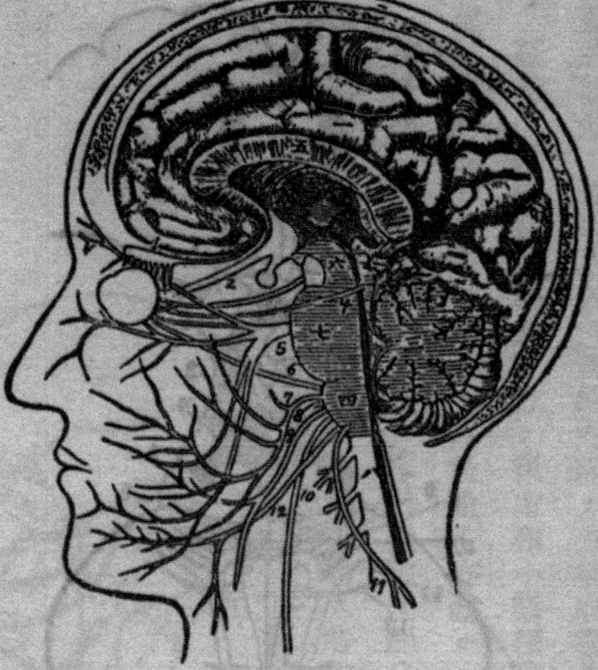

腦神經分布的狀態

1. 大腦　2. 四疊體　3. 小腦
4. 延髓　5. 胼胝體　6. 大腦脚
7. 腦橋　8. 脊髓

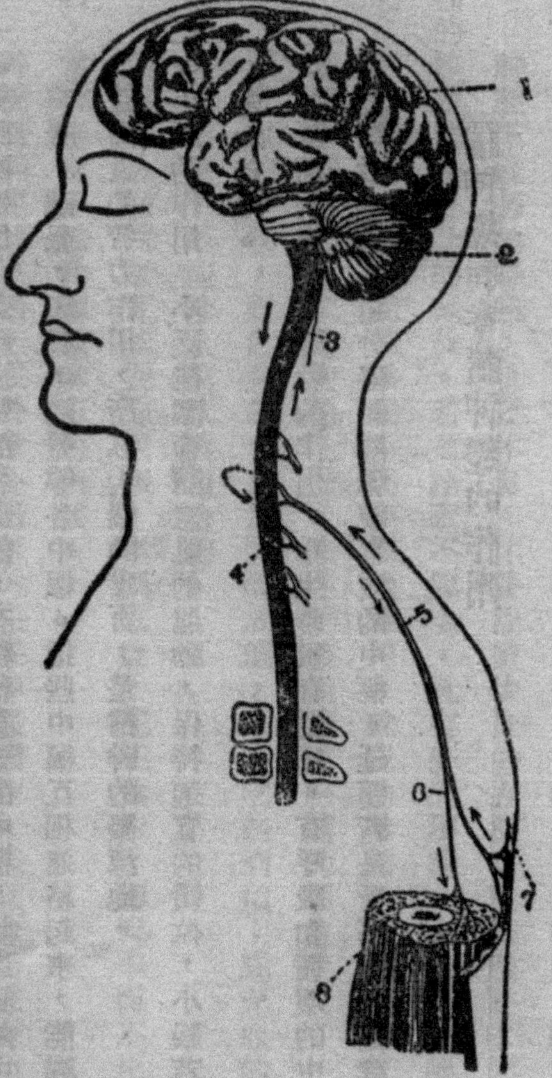

神經作用的模型

1. 大腦　2. 小腦　3. 延髓

4. 脊髓　5. 求心性神經

6. 遠心性神經　7. 皮膚　8. 肌肉

腦的作用

（一）大腦的作用　大腦皮質的各部份，有種種重要的中樞，除運動的中樞外，還有言語，嗅覺，聽覺，視覺，觸覺等各中樞。這些中樞互相連絡起來，能聯合種種的觀念，掌管高貴的智力作用，所以大腦的皮質，是精神的發源地。

（二）小腦的作用　小腦能調節隨意肌的運動，保持適宜的體位，小腦若是受傷，就不能直走和正坐。

（三）延髓的作用　延髓的作用，和生命很有關係。有呼吸和循環的中樞，還有咀嚼，嚥下，咳嗽，瞬目和分泌淚液唾液胃液的中樞。延髓若是受傷，立刻就要致命。

腦神經和脊髓神經的作用

腦神經的大部份，分布到頭，面，和眼，耳，口，鼻等部，掌管這些部分的知覺和運動。

脊髓神經掌管腦神經支配範圍以外的各體部的的知覺和運動。

腦的衛生和疾病

神經系也和肌肉一樣，要有適度的營養和運用，然後各種作用，纔能活潑。神經系疲勞的時候，也要休息。休養腦髓最良的方法，就是睡眠；因為睡眠的時候，大腦的作用完全停止的緣故。若是睡眠不完全，就有夢的現象。大人睡眠的時間，普通一天以七八小時為適度，過度的睡眠，反要使腦遲鈍。就眠的時候，要平心靜氣，纔能熟睡。

頭部和脊柱，受了强度的打撲，往往要發生腦或脊髓的震盪症。

腦貧血的時候，面色蒼白，應當將頭放低，同時吃些酒類；腦充血的時候，面色潮紅，應當將頭抬高，用些冷水或冰將頭冷却。

腦卒中是腦髓血管破裂的疾病，卒倒以後，往往致命，即使幸而不死，神經徑路也受障礙，常有半身不遂和知覺麻痺的病狀。

神經衰弱症的原因，在於身心過勞，往往神經過敏，注意力記憶力和思考力都很減衰，並且常有頭痛失眠等症狀，勞心的人，最多這病。

此外烟酒都有害神經，不宜多吃，對於幼年，更是有害。

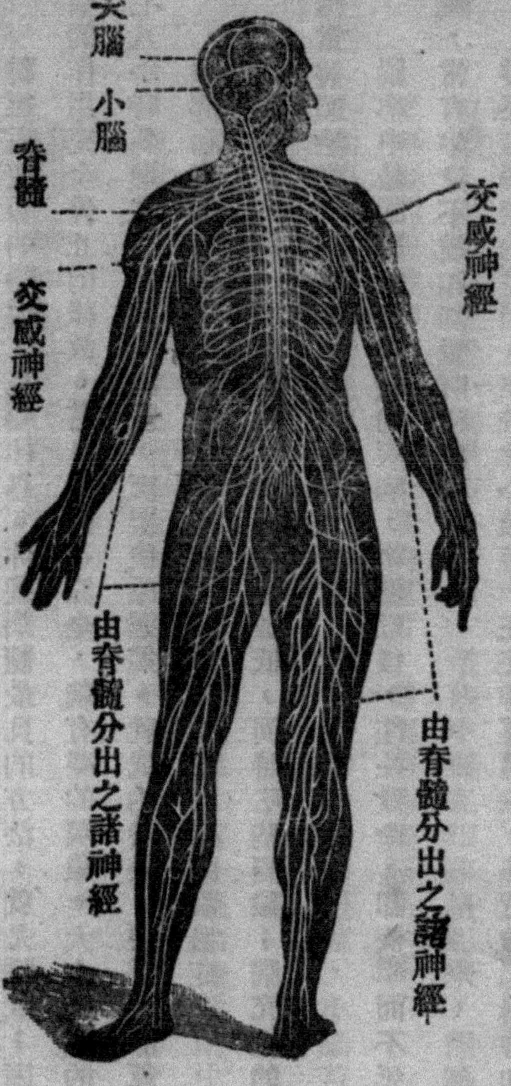
大腦
小腦
脊髓
交感神經
交感神經
由脊髓分出之諸神經
由脊髓分出之諸神經

全身神經圖

治療學

頭部疾患

一　頭痛

原因　凡頭腦眼耳鼻喉牙等部疾患，均足引起頭痛，其餘感冒，勤學，不眠，神經衰弱等亦爲頭痛之原因。

症候　疼痛部位（或在前額，或在正頂及後頭，或在全體，或只限於一處）。疼痛強度（輕者只覺壓重，重者則非常猛烈）。疼痛持續（數日，數月，數年，或竟終生）無一定，大都有消長；凡頭部運動，注意集中，精神作用者，都足爲增強頭痛之誘因。頭痛如非常劇烈，則可發生嘔吐。

主要穴　風池，頭維。

次要穴　合谷，列缺，神庭，百會。

助治穴　風府，天柱，太陽，命門，昆崙，關衝，湧泉，瞳子髎，通里，太陽，肩井。

治療法　1　輕症頭痛，只針風池，頭維足矣。用輕刺法。

2　重症頭痛，當先針合谷，列缺，再針風池，風府，頭維。

3　熱性頭痛，（面紅脈膊洪數者）當加針中衝，關衝出血。如仍未愈，可加針命門，湧泉。或百會用三稜針出血。

4　虛性頭痛，（面青，脈弱或緩者）當加灸神庭，百會，用隔薑灸法灸一壯，虛極者用直接灸法，各五壯，炷如紅豆大。如貧血甚者，當連灸數日。或加直灸命門。

5　重症頭痛，遠方經穴，當用重刺激，頭部經穴當用輕刺激，或單刺法。

6　助治穴中，最常用者是，風府，天柱，太陽。

預後　佳良，輕症一二次即愈，年久者須十餘次。

補充　如熱性頭痛，由於一時性便秘而發生者，如無外感寒熱者，當服用瀉劑，瀉後症易全愈。

二 前頭痛

病因與症狀，與頭痛相同。

主要穴 風池，頭維，上星，臨泣，神庭。

次要穴 合谷，曲池，攢竹，絲竹空。

助治穴 本神，太陽，陽白，髮際，印堂，耳門。

治療法 1 針合谷，曲池。

2 針風池，頭維，上星。

3 如非熱性痛症，當間接灸神庭，以隔薑灸爲最佳。

4 如屬强頑痛症，當直灸髮際穴七壯，炷如紅豆。

5 如額角仍有痛，當針本神。

6 太陽部如仍有痛，當針太陽。

7 如接近眉間痛，當針攢竹，絲竹空。

8 如眉上額角痛，當針陽白。

預後　佳良，輕症二三次愈，如屬多年疾患，當針十次以上。

三　後頭痛

原因　頸椎骨疽，腫瘍感冒外傷等，都足爲其原因。

症候　於後頭部，神經出發部有壓痛點，疼痛屢向項部或前方三叉神經領域內放散，後頭部有神經過敏症。觸其頭髮，亦有痛感。

主要穴　風池，風府，後頂。

次要穴　合谷，列缺，百會。

助治穴　天柱，百勞。

治療法　1　針合谷，列缺。

2　風池，風府，後頂。間接灸後頂，百會。

3　如仍未愈，當加針天柱及百勞。

4　又可針天牖穴——在風池旁約七八分，入髮五分陷中。

5 如有特殊情形，可參考頭痛治療法。

預後 佳良，二三次卽愈。

四 偏頭痛

原因 爲一種偏側發作性疼痛，多發於青春，以女性爲多，如身心過勞，精神感動，或受刺激，或心情抑鬱，消化障碍，飲酒，月經等，均足爲本病之誘因。

症候 固有症候爲偏側頭痛發作。而體動，日光，聲响等，無不足以影响其頭痛。重症者併發惡心嘔吐，眼花，蚊視，半盲等。本病發作，多在侵晨，而持續之長短，則視症之輕重而異。

主要穴 太陽，頭維，風池，風府，攢竹。

次要穴 合谷，列缺，上星，絲竹空。

助治穴 湧泉，命門，中衝。

治療法 1 針合谷，列缺。

2 針風池，風府。
3 針頭維，上星，攢竹，絲竹空。
4 最後針太陽，用置針術約三五分鐘。如屬虛症，出針後當直灸太陽三壯。如屬實症不灸。加針湧泉，中衝，命門。

附錄 本症頭部祗針患側經穴。手部則針两側經穴。

預後 佳良，約五至十次可愈。

五　腦貧血（血虛頭暈）

原因 分急慢性二種：慢性病多為一般貧血病之分症，如十二指腸蟲，萎黃病等。急性腦貧血則可因精神感動，疼痛，過勞，飢餓，心力衰弱等發生暈倒。

症候 急性腦貧血多由血管痙攣所致，主徵為失神；病者顏面蒼白，四肢厥冷，有惡心嘔吐，眩暈，脉搏細數或徐緩，冷汗亦所習見，意識消失可持續數分鐘至半小時以上。慢性腦貧血則身心能力減退，易於倦怠，有欠伸，嗜眠，頭痛，頭暈，眼花閃發，耳鳴，記憶力減退等。

急性症

主要穴　水溝，少商，商陽，中衝，關衝，少衝，少澤。

次要穴　足三里，湧泉，神庭，百會。

治療法　針主要穴若能醒，則不需用次要穴；若功效仍未足，可灸神庭，百會，三五壯，炷如紅豆，或加針足三里，湧泉。

慢性症

主要穴　風池，風府，神庭，百會。

次要穴　合谷，列缺，神門，足三里，攢竹，上星，天柱，肝俞。

助治穴　顖會，前頂，頭維，神道，心俞，命門，膏肓俞。

治療法　1　針合谷，列缺，神門。

2　針風池，風府，天柱。

3　針上星，攢打。

4　最後隔薑灸神庭，百會各一壯，或直灸五壯；如強頑難愈，當直灸心俞，神道，膏肓俞。

預後　佳良，急性者，一次愈；慢性者，治五至十次可愈。

六　腦充血（血壓高同治）

普通之頭部充血，有顏面潮紅，顳顬動脈充盈，頸動脈搏動等。

原因　精神興奮，（喜怒哀樂）身體過勞，腦部加熱等爲發病之原因，發病時期，普通在四十歲至六七十歲之間。

症候　有顏面頭部潮紅，灼熱，頭部動脈搏動，知覺過敏，頭痛，眩暈，耳鳴，眼花，惡心，嘔吐，重者神識障碍可昏睡而死，普通多可恢復。又有虛性血壓高者，面部難以看出，但左脉粗大寸關脉特動者卽是。

主要穴　中衝，隱白，湧泉，委中，大椎。命門。百會。

次要穴　合谷，列缺，曲池，風池，三陰交，足三里。

助治穴　少商，商陽，勞宮，顖會，臨泣，上星。

治療法　1　針合谷，列缺，曲池，中衝。

2 針足三里，三陰交，隱白，湧泉，委中。

3 最後針風池，大椎，百會（用三稜針刺出血）。

4 虛性血壓高，當灸命門七至十壯，即生效。

5 血壓低後，常灸足三里，或三陰交，可防止血壓之升高，甚爲有效。最低限度每星期灸一次。

助治方　實性血壓高，用猪籠草，紅絲線（均生草藥）各二両，紅棗五粒，同煎水服有效。

預後　佳良，輕症五七次可愈，重症須十餘次方能全愈。

又方　生蒜三両（靑後下）南杏十二粒，無花菓六個，陳皮四份一、水八碗煎二碗分服。

七　腦出血（中風）

原因　血壓亢進，酒茶中毒，高年及遺傳而發生血管硬變，梅毒及頭部損害，均可視爲原因。

症候　一　前驅症：頭痛，眩暈，耳鳴，眼花，不眠，精神興奮，言語障碍，複視，知覺異常，四肢疲乏及衄血等。

二　卒中發作。患者意識突然或漸漸消失，倒地昏睡。
三　嘔吐痙攣，膀胱直腸障碍。遺屎遺尿，或屎尿均閉。
四　體温升騰。
五　半身不遂症。A.顏面麻痺——口角下傾，鼻下唇溝消失，言語障碍，舌向患側傾斜，流涎，流淚。B.上下肢一側麻痺——初期爲弛緩性麻痺；手足絲毫不能動，後爲痙攣性麻痺，因失於治療，則手足攣縮。

診斷　如見瞳孔放大，面色蒼白，口噤遺尿，目停口開，痰聲如鋸，脉洪大，又脉絃硬直如竹竿等，如有一二，均屬不治。

治療法　卒中發作，倒地不醒時治法分二種。
甲　1　如發作後面赤脉洪數者：當針百會（三稜針）出血。再針水溝。
2　少商，商陽，中衝，關衝，少衝，少澤，皆用三稜針强刺激並出血。
3　針合谷，曲池，肩髃，湧泉。可醒；針至中途已醒轉時，可停止施針。
乙　如發作後面不紅，脉和緩者：
1　當直灸百會穴三壯，炷如紅豆。

2 針水溝，合谷，曲池，肩顒，湧泉可醒，

丙 口眼喎斜：

1 針合谷，列缺，水溝，三叉。

2 針聽會，頰車，地倉，承漿，均先針後灸。用隔薑灸或溫灸器均可。

3 若難愈時，可用太乙神針灸之，不可用直接灸，以免面起疤痕。

4 本症如非因半身不遂而單獨發作時，初次治療時，當先直灸百會三壯，炷如綠豆。

5 本症助治穴可針頭維，臨泣，攢竹，絲竹空，翳風，迎香。喎向左者針灸右邊，喎向右者針灸左邊。如不明瞭時，叫病人笑一笑，不能動之一側，即患側。當針不能動之一側，但手部經穴，當針兩側。（按：本症常單獨發生，即發生本症時，並不與腦出血同時發作者。）

丁

1 半身不遂，若非當時經手救醒，而是患者自己醒後來治，或經相當時日始來治而脉不洪實者，當先直灸百會三壯，炷如綠豆。

2 若脉仍洪數者，為餘熱未退，不可灸，當用三稜針在百會穴針出血。如血不

能出，當以指抽起頭皮，將血壓出。

戊、1 手部 當針肩顒，曲池，手三里，外關，合谷。

2 如醒後初期脉仍洪數者，可不灸亦能有效。

3 如醒後日久，餘熱已退清，脉和緩者，針後當用間接灸，最好用太乙神針灸之。

4 如日久頑症，當用直接灸法。如日久拘攣，當加針曲澤，尺澤，但此時已屬難矣治。直灸曲澤大陵。

己、1 足部 針委中，風市，陽陵泉，足三里，懸鐘，昆崙，環跳。

2 施針用灸，其他情形與手相同。

按語 本症如針灸數次，仍未見效者，當針加健側一次，

預後 如未見不治之症，均屬可治。輕症腦出血，一二次即醒，輕症面神經麻痺，治四五次可愈，半身不遂當施術二三十次，方能全愈。

治半身不遂，補陽還五湯。北芪四両、歸尾、地龍、紅花、桃仁、赤芍、川芎各三錢水煎服。

八 腦水腫

原因 腦水腫一名水頭，由多量腦脊髓液積於頭內而發，分特發性（先天性）續發性（後天性）二種；續發性者由於內腦膜炎或腫瘍，外傷，或由於剖割術後等而來。特發性者多見於嬰兒；原因不明；或因孕婦多食寒凉生冷食品而來。

症候 如於胎內已有本病，自成難產，普通多在生後一二月，始見頭部增大，小兒未及週歲，其頭大如成人，病者眼球，常向下垂注，視力減退。至末期則發痙攣而死。續發性者，多在頭之局部積水，不能徧及全頭，顏容上亦不如先天性者之醜陋。

治療法 1 先天性 針太陽，委中，曲澤，少商

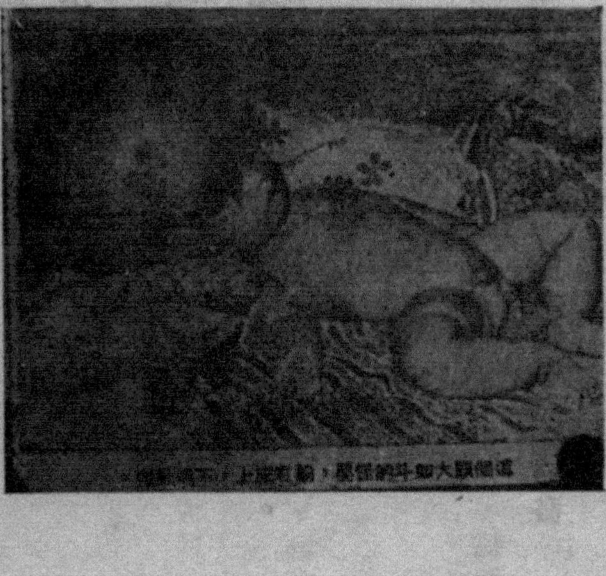

，商陽，中衝，關衝，少衝，少澤皆刺出血。

2 針合谷曲池，尺澤；頭維，風池，風府，水溝。

3 直灸神庭，百會，三五壯，炷如綠豆。

4 後天性　針合谷，列缺，曲池，風池，風府，頭維。

5 直灸百會，前頂；若延及前額，則加灸神庭，印堂，延及後頭，則加灸後頂。

預後　初期易治，久病難治，後天性較先天性者易治。

九 癲狂

原因　本症因遺傳，過勞，嗜酒，情志抑鬱，所希不遂而起。亦有傷寒症之陽明熱極而發狂者。

症候　或笑或歌或悲泣，語言顛倒，穢潔不知，精神恍惚，如醉如癡，不食不臥，父母妻子皆不認識，體面不知，羞辱不耻；狂者登高而歌，棄衣而走，踰牆上屋，，持刀殺人。

主要穴　水溝，風府，百會，少商，大陵，神門，間使，後谿，隱白。

次要穴　勞宮，曲池，上星，心俞，長强。

助治穴　風池，啞門，衝陽，神聰，通天，巨闕，陽谿。

治療法

1 輕型癲疾，祗針水溝，風府，神門，間使，隔羌灸百會，可以收效。

2 若日久癲疾或亂性狂症，當用全部主要穴及次要穴。

3 先針頭部經穴：水溝，風府，百會，上星。

4 次針手部經穴，少商（用三稜針刺至極痛兼出血），曲池，間使，大陵，神門，勞宮，後谿。

5 針隱白，心俞，長强。

6 若日久頑症當加直灸百會，神門，間使，心俞。每穴每灸五壯如綠豆大，每穴連灸三日。如屬熱性狂症則不灸。

7 助治穴中可採用風池，啞門，巨闕，陽谿。

大熱發狂（即傷寒陽明熱盛者）：

1 當針少商，中衝（以三稜針）出血。

2 再針合谷，曲池風池，風府，大椎，風門，期門。

3 針懸鐘，湧泉，委中，命門。繼用大承氣湯瀉之：方用大黃三錢，芒硝三錢，枳實三錢，川朴三錢後下，水煎服。

附癡呆治法：針水溝，神門，大陵，間使，心俞，中脘，先針後間接灸，再加針少商（粗針使大痛）。

預後 輕症數次可愈，重症須十餘廿次方愈。

附孫眞人十三鬼穴（治癲狂鬼邪諸症）：

1針鬼宮——人中。 2針鬼信——少商。 3針鬼壘——隱白。 4針鬼心——大陵。 5針鬼路——申脉（用火針）。 6針鬼枕——風府。 7針鬼床——頰車。 8針鬼市——承漿。 9針鬼窟——勞宮。 10針鬼堂——上星。 11針鬼藏——會陰。 12針鬼腿——曲池（用火針）。 13針鬼封——海泉。加針間使，後谿更妙云云。

十 癇（羊吊）

原　因　症多屬遺傳，此外酒色最爲關係。多發於二十歲之前；間有因憂懼恐佈而起者。

症　候　此症乃突然而來，不省人事，且有瘈瘲。亦有臍上跳動，唇現藍色，面白如紙，繼則發聲如羊，口流白沫者。其病勢分爲四程：一、跌倒不省。二、硬抽。三、陣抽。四、昏迷漸醒；於昏迷時，有咬牙切齒，自傷其舌，自打其身，遺精，大便自下等，醒時病人駭異，恍如夢覺。癇有大小之別，不過小癇較大癇爲稍輕耳。更有起時如中風者，與上文不同，勢極沉迷，顱腦脉顯有盈血，每於瘈瘲後即成偏癱。

治療法　此症治法分四種：

1　針大陵，神門，間使，後谿，勞宮，水溝，中脘，照海（夜發灸），中脉（日發灸）。

2　直灸百會，神庭，大椎，三焦俞，鳩尾，巨闕，湧泉，每灸三至五壯，日日灸之，炷如綠豆。或針第一法，間接灸第二法亦可。

3　直灸肺俞，脾俞，間使；針後谿，神門，昆崙，照海。三日一次，連治二月可愈。

4 癇發不省人事時，灸鬼哭穴，湧泉，中脘。凡在發作時灸醒者，症狀能減輕。

注意　根據古法，凡灸癇症，必先使服瀉劑，瀉後方可灸，否則能殺人云云。

助治穴　顖會，隱白，膏肓俞。

預後　病發於十歲前，或起於中年者，難治；起於發育年者，易治。男較女結局爲佳。針灸治療，約施術二三十次。

十一　神經衰弱

原因　爲身心過勞，吸烟過度，食物不合衛生，及內臟中毒，手淫等。均足以致之，而壯年發者尤多。

症候　本病區別爲腦髓性（即迷走神經），脊髓性（即交感神經），两性合併症三種。

腦髓性神經衰弱症，爲常因些微之精神感動，則顏面呈潮紅之體質；常訴頭重，頭痛，讀書不能解意。常患不眠，易喜易怒，感情往往劇變，時抱恐懼，心悸亢進，脉搏頻數，食思缺損，大便多秘結。

脊髓性神經衰弱症，爲多因精神感動而顔面呈貧血蒼白之體質，脉搏緩慢，氣管枝，胃及食道痙攣，嘔吐下痢，利尿頻數，疼痛，其他晨起，身體筋肉甚覺疲勞，步行之際，下肢疲勞更甚。脊骨部時訴疼痛，壓其脊柱骨，亦覺疼痛。

治療法　腦髓性主要穴　風池，神門，神庭，百會。

次要穴　合谷，列缺，足三里。

1　針合谷，列缺，神門。

2　針風池，足三里。

3　用隔羌灸神庭，百會；如症候嚴重者，當直灸神庭百會。

脊髓性主要穴　灸身柱，肝兪，脾兪，腎兪，命門。

次要穴　灸上髎或八髎，中脘，足三里。

以上經穴，先針（用單刺法輕刺之），後用灸，如症候輕，可用間接灸或太乙神針灸；重症時，當用直接灸。每日直接灸一穴，直至輪完爲止，其未輪到之穴，仍用間接灸。助治穴以鳩尾，神道，膏肓兪爲最好。

助治穴　鳩尾，腰眼，神道，肩井，膏肓兪。

預　後　佳良，輕症約十次，重症約二三十次方愈。

十二　不眠症

原　因　肉體方面的原因：發熱，疼痛，痒，消化障碍；就眠時飲食過度，循環器及呼吸器障碍，過勞及其他，服食刺激飲料或食品。

精神方面的原因：精神病，精神刺激，神經衰弱，性的障碍，就眠時過度思想。

外界環境的原因：氣候變化，吵鬧等。

症　候　輾轉不寐，心煩焦急。或睡眠時間不足，一睡卽醒。或雖就眠而酣睡之度甚淺。精神困頓，久久患之，則體重雖不減少，而腦量減少，足使中樞神經衰憊以至於死。

主要穴　神門，內關，太淵，肺兪。

次要穴　三陰交，陰陵泉，隱白。

助治穴　靈道，間使，委中，肝兪，陰郄，太谿。

治療法　本症若屬偶然或極輕型者，日間施術亦可見效。若屬重症；則施術時，當在臨睡之際，且當用較粗針。

1 先針神門，太淵；

2 針陰陵泉，三陰交，隱白，肺俞。

3 後在在两手之內關穴左右同時下針，命患者閉目寧睡，內關穴置針半小時，此時患者當已能入睡，待患者入睡後，然後靜靜出針。

4 腦虛失眠，灸百會可愈。

預後　佳良，如不能於臨睡時施術，則當加針肝俞，留針十餘秒，亦有效。如非重症，一二次即可照常睡眠，若爲嚴重性或曾經長期失眠者，當繼續一星期以上，方能根治。

助治方　用塘虱魚一條，紅棗四粒去核，同煎水服效。

附多眠症治法：

1 針神門，手五里。

2 針太谿，大鍾，照海，商邱，湧泉。

3 針風門，灸顖會，神庭，神道。

治療數次即愈。

面部疾患

十三　三叉神經痛（面痛）

原因　感冒，外傷，中毒，齒，鼻，眼，耳等病，皆爲原因。

症候　疼痛發作，或無故突發，或由談話，運動等誘起。性質大抵强烈，或如刀割，或似痙攣，有時可向後頭頸項放散。病久能致眼瞼，口角痙攣，流涎流淚，毛髮脫落，皮膚萎縮等。

治療法　三叉神經分三枝，分佈額上，眼下及两耳下，下頷等部，治療法亦各有分別：

第一枝　位於前額，上眼窠，下眼窠一帶有壓痛點。

主要穴　頭維，攢竹，絲竹空。

次要穴　合谷，曲池。

治療法　1針合谷，曲池。

2針頭維，攢竹，絲竹空。

第二枝　在下眼窠，顴骨顏面，顳顬等處有壓痛點。

主要穴　聽會，迎香，頰車，瞳子髎，耳門。

次要穴　合谷，曲池。

治療法　1針合谷，曲池。

2針聽會，頰車，迎香，瞳子髎，耳門。

3間接灸聽會，頰車。

第三枝　在兩頤，下頷，耳下等處有壓痛點。

主要穴　頰車，地倉，承漿。

次要穴　合谷，曲池。

治療法　1針合谷，曲池。

2針頰車，地倉，承漿。

3間接灸頰車，地倉，承漿。

助治穴　神庭，上星，風池，耳門，臨泣，三叉。

備　考　若兩枝或三枝同時發作，經穴可混合使用。針後（除禁灸穴外）均可用間接灸法。

預　後　佳良，輕症三五次，重症十次左右可愈。

附　症　顏面神經痙攣或抽搐，治法相同，當用置針法數分鐘至十數分鐘。

眼的生理

視覺器

視覺器是用眼球和附屬器官合成的，這視覺器的感覺，就叫做視覺。

第一節　視覺器的解剖

第一項　眼球的構造

眼球在面部的眼窩內，是圓形的球體，直徑長八九分左右，外面有脂肪組織包着。

（一）眼球的外壁　眼球的外壁有三層的膜：

1　外層是鞏膜和角膜兩部分合成的。鞏膜白色而不透明，膜質很强靱，一部分露出外面，可以看見，俗稱眼白；角膜是凸出前方無色透明的部分，向前方隆起很高。

2　中層的膜叫做脉絡膜，有黑褐色的色素和許多血管，脈絡膜的前緣，到角膜邊略肥厚些，這叫做毛狀體，毛狀體的前部，叫做虹彩，這虹彩在角膜的後方，周圍成爲圓影，中央有一個小孔，叫做瞳孔。

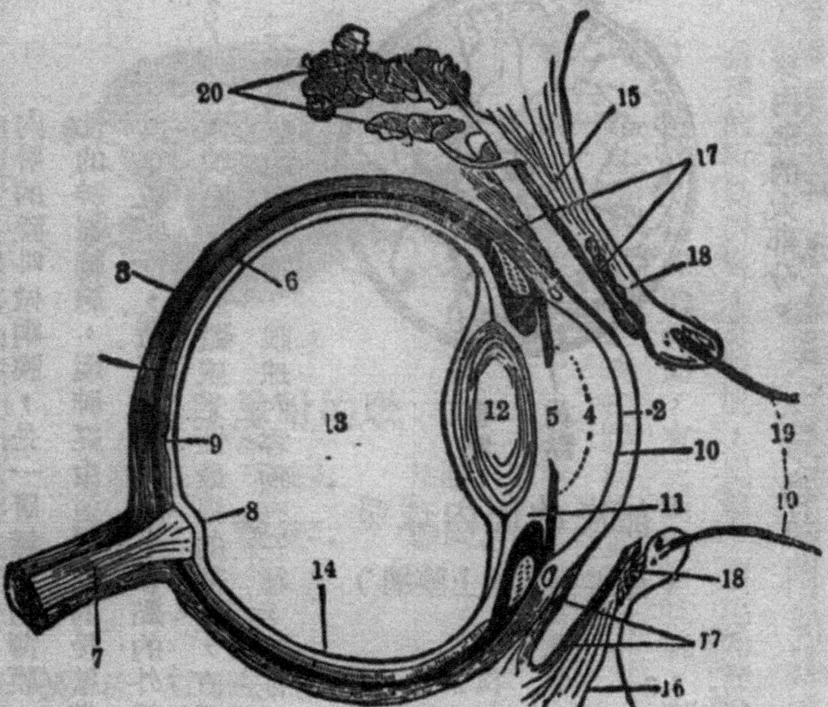

眼球的縱剖面和附屬器官

1.鞏　膜	2.角　膜	3.脉絡膜	4.虹　彩
5.瞳　孔	6.網　膜	7.視神徑	8.盲　點
9.黃　點	10前　房	11後　房	12水晶體
13玻璃液	14玻璃囊	15上眼瞼	16下眼瞼
17結　膜	18眼瞼腺	19睫　毛	20淚　腺

3 內層的膜叫做網膜，是一層無色的薄膜，有許多視神經纖維，分布成網，還有感光性的神經細胞，視神經由這眼球的後壁貫穿各層，通入眼內，這神經通入的部分，沒有感光性，所以叫做盲點，盲點的外邊略近眼底中心的部分，有一個小凹點，叫做黃點；這就是感光性最强的部分，直看物體的時候，都是用這黃點。

(二)眼球的內容物　眼球內容物有三種，都能透光，有屈光性。

1 水狀液　虹彩和角膜的中間，叫做前房，水狀液就是充滿這前房內的無色透明的液體。

2 水晶體　這是虹彩後面的一個两面凸的透明體，質很硬固，又有彈性，作用和集光透鏡相似，屈光線的力很强。

3 玻璃液　這是一種無色透明的半流動體，充滿在水晶體和網膜間的後房內，占有眼球內部的大部分。

眼球內面的底部

(網膜上的两個斑點)

第二項　眼球的附屬器官

眼球的附屬器官，有眼肌，眼瞼，眉毛和淚腺等，現在分述如下：

1 眼肌　眼球的外面，有三對的拮抗肌，專管眼球的運動，能將眼球向種種的方向自由運動，使物像映在眼底的黃點上。

2 眼瞼　每眼各有上下眼瞼，各眼瞼邊橼上都有一列的睫毛，能防塵埃的飛入；還有許多的眼脂線，分泌脂肪，防止淚液的流出，眼瞼內面的粘膜叫做結膜，一部分摺轉掩護着鞏膜的前面，上眼瞼很能瞬動，以防外物的侵入，又能用眼淚濕潤眼球，免得角膜乾燥而不透明，並且還能洗去眼球上所附着的塵埃。

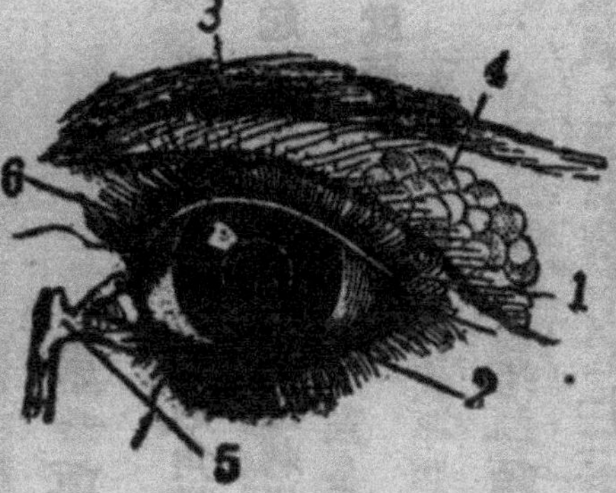

眼的附屬器官

1.眼瞼　2.睫毛　3.眉毛
4.淚腺　5.淚管　6.眼球

3 眉毛　眉毛在上眼瞼外面的上方，能防止汗液流入眼內，刺戟結膜。

4 淚腺　淚腺在眼球的上外側，能分泌淚液，濕潤眼球，最後由眼的內角經過淚管，流入淚囊，再從鼻淚管徘泄到鼻腔內。

第二節　視覺器的生理

第一項　視覺的成立

光線由空氣中通過角膜，水狀液，水晶體，玻璃體，在網膜上映出物像，這時感光細胞所起的變化，成爲一種刺戟，經過視神經，四疊體，和視神經床，達到大腦的視覺中樞，於是就發生視覺。

第二項　眼球和照相機的比較

眼球的構造和作用，和完全的照相機一様，脉絡膜的黑色素，可以遮光，所以作用等於暗箱；水晶體等於集光透鏡，瞳孔和虹彩，等於伸縮器；玻璃體等於暗箱內的空氣；網膜就和乾板相當。所以由物體射來的光線，受眼球屈光體的屈折作用，就在網膜上映出物像。

第三項　眼球的調節作用

照相機可按着光線的强弱，將伸縮器放大或縮小，來調節乾板上所受的光度；眼球也是一樣，能加減瞳孔的大小，來調節射入光線的强度，此外網膜遇着强光的時候，能漸減少自己的感光性，遇着弱光的時候，又能漸增感光性，使眼能够明視物體。

第三節　眼的衛生

讀書的時候，要注意姿勢，頭部不可前屈，免得發生鬱血，有害眼的營養。眼和物體的距離，最好在一尺二三寸左右，光線最好要由左邊射來。

在車上或步行的時候，不可看書，以免遠近調節的過勞。

夜間工作，燈光不可過强；所以用電燈最好，蠟燭的光，搖動不定，最是傷眼。

在黃昏的時候，或是黑暗的地方，都不宜勉强讀書看字和做細工。

多用視力之後，務要休養。看細小的物體之後，要眺望遠方，成是用淸潔的冷水洗眼，除去眼的充血和疲勞。

以上各種的衛生法，對於豫防近視，更是有效。

若是平素有近看物體的惡習慣，那水晶體就要永久凸出，一面受眼肌的壓迫，眼軸也就加長，結果便成近視。

既成近視，就要請眼醫處方，配戴適度的凹鏡，若是眼鏡不適當，或是程度太深，視力就要愈壞，切須注意。

結膜炎是最常見的眼病，結膜充血，分泌物加多，視覺不免妨礙；原因多半因爲過强的光線，火烟，塵埃或細菌等刺戟結膜而起的。

眼病中傳染最烈的，是顆粒性結膜炎（俗稱沙眼），這種眼病，在結膜上生出許多小顆粒，很難斷根，此外還有上眼瞼下垂和睫毛倒生等症狀，最後也要失明，這種病眼的分泌物，最容易傳染，所以手帕面巾等類，切不可和別人共用。

淋毒性結膜炎也很利害，這病發生的時候，忽然眼部大痛流出膿汁，多半要失明的。

水晶體溷濁不透明，瞳孔變成白色的病，叫做白內障。

網膜的作用不完全的時候，就要成爲夜盲症，在雪中旅行以後，時常要發生這病。

十四　急性加答兒性結膜炎（風火眼）

原因　春秋二季最多，因塵埃光線，刺戟性氣體而起者有之，然一般由細菌而傳染者居多。

症候　自覺症狀初發痒感，異物感，流淚，及眼脂，翌日眼瞼腫脹，緊張發鈍痛。眼脂多時起視力障碍。他覺症狀眼瞼結膜，及眼球鞏膜，强度充血發浮腫；初起時分泌物（眼脂）即甚多，呈粘液性，次日變爲膿性，因分泌過多，早晨醒覺時，眼瞼膠着，不易開眼，發病後四五日炎症最盛。

主要穴　太陽，頭維，攢竹，睛明。

次要穴　合谷，曲池，臨泣，絲竹空，瞳子髎。

助治穴　風池，肝兪，命門，上星，關衝，魚腰。

治療法　1針合谷，曲池。

2針頭維，臨泣。

3針攢竹，絲竹空，瞳子髎。

4睛明有痛感，當針在最後。太陽及魚腰成爲備用穴，如針後次日炎仍不退，可能爲顳顬充血，當針太陽穴，針後在靜脉刺出血；或在魚腰穴刺透左右後，以指擠出血，炎當消退甚速。又有在耳背靜脉刺出血，代替刺太陽出血者，亦甚有效。

5 如牽引頭痛時，當加針風池，助治穴中之上星穴及肝俞穴最佳。

肉砂眼　如日久慢性炎，演變而爲肉砂眼時，加針肝俞脾俞及胃俞，或加灸大小骨空數次，可收美滿之功效。查背部有紅点挑破之，擠出黑色血自愈。

附記　虛性眼紅而無眼膠者，當加直灸曲池及命門穴各七壯可退炎。

預後　佳良，炎症眼二三次即愈，肉砂眼當針十餘次方愈。

助治方　硼酸粉一两，梅片一錢研末，星其珠五厘（此味切勿加多），淸水二磅，將藥和淸水放在瓦鍋中煎之，候藥溶盡，離火，放地上一星期，候火氣過盡，方可用。用時滴入眼中，或以藥棉滲透藥水，敷於眼皮上。

又方　用灸治學之外科油，以一滴二十份之一搽两眼之眼皮甚見效。（參灸治學末段）

十五　慢性淚囊炎（長流眼水）

原因　鼻淚管狹窄，淚液積留於淚囊時，因細菌之繁殖而起慢性炎症，其中以肺炎球菌爲最多。又爲由於肝虛所致。

症　候　主訴頑固之流淚，遇冷或臨風時增劇，淚囊部或稍隆起，或無變化。

1 迎風流淚

主要穴　大小骨空，睛明，臨泣，風池。

次要穴　頭維，合谷。

治療法　1 針合谷，風池，頭維，臨泣，

2 針睛明。

3 灸大小骨空各七壯，炷如半粒米大。（輕症用接觸灸法，重症用直灸法）。但大小骨空不必一日灸完，可先灸大骨空，次日灸小骨空，若灸完大骨空後，已經收大效，則不必灸小骨空矣。

2 冷淚自流

主要穴　大小骨空，肝兪，百會。

次要穴　風池，後谿，攢竹。

助治穴　地倉，腕骨。

治療法　1針後谿，風池，攢竹。因本症屬虛寒症，所有主要穴，均用直接灸，方能收效。

2灸肝俞七壯，炷如紅豆，連灸三日。

3灸百會五壯炷如綠豆，亦連灸三日。（在以上两穴施灸時期，可同時灸大骨空或小骨空，用接觸灸法。）两穴灸完後，如已全愈，則不必再直灸大小骨空，如仍未愈，則當直灸大小骨空，炷如半米粒，每灸七壯，自必收功。

預後　佳良，三至十次可愈。

十六　眼瞼下垂

原因　由於頭痛，三叉神經痛或眼痛，日久不愈，致影响眼瞼神經麻痺，失其效用。

症候　上眼瞼下垂，不能自動開闔。

主要穴　睛明，魚腰，瞳子髎。

次要穴　頭維，臨泣，攢竹，絲竹空，合谷，曲池。

治療法　1針合谷，曲池。

2針頭維，臨泣，攢竹，絲竹空，瞳子髎睛明。

3魚腰當針在最後，先針入穴中，取得感應後，再轉針刺向攢竹，得感應後，再轉向絲竹空，得感應後，然後出針。如日久頑症，絲竹空及攢竹穴得感應後，當繼用手術數秒鐘，始能收效。

預後　輕症一次即愈，重症及日久者，當刺三五次以上方愈。

十七　夜盲症

原因　營養不良，神經衰弱，黃疸，產後等；又肝虛爲最大之原因。眼底不抱何等障害，而多來本症。

症候　眼之外部及眼底，不異於常，但對於弱光，視力頓衰，若遇薄暮或採光不充分時，視力甚形障碍，甚至與盲者無異。雖用燈火，亦漸漸不得讀書筆記。

主要穴　睛明，命門，肝兪。

次要穴　神庭，上星，百會，腎兪，行間。

助治穴　膏肓兪，風池，地倉，行間，胃兪，攢竹。

治療法　1針上星，百會，腎兪，命門。

2針肝俞，針後直灸肝俞七壯，炷如綠豆；如畏痛者，可用隔薑灸一大壯，再灸神庭五壯，炷如綠豆，或隔薑灸一大壯。

3針睛明穴。

4如身體認眞虛弱者，當直灸膏肓俞十壯，足三里五壯。

5助治穴中最好用者爲攢竹，風池。

助治方　草决明，夜明砂，各三錢，煲猪肝食，數次即愈。

預　後　佳良，治三至五次可愈。

十八　青盲內障

病　因　爲腎虛肝火盛。

症　候　瞳人內起白雲或綠雲，遮蓋瞳人視線。西醫稱爲晴珠變質或變色。成爲不透明之體質。

主要穴　睛明，攢竹，風池，肝俞。腎俞，命門，神庭，百會。

次要穴　合谷，通天，瞳子髎，目窻，行間，足三里。

治療法　1針合谷，足三里，行間。

2針風池，肝俞，通天，目窗。

3針攢竹，瞳子髎，睛明。

4最後先直灸命門穴，再直灸腎俞（此两穴可分日灸之）。

5神庭，百會，可每日用隔薑灸法，如腦貧血太甚者，神庭百會，可用直接灸法。

內障丸　熟地四两，菊花三两，山藥二两，茯苓二两，山萸肉二两，丹皮两半，炒澤瀉五錢，黃栢一两，知母一两，胆星二两，半夏二两，枸杞二两，楮實二两；菟絲子二两，蒺藜二两，青箱子二两，共爲細末。以蜜爲小丸，每服四錢，鹽水送下。

內障茶　菊花，草决明，蒺藜，茯神，棗仁，熟地，知母，柴胡，薄荷，川弓，青皮，黃芩，枝子，桔梗，枳殼，陳皮，各五分，清水煎服。

說明　此症曾經手治愈數人，須早晨服丸，晚間服茶，日間用針灸；輕者，十餘次愈，重症須月餘，方可全功，如已全部不見，卽盲實者，不可治。

眼病什治法與藥方

1 眼不閉合　針地倉，瞳子髎，睛明。

2 眼偷針　又名眼挑針，生於上眼皮或下眼皮中。療法在患者背部之反對方，即左眼尋右背，右眼尋左背。在背上有一紅點，以三稜針挑破之，擠盡黑血，以見鮮血爲度。二三日內，病即消散。有時紅點難尋，用瓦匙輕輕刮背上肌肉，紅點自現。尋此紅點之範圍，由後項起，至七胸椎之間。

藥方　用鮮斑魚（俗名生魚）尾翅一小片，貼於偷針瘡之上，一二日愈。又方用蛇皮（鮮或乾者均可）浸入酒中少頃後，貼於偷針瘡上自效。

3 忽然目不明者　針肝俞，直灸命門七壯，炷如綠豆。

4 眼生翳膜　倒毛內刺及瘀肉扳睛。針肝俞，少澤（出血），瞳子髎，睛明，攢竹，絲竹空。灸大小骨空。助治方用威靈仙末三份珍珠末一份，共和勻，用藥棉點藥，塞於一邊鼻孔中。左患塞右，右患塞左，或两邊輪流塞之亦可。

5 脫眼膜藥方　用瓜子菜若干，連根洗凈，研極幼，用七月七水擂入，隔去粗渣，取水中微幼成份，連水傾入乾凈新增磚上，使將水吸乾，磚上祗餘綠色粉末，俟其陰乾後，用鴨毛將綠粉掃起，若仍未乾透，可用臘紙包好陰乾，俟乾透後，入瓶中封好。用時約量掺在眼膜上；約五分鐘後，可在眼之頭尾及上下方，用不傷眼之物輕挑眼膜，若能挑離少許，即可全塊眼膜揭起，病即愈，如一次未成功，可即再塗藥，或於次日再行之。

如屬老膜，當先用老桑枝煆存性研末，陳皮煆存性研末，各半和勻，用和勻之藥末一份，加水三份，攪勻浸透，濾淸，將此水洗眼膜後，然後掺眼膜藥粉，眼膜脫後，仍須用此種藥水常常洗眼，直至膜根脫盡，眼球光潔無瑕爲止。如老膜難退，曾用藥粉三次後，仍未脫者，當用鴨毛蘸藥水洗眼，順用鴨毛挑撥眼尾之膜，有助膜脫離之效。

聽覺器的生理解剖

聽覺器就是耳，耳所生的感覺，叫做聽覺。

第一節　聽覺器的生理解剖

耳可以分做三部，就是：外耳，中耳和內耳。外耳和中耳掌管音波的傳導；內耳掌管音的感覺。

第一項　外耳的構造

外耳，由耳翼（或耳殼）和聽管（或外聽道）两部分合成。耳翼俗稱耳朵，是一片軟骨彎曲而成的，略帶喇叭的形狀；最下部柔軟肥厚，叫做耳垂，聽管是一條彎曲的管，一半由軟骨一半由硬骨構成，外端和耳翼相連，管內密生耳毛，並且分泌耳脂，這耳脂叫做耵聹，能防禦害物和昆蟲等竄入耳內。

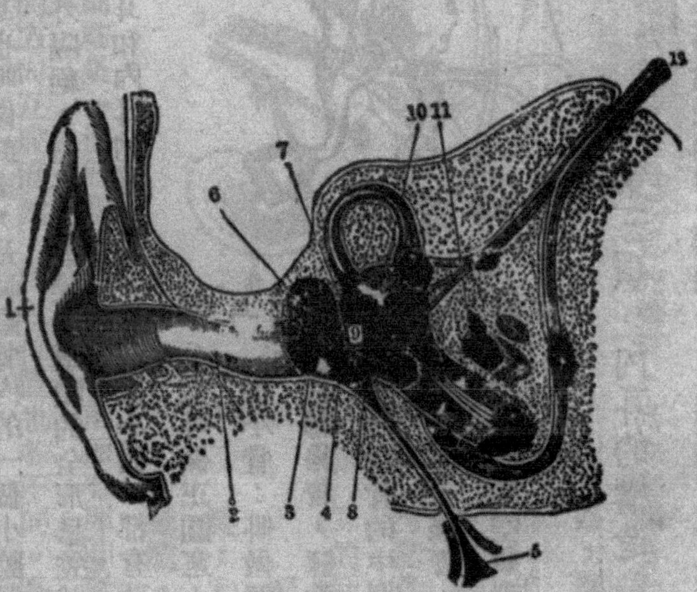

耳的構造

1. 耳翼　2. 聽管　3. 鼓膜
4. 鼓室　5. 歐氏管　6. 聽骨
7. 卵圓窗　8. 正圓窗　9. 前庭
10. 半現管　11. 蝸牛殼　12. 聽神經

第二項　中耳的構造

中耳也叫做鼓室，是顳顬骨內的一個小腔洞。中耳和外耳的境界上，有一片彈性的薄膜，將內外隔絕，這叫做鼓膜，這膜的全形呈笠狀向內凹陷。

中耳和內耳的境界上，有两個小孔，都有薄膜遮着：在上的一個，叫做卵圓窩；在下一個叫做正圓窩；這两個小孔，都和內耳相通。中耳內還有三個小骨：叫做錘骨，砧骨，和鐙骨，在鼓膜和內耳的中間互相聯絡着，錘骨和鼓膜相連；鐙骨和卵圓窩相接，砧骨却在這两小骨的中間，能將外來音響的振動傳到內耳。中耳的底部，有一條管，和咽相通，叫做歐氏管。這管能通空氣，使中耳內的空氣壓力和鼓膜外的空氣壓力相平均，以便鼓膜自由振動。

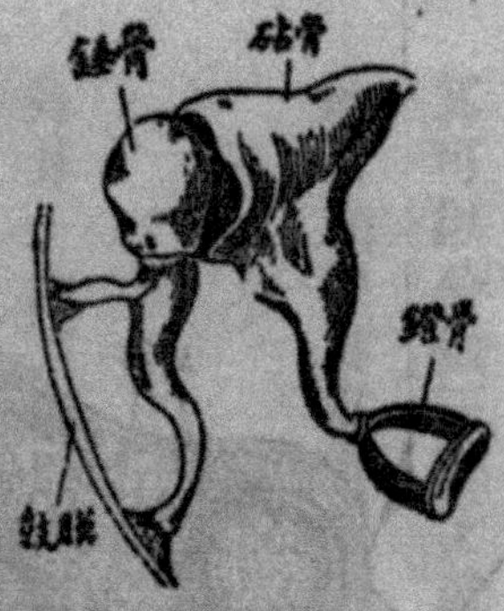

中耳內的三個小聽骨

第三項　內耳的構造

內耳是聽覺器的主要部分，也在顳顬骨內的骨質內，有蝸牛殼，前庭，和半規管三部分，互相聯絡，構造很複雜，曲折很多，所以又叫做迷路。

這些部分都是膜質的囊管，嵌在顳顬骨內的，同形管腔中，那膜質的囊管，叫做膜質迷路，顳顬骨內的管腔，叫做骨質迷路，两種迷路的中間，有透明的外淋巴液充滿着；膜質迷路的內部，也有內淋巴液充滿着，這两種迷路的關係，就像玻璃管內套着橡皮管，並且两管內都裝滿液體一樣；只是內耳的两管，是曲折旋繞的罷了。

蝸牛殼是螺旋狀的管，在前下方的部分，形狀盤繞，和蝸牛的殼一樣，中間包藏着聽神經的末稍神經細胞。

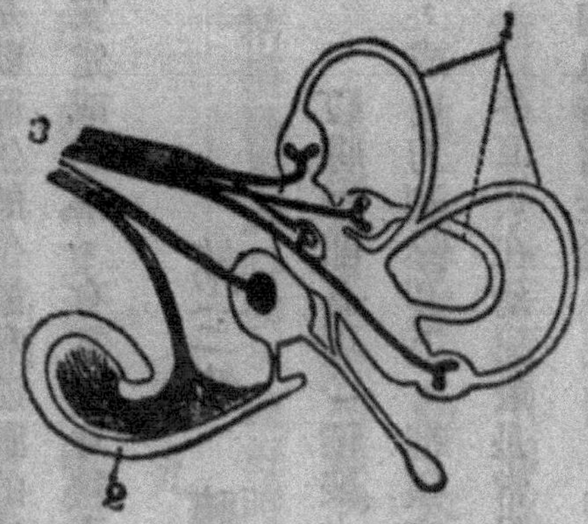

內耳的模型

1. 半規管　2. 蝸牛殼
3. 聽神經

前庭是一個卵圓形的空腔，前面有卵圓窩和鼓室分界。半規管有三個都是半環形的管；各管的方向互成直角，所以位置也各不同。是三個管的管腔都是互相溝通的。

第二節　聽覺器的生理

音波傳到聽管內的時候，那彈性的鼓膜就振動起來，這振動又由中耳的三個小骨經過那圓窻的薄膜，傳達到內耳蝸牛殼的淋巴液方面。這淋巴液感受振動，就刺戟那蝸牛殼內的神經細胞，又由聽神經傳到大腦皮質的聽覺中樞，於是就發生聽覺。

三個半規管內的淋巴液，當頭部運動的時候，流動起來，刺戟各管內面的感覺細胞，於是就發生的位置和運動的感覺，這三個半規管和聽覺沒有關係；其中的神經，只能傳報身體安定或動搖，有掌管身體平衡的作用。

第三節　聽覺器的衞生和疾患

耵聹（卽耳垢）積聚太多，往往發生重聽和耳鳴，所以時時要注意掃除；但是挖耳太甚，或用刀剃除耳毛，都很有害，也要注意。

外耳炎在幼兒最是常見，聽管受傷或是乳汁流注耳內的時候，往往發生這病。此外聽管內也時常生癤。

化膿性細菌若是侵入中耳，就要生中耳炎，游泳的時候，最好將耳用綿塞住。

歐氏管閉塞，聽力就生障碍，這病往往由咽粘膜炎引起。

鼓膜破裂的原因，多半是外傷，耳部被打的時候，更易發生，此外也有因强烈的音響而破裂的，至於鼓膜穿孔，却多半是中耳炎的繼發症。

聽管內有異物侵入的時候，用適度的温湯或油類注洗，然後可以取出，但是液體的温度若是失宜，往往要引起眩暈，不可不愼。

同一的音響，聽了太久，能使聽神經疲勞，人覺倦怠。

鼻咽和耳都能相通，所以注意這两部分的衞生，也就能間接保持耳的健康，發熱或是咽粘膜發炎的時候，最好時時漱口，免得繼發中耳炎。

十九　耳聾

原因　中耳炎，耳硬化　耳骨變質　外耳道被耵聹阻塞，或因中耳急性炎滲液入鼓室所致。

症候　兩耳重聽，其聲嘈嘈，久則不聞聲音。

A　耳暴聾

治療法　1　針商陽，（出血或不出血均可）聽宮，聽會。

2　再用蒼朮，約長一寸，一頭削尖，一頭切平，將尖頭用藥棉捲好，命患者自己插入耳孔中，在平頭處，用艾（如蒼朮頭大）灸之。輕症灸七壯，重症灸二十七壯，覺內熱時可停止；數次自愈。

B 耳聾實

主要穴　耳門，聽會，聽宮，翳風，腎俞。
次要穴　外關，中渚，商陽。
助治穴　風池，支溝，液門，後谿，少澤，陽谿。
治療法　1 先針外關，中渚，商陽；
2 再針耳門，聽宮，聽會，翳風。
3 最後針腎俞；如腎虛者，腎俞當直接灸，連灸數日，每灸五壯至七壯，炷如綠豆或紅豆。
4 助治穴中最好用者爲風池，後谿，陽谿。
預　後　如鼓膜未破者，耳暴聾治三至七日可愈，耳聾實須視其患病之久暫，約需三星期至兩月間。
助治方　用龜尿，正梅片研末約量，將梅片放入龜尿內浸溶，以棉花吸取之，以線繫之，塞入耳內，經一夜取去，覺耳响爲有效，行之數次卽愈。取龜尿法，以鏡使龜照之卽出。

二十　急性中耳炎（耳痛流膿）

原因　由於挑挖耳垢而引起，又由於污水入耳；小兒患此，由於眼淚流入耳中而引起。

症候　急性者耳痛流膿，牽引頭痛頰痛，不能飲食安眠。慢性者，長流膿水而不痛，日久聽覺亦受障礙，甚至引起耳聾。

治療法　1 先針合谷，曲池，頰車。

2 如痛甚者，先用隔薑灸法，灸頰車，聽會，聽宮穴。

3 痛稍減後，再針聽會，聽宮，針後再隔薑灸之，痛當全止。如非痛甚，可針完各穴，然後施灸。

4 如耳內膿多，可用雙氧水洗之，再用雷弗奴耳水再洗，繼用藥棉捲乾，最後吹入梅片末或生肌散。（參灸治學）

5 如屬慢性症，流膿日久者，除針上穴外，不必間接灸，當直灸聽會三至五壯，炷如紅豆，一次過，日後耳漸自乾而愈。

又法　針後先洗淨耳用藥棉捲乾再用外科油二三滴，滴入耳中。一二次卽愈。

又方　用藥棉吸貓尿、塞耳中一夜，一二次愈。取貓尿法，以薑擦貓鼻卽出。

附症　又虫蟻入耳，用花生油灌入耳中，虫蟻卽出。

預後　急性者二三次愈，慢性者五七次愈。

二十一　耳鳴

原因　爲腎病，心病及貧血，神經衰弱等。有時耳鳴屬客觀者，每由軟顎陣縮及頸動脈瘤而起。更有由於腎虛而發作者。

症候　病者自覺耳內發聲，其鳴連續或間歇，或與脈搏同起。鳴之聲音似獅吼，水流，敲擊，或如沸氣放出，或如鐘响不等，此聲能令患者抑鬱，甚至不能工作。

治療法　1　針液門，聽會，聽宮、翳風，風池，腎兪，加用蒼朮灸法灸耳孔。

2　如屬頑症，可直灸心兪，腎兪，風池，各數日，每灸五壯，炷如綠豆。

助治穴　通天，命門，陽谿，商陽，足三里。

預後　輕者約十日左右，年久者須一月。

助治方　塘虱魚煲黑豆，食之可治腎虛耳鳴。

二十二　梅年氏病（頭暈耳鳴）

原因　爲耳內之迷路神經發炎，頭蓋外傷，素有耳疾者亦可突發。

症候　眩暈與耳鳴二者爲本病之主徵；眩暈多屬迴旋暈，甚者可因以仆倒，同時亦有顏面蒼白，脉搏遲徐，嘔吐，眼球偏視等；本病確診在證實耳疾。

治療法　1 先在前髮際穴以毫針用密刺術出血；

2 再針足三里，申脉；

3 最後針風池。

4 繼灸百會，神庭，上星；如用隔薑灸法，各灸一壯，如用直接灸法，可各灸三壯，炷如綠豆或紅豆。

5 如仍未愈，可直灸足三里三至五壯，炷如綠豆。

助治穴　命門，腎俞，三焦俞，肩井。

預後　輕症一二次可愈，如長期發作者，須五至十次方愈。

二十三　流行性耳下腺炎（痄腮）

原因　尙未明瞭，學齡兒感染最多，一度感染，得有相當免疫，但亦有再感者。

症候　潛伏期約三至三十日，有輕微之前驅症，（疲倦，頭痛，耳痛，發熱，惡寒等）。其後顏面耳下腺部腫脹，多爲两側性，眼瞼運動及嚥下運動聽覺均生障碍。成人患之則體溫上升；小兒則較低或不上升，本病一側性者七日愈，两側性者十四日愈。有合併睾丸發炎者，亦有於愈後移行於睾丸發炎者。

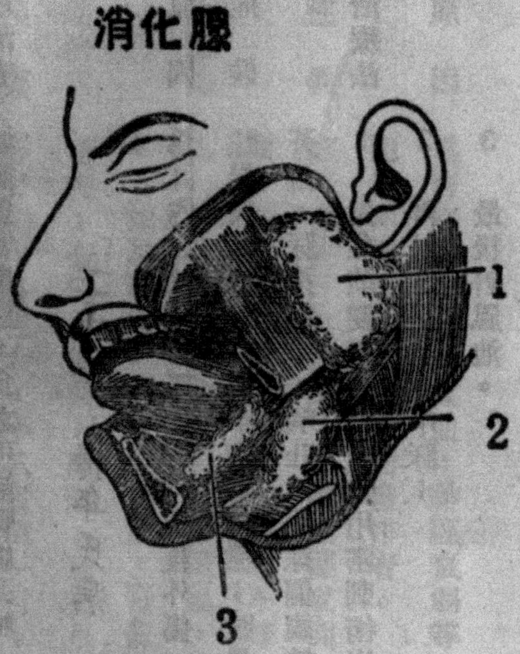

1. 腮腺　2. 下頷腺
3. 舌下腺

治療法

1　針合谷，曲池，委中，頰車。

2　如身體不發熱者，可用隔薑灸天應穴，

3　如有發熱不可灸，當針少

商，商陽出血。

助治方 用青黛，大梅片末調七月七水或山水塗患處。

預後 三至五次可愈。

附症 牙關緊閉，針合谷，少商（出血），又針聽會，頰車，水溝。

嗅覺器的生理解剖

嗅覺器就是鼻，鼻所生的感覺，叫做嗅覺。

第一節　嗅覺器的解剖

鼻腔是鼻孔內部的腔洞，中間有個中隔，將鼻腔分成左右两半。嗅覺器官就在這鼻腔上部的粘膜內，這一部分的粘膜帶黃色，叫做嗅部，其中藏着一種特別的神經細胞，叫做嗅細胞，這嗅細胞中有嗅神經的末稍纖維分布着，能和大腦相通。

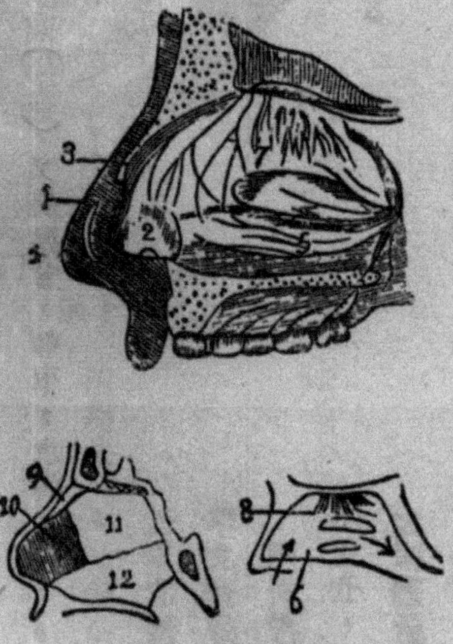

鼻的縱剖面

1. 鼻尖　2. 鼻翼　3. 鼻根
4. 。梁　5. 三乂神經　6. 呼吸部
7. 嗅神經　8. 嗅部　9. 。骨
10. 。中隔軟骨　11. 節骨　12. 鋤骨

第二節　嗅覺器的生理

鼻是呼吸器的第一門戶，空氣由此出入，自然空氣中的各種氣體也容易和鼻接觸，所以能引起嗅覺的物質，只有氣體，有氣味的物質，揮發起來，成爲極細微的分子，隨着吸入的空氣，來到鼻腔的嗅部，刺戟嗅細胞，再由嗅神經傳入大腦中樞，於是就發生嗅覺。

嗅覺非常銳敏，無論遇何種微細的物質，都能因固有的氣味，辨別香臭和那物質的種類，人類的嗅覺，小兒最敏，婦人次之，男子最鈍。獸類的嗅覺，比人類銳敏，其中犬的嗅覺更是特別發達，狩獵和偵探，時常用犬，就是利用犬的嗅覺。

感冒的時候，時常失去嗅覺，這因爲鼻腔粘膜腫脹閉塞的緣故。

嗅覺又很容易疲勞，並且很能引起愉快和不快的感情。此外嗅覺和食慾很有連帶的關係；香味的物質，常能引起食慾，大家都有這種經驗，此外吾人能夠感覺食物的風味，是嗅覺和味覺共同作用的結果。

第三節　嗅覺器的衛生和疾病

放惡臭的物質，多半有害嗅覺，嗅覺若是遲鈍，注意集中力也就減退，很有害於頭腦的發達，强烈的香氣，也很能刺戟神經系。

鼻腔要時常潔淨，鼻毛能防止塵埃等有害物質侵入鼻內，所以不可剃去。

鼻粘膜炎和鼻茸是鼻腔常有的疾病。

二十四　急性鼻炎（傷風）

原　因　急性鼻炎或曰傷風，人皆患之，春秋之季，尤爲盛行，肺部虛弱之人，在受凉或受濕之後，易得此病；而感冒，空氣不潔，化學刺戟，均可發生。

症　候　起時打噴嚏，然後鼻閉塞，嗅覺喪失，頭痛身冷，涕泗交流。此病能傳至咽及喉，亦或爲該二處之繼發患。

主要穴　風池，風府，大椎，風門，迎香。

次要穴　合谷，水溝，顖會。

助治穴　素髎，天柱，當陽，中府。

治療法　1　先針合谷；

2　再針風池，大椎，風門，迎香。如屬輕症，已能收功。

3 如屬重症，當加針風府，水溝，素髎，隔薑灸風門，顖會。

預後 佳良，輕症一次愈，重症三次必愈。

二十五 慢性肥厚性鼻炎（鼻塞）

原因 由屢患急性鼻炎而起，多吸烟飲酒，亦能致之；或於傷風後，不戒飲食，多食鷄鵝等肥膩食品而致。

症候 最要之症候爲鼻閉塞，輕重各人不同，然皆在晚間加甚，嗅覺多障碍，聲音亦多改變，分泌甚多，致不堪其煩，排出之液爲水或膿而無惡臭。（有惡臭者，稱爲鼻淵，治法相同）。

主要穴 風池，風府，風門，迎香，顖會，上星，鼻眼。

次要穴 合谷，百勞，通天，素髎。

助治穴 神庭，天柱，臨泣，至陰，神門，當陽。

治療法 1 先針合谷。

2 再針風池，風府，風門，百勞，

3 針迎香，素髎或鼻眼。針後間接灸鼻樑。

4 此症必須直接灸方能收效。當先灸顖會五壯，炷如紅豆連灸七日，同時在七日間，仍針上穴。

5 如仍未愈，當再灸風門及上星，各五壯，炷如綠豆；自能全愈。助治穴中各穴均佳。

6 如體温上升，或面紅鼻腔太紅者，暫時不灸。當刮項背之痧可愈。

7 素髎當於刺後擠出血。俟紅色退後，方可灸。鼻孔用外科油塗之。

助治法　用短蒼朮一粒，中通一孔，塞入鼻孔中，灸數壯於蒼朮上，行之數次有效。

預後　佳良，約十至二十天可愈。

二十六　粘液性瘜肉（鼻瘤或鼻痔）

原因　此病之原因，各醫家所持之說不一，或云爲骨病之狀，或云由於該處之血循環受阻所致，或云由於組織被細菌侵入而起。

症候　主要症候爲鼻閉塞，在天氣潮濕時尤甚，鼻孔中有小瘤如袋形下垂，呈白色透明體，塞於鼻孔內，滲出質似水，發言每帶鼻音，由口呼吸，頭亦常痛。哮喘亦與此病併發，哮喘之起瘜肉，多係單生，且小而有蔕。

治療法　1　先針合谷，曲池，

2　再針風池，風府，風門，

3　針水溝，迎香，

4　直接灸顖會或上星，每灸五壯，炷如綠豆或紅豆，各灸五日或七日，

5　用隔薑灸鼻樑，直至瘜肉消失爲止。

附症　鼻骨發大，治法相同，加素髎出血。

預後　視症之新久而定，新症一星期可愈，日久者，須一月左右，間有不能治愈者。

禁忌　忌太陽晒，夜眠，及煎炙之熱性食物。

付註　如瘜肉太大，塞滿鼻孔者，當先經西醫割去鼻瘜肉後，然後用針灸，可保永不再發。

二十七　衄血　（鼻流血）

原因　通例健康之人，多起衄血，心神之過勞者亦有習常性衄血，頭部外傷，腸窒扶斯等

亦每發之。

症候　多從偏側鼻腔而出，而其量不同；若本病祗爲鼻粘膜之出血，則不呈何異狀，若爲頭痛等之腦症而衄血者，則發時血量必多，甚至呈貧血症狀，來顏色蒼白，眩暈，耳鳴，頭痛，全身倦怠，以至稍稍失神。

治療法　1　慢性者當針合谷，曲池，

2　針大椎，風府，風門，肺俞，迎香。

3　如屬急性者，用艾灸少商穴一至三壯，炷如小米粒，左鼻孔流血灸右少商穴，右鼻孔流血，灸左少商穴，两孔同流，兩穴同灸，立止。

4　若慢性症除針上穴外，加直灸上星，顖會穴五壯，炷如綠豆大，連灸數日可愈。

助治穴　昆崙，百會，瘂門，湧泉，後谿，委中。

助治方　大蒜一枚搗爛，左鼻孔流血，貼右湧泉穴，右鼻孔流血，貼左湧泉穴立止。

又方　長流鼻血用茅根煲塘虱魚，或用塘虱魚煲湯撞酒服效。

預後　佳良，急性者一次愈，慢性者須一星期，方可全愈。

齒的生理解剖

齒，小兒生後七月個左右，下頜中央開始生齒，滿三歲的時候，齒的總數竟達到二十個。這些都叫做暫齒或乳齒，七八歲以後，這乳齒就漸漸脫落，換一口新齒，是永久存在的，所以叫做恒齒，成人的恒齒，上下合計總數有三十二個，因爲形狀各有不同，所以分做門齒，犬齒，前臼齒，和臼齒四種。門齒上下共有八個，邊椽很利，容易切斷食物，所以又名切齒。犬齒共有四個，在上下两列門齒的左右各有一個，齒冠很是尖銳，前臼齒又叫做雙頭齒，共有八個，臼齒又叫做後臼齒，其中第三個就是最後方的臼齒，生得最晚，特別叫做智齒，門齒和犬齒是咬斷食物用的；前後臼齒是磨碎食物用的的。

齒可以分使齒根，齒頸，齒冠三部分。齒根是緊嵌在頜骨的齒槽內的部分。齒冠是穿出肉遊離在口腔內的部分，齒頸是齒根和齒冠交界的部分，這部分略爲

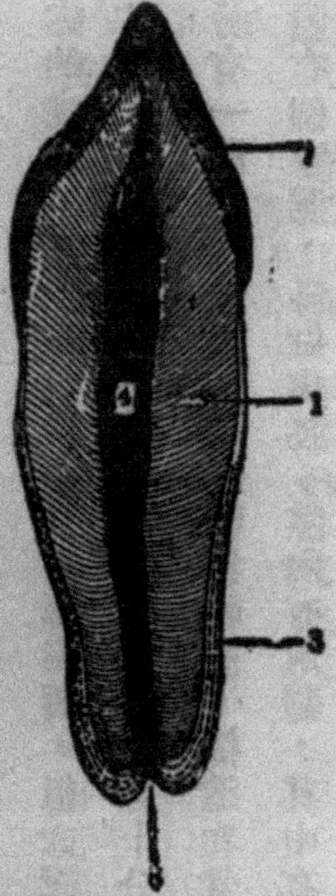

齒的縱剖面

1.象牙質 2.琺瑯質 3.白堊質 4.齒腔 5.齒根小管

各齒的外形

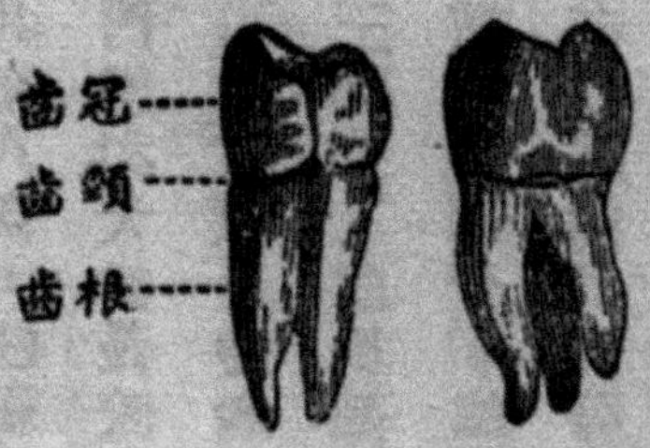

前臼齒　臼齒

狹窄些。齒的成分，多半是象齒質又叫做齒質，但齒冠的表面，有一層的琺瑯質和瓷器的釉質一樣，不特美觀，而且十分堅硬。此外齒根表面另有一層白堊質，比齒質較鬆軟些，構造和骨質一樣，齒的內部，還有個空洞，叫做齒腔；腔內有齒髓，其中有許多神經血管，掌管齒的營養和知覺。

齒的衛生

咀嚼的精粗，對於消化的影響很大；而完全的咀嚼，第一要有健全的牙齒。起床以後，自應刷牙：而三餐後和就寢前，更要洗刷，免得食屑在齒縫內腐敗，蝕害齒質，發生齲齒，過冷過熱的食物，都不相宜，甜味酸味的食物，也不可多食，免得傷齒，齒牙的疾病，往往容易忽略；其實齒和全身的健康關係極大，齒病往往成爲消化不良，貧血，口臭，結核等病的誘因，所以齒牙有病，務必早醫。

二十八 牙齒痛

原　因　三叉神經障碍，齲齒，齒牙週圍疾患，拔齒齒槽骨上發生骨折，上頷竇蓄膿症，多食辛辣物，夜眠，便秘等。

症　候　齒齦紅腫刺痛，不能進食，安眠；痛久頰腫者有之。面紅脉粗大者爲實火痛，面不紅脉不大者爲虛火痛症。成塊腫實而面青白者，有牙瘡症之可疑

主要穴　合谷，頰車，內庭。

次要穴　耳門，水溝，承漿。

助治穴　翳風，風府，地倉，巨骨。

治療法　1　任何牙齒痛，先針主要穴，若能止痛，可不必針其他穴。

2　上牙痛加針耳門，水溝。

3　下牙痛加針承漿。

4　齲齒痛加隔薑灸承漿，含牙痛丸。或齒孔中放入五棓子末。如面部有腫，隔薑灸之。實火痛不可灸。

5 牙瘡加隔薑灸承漿，（按直接灸爲最有效，灸後瘡即消滅，但爲免傷美容，當用隔薑灸，加針曲池穴。

6 如屬牙瘨初起，當直灸承漿，頰車各七壯。

7 如屬嚴重性者，當加直灸合谷，曲池穴各七壯，炷如紅豆，腫處用隔薑灸法。或隔蒜灸法，又灸女膝穴五十壯有大效，在太谿昆崙之後下方，足蹄骨之上陰陽肉交界處。

附註　如牙痛因一時性便祕而發生者，當服瀉藥瀉之。

助治法　當小便時，緊咬牙齒，直至尿出完爲止，終生可無牙痛。

牙痛丸　用皂角二両，細辛二両，入地金牛公（生草藥）二両，（黃皮者是公）上好茶葉五錢，白礬五両，以上共爲細末，另以入地金牛公煲水，加米糊爲丸，如小提子大，陰乾，用時放口中含之，能止牙痛，並能治牙流血。牙齒動搖長期含之可固。如屬虛火牙痛，不可用此丸，當用好玉桂三分加鹽，用滾開水冲服。

助治方　玄參，麥冬，干葛各三錢，水煎加冰糖服即愈。

預後　輕症一次立愈，如痛久者，不過三次必愈。

二十九　齒齦出血

原因　出血原因，大抵是齒齦緣炎，齒槽膿漏，糖尿病，腎臟病，更有月經代償性出血。

症候　齒齦出血，日夜不止。急性者，只呈一二日間之出血，慢性者，有長年流血不止者。

主要穴　合谷，風府，承漿，內庭。

次要穴　頰車，手三里，照海。

助治穴　商陽，金津玉液，液門，衝陽。

治療法　1 先針合谷，手三里；

2 再針內庭，照海，

3 又針風府，承漿，頰車。

4 如身體屬實性或熱性而病屬急性者，當針金津，玉液，商陽出血。

5 慢性及年久者，當直灸頰車，承漿，各七壯，炷如綠豆，連續數日，至愈爲止。

助治方　煆人中白三錢，銅綠五分，麝香一分，共研細末，塗之卽止。或含牙痛丸亦可。

預後　急性或輕症者，一二次卽愈，年久者當治十餘次。

又方　急性者含凍豆腐渣，覺熱時再換，含數次卽愈。

淋巴系統的生理解剖

第一項　淋巴液

各組織細胞間，細胞和微血管間，和淋巴管內，都有一種無色透明的特別液體，叫做淋巴液，這淋巴液是血液的液分透出微血管壁而滲入組織中的物質，其中含有多數淋巴球，能輸送養分和氧到組織內，又能運出組織中的炭酸氣和廢物到血液內，所以可算是由血液和組織所生的物質。

第二項　淋巴微管淋巴管和淋巴幹

淋巴微管是從各器官和組織發端的，腸壁的淋巴管內含有消化產物的乳糜，所以特稱乾糜管，比淋巴微管大的，就叫做淋巴管。淋巴管集合起來，又成爲左右的两個總管，這叫做淋巴幹，左邊的淋巴幹格外大些，特稱胸管，腸絨毛內的乳糜管，也是歸聚到這胸管內的。這淋巴幹在心臟的附近和靜脉結合。

第三項 淋巴腺

淋巴管的經路中有許多大小不等的髓圓形結節，這叫做淋巴腺，淋巴腺內有無數的白血球，特稱淋巴球。淋巴腺能新生淋巴球，並且能抑留消滅淋巴液內的病源細菌和其他異物，所以在人體上是個很有價值的防禦機關。淋巴腺在頸部；腋窩，鼠蹊部等處，最是顯明。

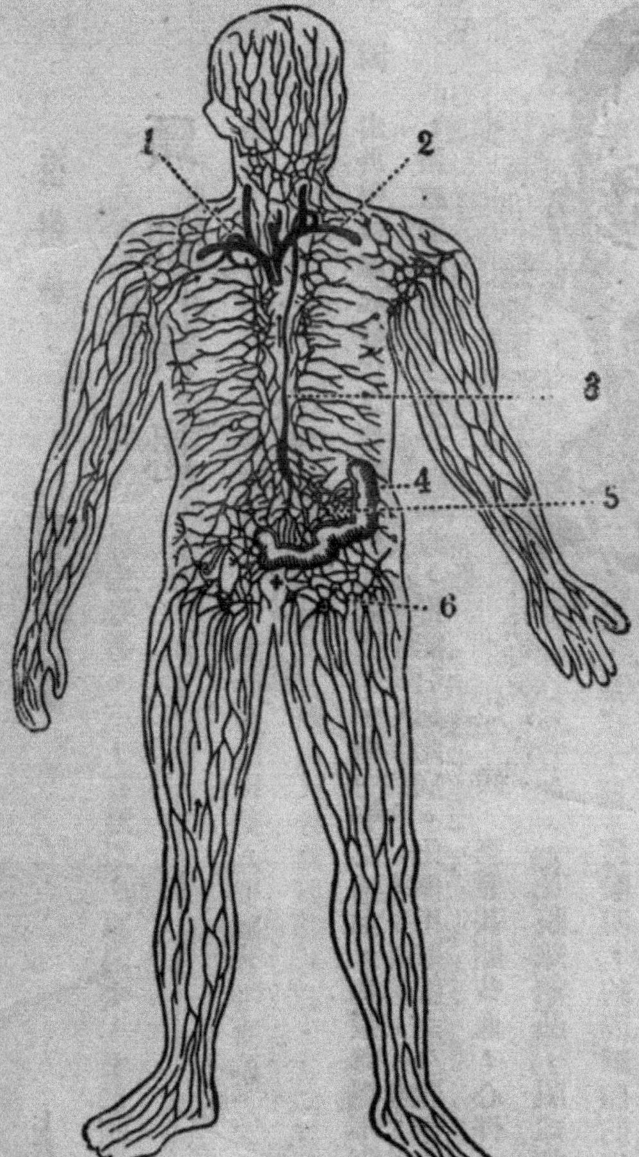

全身淋巴系

1.右淋巴幹　2.靜脉　3.胸管
4.腸　5.乳糜管　6.淋巴腺

頸部疾患

三十　突眼性甲狀腺腫

原因　由於甲狀腺起變化之影响；患此病者，多係中年之婦女，每兼月經不調，家事繁雜，罣慮過度，偶受驚恐或刺激，皆能引起此病。此係甲狀腺之全體增大也。

症候　患者甚顯貧血，心悸，心易受刺戟，且眼球前凸，眼球前凸之狀：甚爲顯明，約因眶脂肪增多所致。四肢亦顯微顫，病者甚悸：脉搏甚速，呼吸困難，其患日增，致人因衰弱或心之併發病而死。

治療法　1　針第四，五頸椎之下，两旁各開一（眼）寸，入五分，有氣透達患處爲合。

2 又針天突寸半，以七十五度角下針，有氣向左右甲狀腺上行爲合。以上經穴，每日必針，以下經穴，按日循環兼用之。

第一日 針尺澤，列缺，再針大杼，風門。肺俞，直灸膻中五至七壯，炷如綠豆或紅豆。

第二日 針胆俞，脾俞，胃俞，三焦俞，腎俞，大腸俞。

第三日 針足三里，三陰交、八髎，氣海，關元。

預後 此症除割治外，並無藥物可治，多因心機衰弱，繼續泄瀉或結核而死。針灸可以治愈，約治三十次左右。單純甲狀腺腫而無心跳者只針12步便可。

驗方 川貝『打』三錢，白芍三錢，元參三錢，夏枯草一兩，海帶一兩，生牡蠣『打』一兩，普通大小生魚（又名斑魚）一條，清水五碗，煎存一碗溫服，五日一次，多服自愈。

三十一 瘰 癧

原因 爲結核菌侵入淋巴腺內而發生，臨床之最多見者爲頸部淋巴；尤以氣管周圍淋巴爲最多，菌多由咽腔之扁桃腺侵入；此外由齲齒侵入而起者亦有之。又由於性情暴燥，不堪精神刺激，或情志抑鬱而來。

又自十歲至二十歲之人患之最多，三十五歲以上則極少，身體懦弱，軀長胸狹，肌肉發育不良，營養不佳之人易得此症。

症候　生於頸之週圍，日漸增長繁殖，其數自一個至數十個不等，其小者僅可按而知之；大者則如鷄卵，然小者亦能次第長成增大，終至化膿而破裂。於皮上生膿孔，此症多不害身體之動作，然其惡性者，亦往往蔓延於腋下，肺部及關節等處，而終致斃命。

治療法　一　針少海；翳風，百勞，及瘰核本身，先針初起及後起者，次及其他，當向核之中心刺入，轉而在核內前後左右刺透之，繼用隔薑灸法，逐核灸至發紅為止，日日如是行之，核當逐日縮小，久之自愈。

如核生在耳下，當直灸翳風穴五壯，炷如紅豆。如核生於甲狀腺左近，當灸百勞穴五壯。又可直灸肘尖或少海穴，每灸七壯，均有大效。

二　以篾量取患者手之四指、食指至小指、中節橫徑之濶度，度好折斷，再在其尾閭骨尖向上量起至篾盡處是穴，以大艾炷如花生大之艾團直灸之，連灸十餘二十壯，覺火力自腰入腹，下行於腿，全身關節有非常舒暢之情形，輕者一次愈，重者隔半月或一月再灸一次，即三四次亦無不可，至愈為止。初灸時用減痛法行之。

三　在少海穴用麝香和艾如紅豆大灸之，連灸五壯，左患灸左，右患灸右；或两手均灸亦可，輕者一次愈，重者半月一灸，連續數次，病無不愈。灸後須忌房事一百二十天，孕婦或月經來時忌用麝香。

四　以不伸縮之繩，由患者之中指尖量起，至肘尖穴止，斷之，卽以此繩由長强穴起，貼近脊骨而上，至繩未盡處，以爪掐一痕爲記，再以繩量患者口之两角，（沿上唇量之），取其長度，對折橫量背之爪痕處，仍以爪切十字紋，卽以艾絨圓直徑約有五分左右，置於十字紋上灸之，左右各一，灸後須將灸起之泡刺破，流去其水，覆以藥棉，禁忌生冷等食物，二月後瘰癧消散。

五　取得第四法之長度，在脊中央灸白豆大之艾五壯，兼灸患側翳風三壯，炷如紅豆，初起之瘰癧一次可愈。如两邊均有，則灸两邊之翳風穴。

六　先令患者倚桌坐定，以肘直豎桌上，男左女右，不得偏斜，醫者取直而細之篾一條，約逾肘，與患者肘併豎桌上，以其端先齊中指盡處截斷，再將此篾移向無名指，齊指端處以墨點記。

再以篾橫度患者之两乳頭正中，截斷之。乃用線將橫量篾之中央點，扎於直篾之無名指端之墨記處，如十字架。令患者脫光脊上衣，直身端坐，取所扎之十字架，靠脊梁尾閭骨，抵凳豎定，直篾之端及横篾两頭盡處是穴，以墨點記，醫者團艾三壯如白豆大，用蒜汁粘於所取得之穴上，三艾同時發火，俟艾透火熄，以手微按其灰。此後惟禁食鯉魚雄鷄助火發物一百日，並不須服藥，項上瘰癧，自漸陰消，百日之外全無痕跡矣。如有已經潰爛者，先用藥棉醮濃茶洗凈，如法灸之，亦無不愈。初起時，艾壯較小，尚可愈疾，若年久月深，艾壯必須加大，方能有效。凡灸不拘何季何月，惟必以單月單日午時，若逢三月三日，七月七日，九月九日爲尤佳，無不應手立效。

七　核初起時用燈芯灸法，在核上灸數燋自愈。

八　頑癧屢治不愈者，用火針治之。

助治穴　臂臑，神門，曲池，風池，肩井，肩顒。

助治方　1　結核未破者，用野菊花根搗爛，酒煎服，以渣敷患處自消。

2　眞菜油二斤，銅勺熬匀，入活壁虎二三十頭，同熬融化，貯油瓶中，以此油搽患處，搽後以布束之，連搽一月自愈。

3 生吞壁虎法（鹽蛇），先將小壁虎用硃砂養數日，俟腸肚乾凈後可用：每日一二次，每次一條，用酒送下，數次卽愈，雖最嚴重如癌性者，亦能有效。

4 瘰癧取出方：用大田螺五隻去殼，線穿晒干。正白砒一錢二分，正白降丹二錢，正大梅片一分，眞硇砂二分。以上共爲細末，和勻再研，磁瓶收貯，以腊封口，不可洩氣。用時先在癧核之正中頂上，用艾灸起泡，用小針挑破，將此藥一二厘，放膏藥上，對正灸破處貼上，一日一換，七日後見核邊裂縫，再貼七日，其核自粘膏藥而出矣。

5 點癧外消法　用新石灰（未經見水者）八錢，蘇打粉（西藥房買，可食而助消化者）四錢，以上二味，以正米醋或高樑酒浸過面，和勻浸數日可用。（按浸藥當用瓦盅或洋玻璃瓶，否則能破裂）。用法：先用毛筆蘸硃砂，在癧核週圍隔三分遠處，點記號，每一點約相隔三分左右，直至完全環繞癧核爲止。俟硃砂乾後，然後按硃砂位點上藥水（勿用渣），乾後再點，至病者覺皮痛卽止，隔五日點一次，如核已縮小，當將藥點近一些，直至核散盡爲止。如核太大，核內可加點一圈。

6 臭花樹根六两至半斤，煲瘦肉四两，服其湯，有消散小癧核之功。凡用取出方治癧，當兼服此方以助之。

7　用蝸牛十餘隻，去殼，用鹽擠去液體，用暖水洗淨，和瘦猪肉煲湯服，多服自然內消。此方治初起，及輕症有效。

8　又方：用火硝，青凡，白凡，水銀，食鹽，各五錢，以上各藥用爐昇爲丹，以飯搓勻爲丸，每服一分，空肚服，用煖開水送下，服後如有牙鼻出血者，不用驚慌，食白粥（卽稀飯）卽止三日服一次，至愈爲止。

9　用鐵絲草（生草藥）連頭陰乾研末，四錢煮猪肉二两肉食，日食一次，能消癧於無形。

附說明　凡癧最忌單生，若單生漸大成塊，可能屬於癌類，此種單癧，甚爲難治。若頸一邊先起至相當大時，對方一邊又起一個，名夾板癧，此種癧無法治愈。此種癧當初起時用膏藥加藥芯打穿取出之較爲有效而可靠，不論何種癧，若生至耳聾眼突或鼻塞時，爲死期之將至，無法可治。或用生吞壁虎法或可有效。

預後　新起之癧核，一二次卽愈，若年久者，須七次以上，或至二三十次方能全愈。

禁忌　凡患瘰癧，忌食有硝性食物，如腊肉，腊腸，火腿等，更當忌房事。禁硝性食物，可免加硬，忌房事可免治療時難愈或再發。

說明　又此症有陰性陽性之別，陽性者，常發紅潰爛流膿；慢性者，縱蔓延至腋下胸前、亦不化膿。初起一粒，經艾灸治療數次後，仍不痊愈，或不縮小者，爲癌症無疑，初期細小時，當適用瘰癧取出法治療之，至大如鷄卵時，則不適宜矣。

三十二　急性腭扁桃炎（鵝喉）

原因　此係一種急性傳染病，受累之處爲腭扁桃咽門之組織。常爲鏈球菌所致。患者多爲小兒，而以學齡兒爲最多，受冷或受濕能激發此病。能直接自一兒傳染他兒。

症候　咽部淋巴構造物之慢性增大，怕冷，甚或顯然寒戰，背及四肢痠痛，發熱驟升約四十，五（華氏表一〇五度）咽痛難嚥，舌有苔，呼氣濃臭。呼吸增急，脈搏大

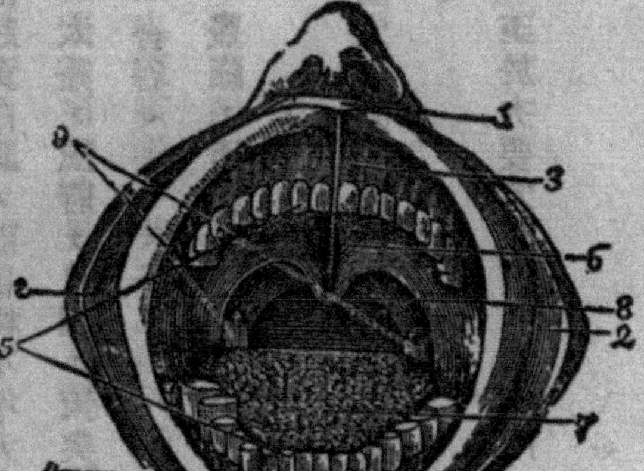

口腔

1.唇　2.頰　3.上顎
4.下顎　5.齒　6.腭
7.舌　8.懸壅垂　9.扁桃腺

治療法

增速。輕型之扁桃炎，只有扁桃部起黃白點，而扁桃不增大者。

主要穴 少商，商陽，金津，玉液，委中，太谿，風府，尺澤，天突。

次要穴 頰車，神門，液門，中渚，中衝，合谷。

助治穴 湧泉，大陵，經渠，中府，中庭，豐隆，通里，陰郄，少澤，太衝，厲兌，然谷，絕骨，水溝，承漿。

治療法 A. 1 先用三稜針在少商，商陽穴，强刺激後，再出血數滴；

2 繼針合谷，中渚，尺澤；

3 再針頰車，風府，天突。至於次要穴之液門，神門，中衝，可針可不針，亦可愈矣。

4 如症候嚴重，當針金津，玉液出血，又針委中太谿（針後）在靜脉刺出血。

B. 以細竹絲由患者之中衝穴起，量至大陵穴止，斷之，後由病者鼻尖貼肉向上量之，至竹絲之盡處，以一鋒利小刀，劃破頭皮約半寸長，不可劃太深，祇求破皮，出血數滴可愈。

查看百會穴處，如有紅點出現，用烟筒屎敷之效。

D. 在結喉至天突穴之两旁約一寸位置，從上至下柔而揑之，手揑稍重，則有痰吐出，柔揑數次，可不藥而愈。

助治方　梅片一錢，火硝錢半，硼砂一錢，羌蠶二錢，共爲末吹患處。此方除白喉外，通治一切喉痛，並治口舌損爛。

又方　以麝香，牛王各一分，放膏藥上，貼大椎及天突穴效。

又法　含牙痛丸可治扁桃炎及口腔損爛。

又方　用烏魚胆塗患處，可治喉部諸炎症。

預後　約治二三卽愈。

三十三　急性咽炎

原因　因傷風或感寒而起，亦有因消化不良而起。

症候　嚥下咽痛而不舒，咽癢而乾，常欲咯痰咳嗽。其病多延入喉，致聲嘶，或至耳咽管致微聾，頸項强硬，頸部淋巴或腫痛，痛起時畏寒發微熱，脉搏率增加，顎扁桃受累者尤甚，顎懸壅垂有時亦大腫。

主要穴　少商，合谷，尺澤，尺澤下一寸，正中肌肉縫處，天突，委中。

次要穴　中渚，液門，太谿，關衝。

助治穴　廉泉，少衝，間使，然谷，胆俞。

治療法　1　先針合谷，尺澤，尺澤下一寸正中，中渚及液門。

2　再針少商，關衝，用三稜強刺激後再出血。

3　針太谿穴，再在此處之靜脉用三稜針刺出血，（如非嚴重，可不必出血）。

4　最後針天突穴。助治穴中最佳爲廉泉穴。

預　後　佳良，約一至三次可愈。

三十四　急性卡他性喉炎

原　因　因傷風或過用嗓子，或吸入各種刺戟性氣體所致。誤呑極熱之食品，或腐蝕性毒藥，亦足以激起此病。或隨流行性感冒而發。肺炎球菌，流行性感冒桿菌，及卡他球菌爲此病最常見之微生物。

症　候　喉覺癢，吸冷風則痛，乾咳，聲音初則變粗，不久言語亦痛，終則失音。全身狀輕，罕發熱。吞燕則痛，且呼吸困難甚。

治療　同急性咽炎。

助治穴　列缺，關衝。含牙痛丸吞汁效。

預後　佳良、二三次可愈。

三十五　水腫性喉炎

原因　聲門水腫，重要關係，其原因有五：一、繼尋常急性喉炎而起。二、因患梅毒或結核病所致之慢性喉症而起。三、因重炎症如白喉而致。四、患急性傳染病如猩紅熱腸熱，及腎臟炎而致。五、因患水腫而起。

症候　呼吸困難，加重甚速，故不出一二小時卽危殆。呼氣作响若蟬鳴。聲嘶而漸失，診斷時，開口可見會厭之腫，或摸着之，致命者不少。

治療法　1　用三稜針强刺少商並出血。

2　再針委中穴，針後在靜脉刺出血。

3　針太谿穴，針後在靜脉刺出血。

4 用長三稜針向喉部之腫處刺皺處出血。

5 最後針合谷，中渚，尺澤，尺澤下一寸正中及風府，天突。

6 如屬高熱性者，加針中衝，關衝用三稜針出血，或加針金津玉液出血。

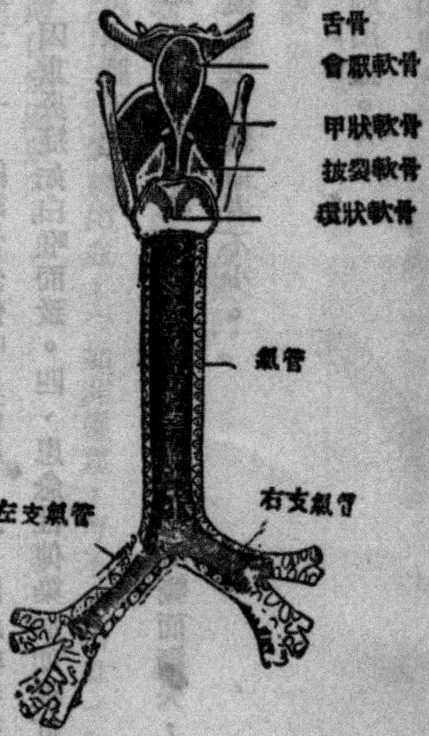

助治方 蜘蛛二隻，用酸梅（去核）包裹之，放瓦上煉存性，研末吹入內即消。

預後 佳良，二三次可愈。

三十六　白喉（狄扶的里）

原因 本病在中國爲一種甚兇劇之病症；病原體爲一八八三年 Loefflen氏純粹培養成功之狄扶的里菌，抵抗力甚強，其侵入門以扁桃腺爲最多，鼻腔咽喉等次之，屢與鏈鎖狀球菌發生合併傳染，本病傳染一次後，僅可得短時間之免疫力。

症候 患者咽喉內之粘膜，皆染有此種白喉桿菌，而成一層灰白色之義膜，罩於其上，其所發之熱度或不甚高，約在一百零二與零三度之間；但其脉搏則甚速，蓋以心臟受此菌之毒素侵害，而致心力猝衰也。在病勢轉重時，往往致吞嚥之肌麻痺，而其所生之義膜亦愈大，故有時因阻塞總氣管而至窒息，氣管枝肺炎，爲此症之併發病，且常爲此症致死之原因。此症之患者，以二歲以上，十歲以下之兒童爲最多。約佔百份之九十，孩童受染後二三日，卽有喉痛發熱，吞嚥難，聲嘶；此時卽應檢查其咽喉，若見該處两旁及腭頂上有灰白色之斑，卽爲此症。如鼻腔被累及常致衄血，通常此症之病期約爲二三星期，此症傳染性極大，甚易傳染他人也。

治療法

1 針合谷，中渚，尺澤，尺澤下一寸正中。

2 針少商，關衝，用三稜針强刺激後再出血。

3 再針大椎，風府。

4 針頰車，天突。

5 最後在金津玉液，以三稜針刺出血，如患者昏迷，用舌夾將舌夾起，將舌反轉刺之。

助治方 一 用蒜頭去衣搗爛，敷陽谿穴，敷至劇痛時當忍耐，待起水泡後方見效。

二 西法：用斑貓（飛虫類，身有彩色者）搗爛，敷病者胸前，待該處起泡，然後吸泡內之膿血，注射血管內可愈。

三 用五棓子末吹患處，數次愈。

四 養陰清肺湯，治白喉最有效：大玄參両半，麥冬八錢。生地一両二錢，川貝四錢，白芍四錢，甘草二錢，薄荷錢半後下，丹皮四錢，水煎服效。

歌曰：養陰清肺玄冬地，川貝草荷芍丹皮。

診斷 顎扁桃炎，或與白喉難辨；雖此則稱爲陷窩性顎扁桃炎，彼則稱爲義膜性顎扁桃炎而其間有似爲中介類者在，陷窩性類則以單獨分別之灰黃塊而間以紅色顎扁桃組織爲一種特殊性狀。至於白喉病，則其義膜一致作灰白色，而無其他色斑雜於其間。另有一要點，白喉病之膜不必以顎扁桃爲限，每慢延至顎弓而達懸壅垂及氣管枝。又白喉之膜苟被揭去，則顯出血潰爛之表面；而陷窩性腭扁桃炎之滲出物則易於揭去，其下不潰爛。

預後　佳良，初起者，治三四次卽愈，症深重者難治。

三十七　喉癰

原因　由過食辛辣燻炙食品，及飲酒等，致令賜胃之熱，上蘊於喉。或脾臟積熱，致成此症。

症候　喉間紅腫而痛，頸上頷下腫脹，甚則作膿潰腐。

主要穴　少商，關衝，合谷，曲池，委中，血海，風池，風府，天突。

次要穴　頰車，承漿，聽會。

助治穴　液門，腕骨，商陽，通里。

治療法　1 先針合谷，曲池。

2 針少商，關衝，用三稜針強刺激及出血。

3 針血海，委中。

4 針風池，風府頰車，天突，若不牽引耳痛可不針聽會。

5 如未潰膿，腫處可用隔薑灸再敷雷佛奴耳水或四生散，如潰膿初用四生散，繼用白藥膏敷患處。

6 不論已潰未潰，如身體不發熱，可直灸兩手曲池各十壯，炷如綠豆，能收速效；若難愈時，可加灸兩足血海各五壯，炷如綠豆，必能收效。

7 又用硼酸水含在口中，每日十餘次。

8 如便秘者，當使服瀉劑，可助減少發作性，且能速愈。

預後 良，未化膿者，二三次愈，已化膿者，當在七八次之間兩便穿者難治。

聲嘶治法

1 針合谷，尺澤。

2 風府，啞門。

3 大椎，大抒，肺俞。

4 針少商出血。

5 針天突。青天葵三錢煎水加白糖服効

呼吸器的解剖

呼吸器是由氣道和肺臟所組成的。

第一項 氣道

氣道是空氣達到肺內的通路，由鼻，咽，喉，氣管，支氣管，小支氣管相連而成

（一）鼻，鼻腔被鼻中隔分開左右两部，後方和咽相通；鼻腔的下部是呼吸器的通路。

（二）咽，咽是口鼻两腔在後方合成的大腔，下部前方和喉相通，後方和食管相通。

（三）喉，喉在頸部前面的正中，有幾個軟骨圍着（參照發聲器），上方通咽，下方

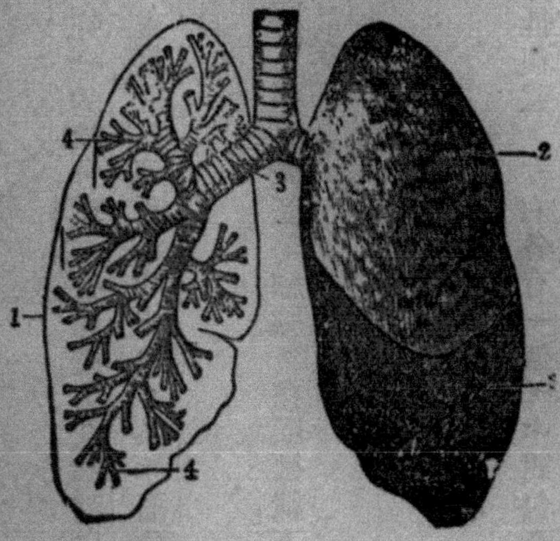

和氣管相連。

（四）氣管，氣管在食管的前方，全部由許多不完全的軟骨環重疊而成，進胸腔以後，就分成左右两支，這叫做支氣管，支氣管達到两邊的肺內，又逐漸分成無數的小支氣管。

喉和氣管內面的粘膜上，有一重上皮細胞遮着，這叫做顫毛細胞，在顯微鏡下能看見許多顫動性的細毛。

第二項 肺臟

肺臟是海綿狀的器管，占胸腔的大部分，彈性很强，左右各有一個，中間包着一個心臟。右肺是由三個肺葉，左肺由两個肺葉合成的，肺的全體是圓錐形，尖端向上，叫肺尖。肺的內面，有個肺門，血管和支氣管都由這個肺門通到肺內。

肺臟內部有無數的肺胞，這肺胞是小支氣管末端的膜質小囊，沒有肌肉，只有許多彈力纖維，所以很有彈性，肺循環的微血管，都在肺胞的周圍繞着。氣管彷彿和樹幹一樣；支氣管和肺胞的關係，就像樹枝和葉一樣。

肺臟的表面和胸壁的內面，都有膈膜遮着，這叫做肺膜或肋膜。肺膜全體算是一個膜囊，在肺門相連續，中間有小量的滑液，所以呼吸的時候，肺臟和胸壁不會互相摩擦，而且肺的運動，也能格外自由。

呼吸器的生理

人體在空氣中吸氧氣排碳酸氣的作用，叫做吸呼作用，呼吸和人體的生活，關係也很密切，若是呼吸停止，生活作用也就隨着停止。

呼吸的時候，使空氣出入肺臟的動作，叫做呼吸運動，肺胞沒有肌肉，自己不能伸縮，但是隨着胸腔容積的增減，生出一種受動的運動，這就是呼吸運動的原理，胸腔擴張的時候，肺臟也隨着擴張，空氣就由氣道流入肺內，這叫做吸氣；胸腔縮的時候，肺臟因自己的彈力，秉受胸壁的壓力，也就縮小，於是肺內的空氣，就由肺胞通過氣道向外界排出，這叫做呼氣，這吸氣和呼氣交互反覆，一生沒有間斷的時候，呼吸運動的目的，就是使肺胞內的空氣和外界的空氣互相交換。

呼吸運動的時候，胸廓的擴張和縮小，是由肋間肌和膈的共同作用而生的。

肋間肌有內外两層，內肋間肌收縮起來，能牽下肋骨，縮小胸腔；外肋間肌收縮起來，能舉上肋骨，擴張胸腔。

膈是隔斷胸腹两腔的肌質板，中央部有白色的腱，這中央部平時向上方凸起，周圍的肌肉收縮的時候，中央部就低下去，於是胸腔也就擴張起來。

以肋間肌的動作爲主的呼吸運動，叫做胸式呼吸，這時候胸部前壁的進退，特別顯著，普通的呼吸是這两種混合式的；但是女子的呼吸，以胸式爲主；男子的呼吸，却是腹式多些。

呼吸的回數，在安靜狀態的成人，普通一分鐘平均十八回，這和脉搏略有一定的關係，就是：呼吸一對脉搏四的比例。

普通呼吸的時候，出入肺臟的空氣量，大約有五百立方糎的空氣，若是儘量行深呼吸以後，成年男子平均每回可以呼出三千立方糎的空氣。這氣量叫做肺活量，測定這肺活量，可用活量計。肺活量和身長的比例，也可作爲判定體質強弱的一個標準。

呼吸運動的變態，有許多種，噦噫是一種急促的吸氣，因膈的痙攣而生。鼾聲是睡眠時一呼一吸軟腭振動所發的短吸氣，噴嚏是鼻粘膜受刺戟時所發的聲音，咳嗽是氣道粘膜受刺戟時所發的聲音，欠伸是一種深呼吸，多半是肺內積聚多許不潔氣體的時候纔發生的，笑是緊張的聲帶所發的一種短促呼氣，啼泣是一種經過聲門的短促的深吸氣和延長的呼氣，太息是深吸氣後連帶短促呼氣的呼吸運動。

呼吸和循環的關係

組織由微血管的血液中吸取所需的氧，同時又將自己所含的碳酸氣排到血內，於是血液就成爲靜脈血，這靜脈血由右心室經過肺動脈流到肺胞壁的微血管內，將所含的碳酸氣放出，同時將肺胞內空氣中的氧吸收進去，於是靜脈血就一變成爲動脈血，經過肺靜脈流到左心房內，簡單說起來，就是：靜脈血通過肺臟就變成動脈血；而動脈血通過組織，就變成靜脈血。所以肺臟的吸氣呼氣，成分上大有不同，通常呼氣比吸氣少含氧而多含炭酸氣；這呼氣中炭酸氣的量比吸氣多至一百倍以上，並且飽和着水蒸氣，由這種氣體交換，可見肺臟（就是呼吸和循環）的中間很有密切的關係；由循環的現象說來，也不妨認肺臟做一種循環器。

呼吸器的衛生

人體連續呼吸的時候，空氣中的氧逐漸減少，炭酸氣就逐漸加增。若是始終不換空氣，那空氣的性質就要愈變愈壞。那燃燒薪炭的地方和聚集衆人的室內，空氣自然更壞。

在這種不良的空氣中，一定要發頭痛眩暈，或是嘔吐，所以換氣很是緊要。

血液中的炭酸氣若是含量過多，呼吸就要困難，甚至氣絕而死，這叫做窒息，那溺死和縊死的原因也都是窒息。若是心臟還未完全停止，就叫做假死，趕緊行人工呼吸法或者還可救活。

城市的空氣中，含許多鑛物性成分和病毒，最碍衛生，地上隨意吐痰，不但不道德，並且很碍衛生；因爲痰內往往含有病毒（如結核菌等類），若在空中飛散起來，就要傳染到大家的肺裏去。

吸氣時應該用鼻，不可用口，剪剃鼻毛，很不合理。

能行適當的運動，並且注意身體的姿勢，時常到郊外呼吸新鮮空氣最是與肺有益。

呼吸器的疾病

感冒的時候，鼻，咽，喉，氣管各部，都發生粘膜炎，所以有鼻涕和痰。每早行適當的冷水浴或冷水摩擦，可以强健皮膚，增加身體的抵抗力，是積極的感冒豫防法，已經感冒，就要早醫，免得引起其他疾病（如肺炎等）。

呼吸器的疾病中，急性的肺炎和慢性的肺癆都很危險，此外喉痧也是很猛烈的傳染病，患者多半是兒童；用血清注射，最有效力。

三十八　急性枝氣管炎（傷風咳）

原因　此病爲一種急性傳染，有時或爲流行病，此病多因受寒而起，其發端爲鼻卡他，後蔓延至氣道。流行之期，多在春初秋暮，寒暖不均之際。

症候　初起時常兼尋常傷風之狀，此病延至氣管及喉時，多作沙聲，精神抑鬱而疲倦，骨及腰背痠痛。輕者罕發熱，重者熱度高至三十八至三十九度半，胸骨覺緊而痛。咳嗽初作粗响，間陣突發，困苦難堪，咳甚時，胸骨下及膈附近處均極痛。

治療法

始則乾咳，痰少而膠粘，越數日，痰變粘液膿且多，終則爲膿性痰。

主要穴　風池，大椎，風門，肺兪。

次要穴　合谷，列缺，太淵，豐隆。

助治穴　廉泉，乳根，身柱，大杼，隔兪，膏肓兪，天突，尺澤，委中。

治療法　1 先針合谷，列缺。

2 針風池大椎風門，肺兪，如不發熱可用間接灸。

3 如胸痛加針太淵。

4 如喉癢加針天突，尺澤。

5 痰多加針豐隆。

6 發熱加針曲池，委中。

7 乾咳加針少商出血。

8 鼻塞加針迎香，鼻眼。

助治方　久咳或乾咳或百日咳，用生草藥『蚌花』煲紅棗食特效。

又方　乾用枇杷葉三錢，蜜棗七粒，青殼鴨蛋一隻，用三碗水同煎，鴨蛋熟後，將殼剝去，再放同同煎至一碗水，服數次甚效。

又方 百日咳用禾蝦十餘隻，水煎服，數次可愈。

預後 輕症約三次，重症約七次可愈。

三十九 加答兒性肺炎

本病通常侵入肺之小葉，於小葉內貯留液性滲出物，致防瓦斯之交換。本病大抵爲氣管枝加答兒之續發，而腥紅熱，爛喉痧等之急性傳染病爲本病之誘因，多發於小兒及老人。

症候 其症候不一致，屢以突然高熱，咳嗽，嘔吐，食欲不振，脈搏頻數，呼吸廹促，手足厥冷，肌肉青藍等而發病。主徵約有以下各項：

（一）咳嗽爲主要症候，間有呈百日咳樣咳嗽者。

（二）發熱，一般爲弛張熱，朝低夕高，亦有呈稽留熱者。

（三）呼吸頻數，有時呈鼻翼呼吸。小兒呼吸每分鐘有超過九十次者。

（四）肌肉青紫色，脈搏頻數。

（五）胃腸障碍，食欲減退，有舌苔，排消化不良性大便，乳兒常合併吐乳。

診　斷　體温急速上升，呼吸廹促，脉搏頻數，咳嗽不已，痰量不多，爲粘液膿性，便須想到本病。

主要穴　大椎，陶道，風門，肺俞，尺澤。

次要穴　合谷，列缺，太淵，曲池，委中，少商，膈俞。

助治穴　膏肓，豐隆，手五里。

治療法　1　先針合谷，列缺，太淵，尺澤，曲池。

2　再針大椎，陶道，風門，肺俞，膈俞，又針委中。

3　最後針少商出血。如痰多可加針豐隆。

預　後　初起時，極易愈，危重者難治，次數難決定。

四十　肺結核（肺癆）

病原體有一八八二年 Koch 氏發現之結核菌，多爲點滴傳染，其感染誘因爲以下諸原因：

一　患者體格多爲癆瘵質。

二　年齡多見十八歲至三十歲者。

三　外界關係，如缺乏新鮮空氣及日光，或食物養料缺乏等。

四　使身體抵抗力減弱諸原因：如貧血，糖尿病，妊娠，分娩，憂愁。

五　肺及肋膜諸疾患所引起。

六　胸部外傷，及因房事由外部傳染者。

七　如初生兒發現有肺結核者，是由子宮內之傳染，蓋患者之輸精管內往往發現結核菌；在女子又能由胎盤移行於胎兒也。（此種患者俗名童子傷。）

八　其他衣服寢具飲食器等均能傳染。

病理解剖

結核菌竄入肺組織內，乃起炎症組織細胞，上皮細胞，繁殖堆積，生成一小硬固結節，此卽所謂結核也。初如粟粒大，成半透明，繼乃漸漸增大，變爲黃色不透明之硬核。結節中無血管，故結核內部，血液無由供給，營養缺乏，是以結節易於壞死，成一種黃色乾酪狀物，此名乾酪變性；久則軟化而爲粥狀，軟化後，與痰唾同排出於外，於是中部成空隙，此名空洞。空洞之大小，或大如碗豆，或大如胡桃，空洞內壁，分泌多量膿液，爲結核發育增殖之材料。

症候

一 初發症狀。以消化障碍，貧血，發潮熱而發病，亦偶有咯血者。經過徐緩，易被忽略，注意檢查，可知患者日漸消瘦脫力。

二 體格。多呈癆瘵質，身體細長肌肉消瘦，皮下脂肪缺乏，呈乾枯狀，顏面蒼白，皮下血管易於興奮，頰部限局性潮紅，眼流利，頸細長。

三 胸部所見。視診，屢呈胸部麻痺。肩胛骨內緣與胸廓背面著明離開，頗似鳥翼狀。

胸廓呼吸運動減少。左右側胸廓比較，患側狹而瘦，呼吸運動減弱。

四 呼吸困難，（氣喘）不甚著明，如合併肋膜炎則頗重篤。

五 疼痛。因肺臟無感覺，故其深部雖已發生炎症，或已形成空洞時，亦可無痛感，但淺在性病灶侵入肋膜時，則發疼痛。

六 咳嗽。爲本病主徵，但亦有甚輕微或竟缺如者。

七 痰。痰量甚不一致，有空洞時其量最多。

八 咯血。輕微咯血，無關重要，大咯血時，可發生窒息而死。

九 發熱。結核患者於經過中不發熱者極少。初期經過良好者，午前體温正常，午後則輕度上昇，約三十七度二三分至三十八度，是謂低熱狀態（卽初期）。經過極速，如肺癆末期，患者則呈消耗熱，卽午前爲常温，午後則可上升三十九至四十度。每日體温之差，可達三四度之多。（此卽嚴重期，近於末期矣。）此外亦有呈逆型者，卽午前高午後低之謂。凡病機完全停止進行或慢性者，概不發熱，如病機進行徐緩者，則有微熱。凡呈消耗熱者，概爲不良之徵。

十 脉搏。多呈速脉。

十一 盜汗。卽夜間出汗。

十二 皮膚。呈汚穢灰白色，及乾枯脫皮，頰部有限局性潮紅。

十三 浮腫。多見於末期，尤以併發下痢之患者更爲顯著，此爲死期將至之症，無可救治矣。

十四 羸瘦，患者肌肉脂肪多萎縮，此蓋由於結核菌毒素之吸收及食慾不振之結果也。

主要穴 大椎，風門，肺兪，膏肓兪，心兪。

次要穴　合谷，列缺，太淵，尺澤，豐隆，天突，肝俞。

助治穴　陶道，身柱，腎俞，湧泉，足三里，中府，腰眼，命門。

說　明　當施針灸術之前，每日必須探熱及數脉搏，如脉搏日呈緩慢，熱度日呈降低；乃屬好現象，雖外表上各種現象未減，但由脉及熱度之好轉，可知病機已好轉矣。在施術時，醫者當戴口罩。

治療法　1　初期治療當先針合谷，列缺，尺澤。

2　再針大椎，風門，肺俞；針後用隔薑灸。

3　如喉癢加針天突。

4　如痰多加針豐隆，入二寸至三寸，看足之大小而行之。

5　如咯血咳血加針肝俞。

6　如盜汗加針陰郄，復溜，如難止時，用直接灸法各三壯炷如綠豆。

7　如胃不思食，加針內關，足三里，中脘，針後加隔薑灸。

8　如氣喘，可針氣海，灸亶中，用隔羌灸法，一壯；或直接灸七壯。

9 如潮熱難退當加針湧泉，足三里及命門。

10 如咳甚者，加針陶道，身柱，乳根。

11 如胸部不舒，可針，太淵，中府，乳根，期門。

12 以上治療法，連針一星期至十日間，如熱度已降至近平温時，可用直接灸法；先灸大椎，再灸風門，又灸肺俞，各連續三日，各灸五壯，炷如綠豆。如患者能耐痛苦，於九日後。大椎，風門，肺俞，當一齊用直接灸法，三穴同時各灸三壯，炷如綠豆。又連灸五日或七日。

13 當大椎，風門，肺俞三穴，均經直接灸而有未愈之灸瘡時，仍須每日施針，當施針時，宜用食指把皮膚拉開，用中指作押手刺針，刺畢放開食指時，灸痕自復原位。

14 灸畢以上各穴時，如病仍未愈，當灸心俞五壯，炷如綠豆，連續五日。

15 又灸膏肓七壯，足三里三壯，炷如紅豆，連續十日。

16 如腎虧者，當直灸腎俞五壯，炷如紅豆，連續五至七日或十日。或繼續灸腰眼穴十壯，炷如紅豆，連續七至十日。

助治方 獨蒜四十九枚，每日煑食一枚。又備大蒜若干，每日煑數棵於鍋內，煑時俯首張口，吸入蒸氣，約半小時。

又方 日用金魚两尾，每尾約身長二寸，（生時切勿損其目損其目則不效），去其鱗及臟腑，瓦盅載之，（瓦盅須日換新者），加醇酒两半，燉四十分鐘，食其肉，飲其酒；輕者十次，重者十五次，必愈，此方得之於一羅浮山道士云。

說明 少壯者之急性肺癆，萬不可輒用直接灸法，當用間接灸，如温灸器或隔薑灸等。如老年及中年之慢性肺癆，雖潮熱未低落，仍可用直接灸法。

預後 本病如能及早發覺，可以完全治愈。一般與年齡體力有關；少壯者染此，多屬急性而難治，年老者染此，多屬慢性而危險性較少，此外與貧富，性格，消化狀態，皆有關係。富而不須勞作及不需憂慮經濟之來源，性格温柔，消化力足者皆易治；反之則難治。不發熱者，爲病機停止進行之徵，輕微發熱，爲病機進行徐緩之徵；高熱爲進行急速之徵。併發咽頭喉頭炎及腸結核者，預後比較不良；併發肋膜炎及氣胸者，預後不良。治療次數，初期約需三十次以外，二期者當在二月至三月之間，三期者，僅可助其生命之加長，不能保證必愈。

四十一　肺水腫　（肺積水）

原因　本症因肺組織內血管，漏出多量漿液而起，此水腫液，始則充於肺胞，繼則達於氣管枝內而排出於外。本症爲種種疾患之瀕死症狀，然亦有因肺水腫而致危險者，如急性肺炎之死於肺水腫是也。本症又爲腎臟炎之重篤合併症。

症候　病起驟突，胸感不適且痛，呼吸不久卽困難。急咳不止，涎沫狀痰甚多。面色靑白，冷汗滿臉，脉搏及心動皆微弱。胸之全部顯鳥鳴或水泡鳴，或在數小時內卽致命。或纏綿十二小時至二十四小時之久漸退去。亦有變爲慢性者，纏綿不愈。

診斷　高度胸內苦悶，呼吸困難，顏面蒼白，突於夜間發生高度困難者，槪須想到本病。

治療法　1　針合谷，列缺，太淵。

2　再針大椎，風門，肺俞，腎俞。

3　針中府，關元，陰陵泉。

4　胸椎骨範圍內，如發覺有紅黑瘀點處，當刺破出血。急性有熱者當針，慢性者背部經穴當灸之。

預後　本症頗危，往往因呼吸困難，脉搏由細小而漸微，患者陷於昏曚，致窒息而死。如預能及早用針灸治療，可以治愈，約治二十次左右。

四十二　咯血　（肺出血）

原因　一　少壯者之咯血，其患或突起，數日後止而無恙，無肺病之徵者甚多。

二　因肺結核而起。

三　因肺炎或其他肺病而起。

四　因心病而起。

五　因喉及氣管等潰爛而起。

六　爲動脉瘤穿破所致。

七　婦人因閉經而起。

主要穴　肝俞，尺澤，大椎，風門，肺俞。

次要穴　合谷，列缺，太淵，足三里。

助治穴　天突，膏肓。

治療法 1 先針合谷，列缺，尺澤。
2 再針足三里。
3 針大椎，風門，肺俞。
4 最後針肝俞，用輕針法，留針數秒鐘。
5 如胸翳加針太淵。
6 如喉癢加針天突。
7 如覺背肌疲倦或牽緊加針膏肓俞，此症不用艾灸法。

助治方 鹹藕節煎水服，或生藕磨汁服，均有奇效。又白芨三両煎汁服亦效。

預後 輕症一二次卽愈，如危重者嘗在七至十次之間可治愈。

四十三 氣管枝喘息 （哮喘俗名牽蝦）

原因 本病卽痙攣性呼吸之發作呼吸極爲困難。本病最要原因，爲對外物質之過敏性，此種物質或隨空氣吸入，或隨食物藥物由口侵入，生存於氣道中。

症候　多於夜間突然發作，呼吸困難（氣喘），不能安臥，多取坐位及俯伏案前以度終宵，呼吸肌呈青紫色。汗分泌極多，脉搏頻數且小。發作頻度，因人而異，於發作間隔期或毫無症狀。長期發作可引起肺氣腫及右心室肥大。

治療法　1　先針合谷，列缺。

2　針大椎，風門，肺俞，針後用隔薑灸至皮膚紅色為止。

3　針天突入寸半。

4　在豐隆穴入二三寸，停針半小時而後出針，喘當全止。

5　直灸靈台穴七壯，炷如綠豆。

6　痰多加針尺澤。

7　心弱喘加針第四五頸椎之下旁開一寸，直灸亶中穴七壯，炷如綠豆。

8　腎弱喘加直灸腎俞，關元各五壯，炷如綠豆。

9　脾胃弱，當加直灸脾俞，中脘，足三里各五壯，炷如綠豆。

10　如呼吸時，喉中有响聲者，當直灸天突五壯，炷如綠豆。

11 肺虛寒者，治療數日後，當直灸大椎，風門，肺俞各五壯，炷如綠豆。繼續四五日。

12 肝喘灸期門。

助治穴 期門，巨骨，廉泉，至陽，鳩尾，氣海，靈台。

助治方 用活青蛙一隻，口內塞滿白胡椒用線縫好，以鐵線扎實手足；再用山泥和水搓勻，將蛙包裹好，以炭火燒透至烟盡爲止，取出青蛙，研爲細末，每服一錢，酒送下，服數次愈。

又方 哮喘丸：以麻黃三錢，付子三錢，煆白砒五分，淡豆豉一兩，共爲細末，以米糊爲丸，如綠豆大，每服七丸，小兒十歲以下減半，空肚用熱開水送下，一服見功，多服自能根治。

又方 用麻黃一兩，曼陀羅花一兩，生甘草一兩共研爲粗末，加火硝少許拌勻，取少許於碟中，取火燃之，用鼻吸其烟，喘息卽平。或用上藥搓成香烟狀（不必加硝）喘息發作時燃吸幾口，效果更佳。

又方 實性哮喘，用水瓜煲鷄，煲老火食之有效。

又方　用白芥子三両，輕粉三錢，白芷三錢研末，蜂蜜調和作餅，烘熱，貼第三胸椎上，次日更換，連貼數天。

預後　藥物治療，只可奏效於一時，針灸治療，可以根治。輕症約七次，重症約需二十至三十次可愈。

說明　本症與天氣和食物絕對有關。凡秋冬發作，春夏不發作者易治，四季發作者難治。食寒涼生冷食物即發作，食溫熱食品安然無恙者易治。食溫熱食品發作，食寒涼食品不發作者難治。發作時面蒼白者易治，面紅者難治。

心臟的生理解剖

第一項 心臟

心臟是圓錐形的肌肉囊，和拳頭一樣大，在胸腔中央的左邊；心的尖端，向左下方。

心臟外面，有薄膜包着，這叫做心囊。

心臟的內腔，直隔左右两部分，又横隔上下两部分：在上的部分叫做心房；在下的部分，叫做心室。所以心臟可以分做左心房，右心房，左心室，右心室四個內腔。心室的肌肉比心房厚；左心室的壁，比右心室的壁更厚。

左右心房和心室的境界上，都各有瓣膜；左右心室和動脈根部的境界上，也都有瓣膜。前者就叫做房室瓣；後者叫做半月瓣。

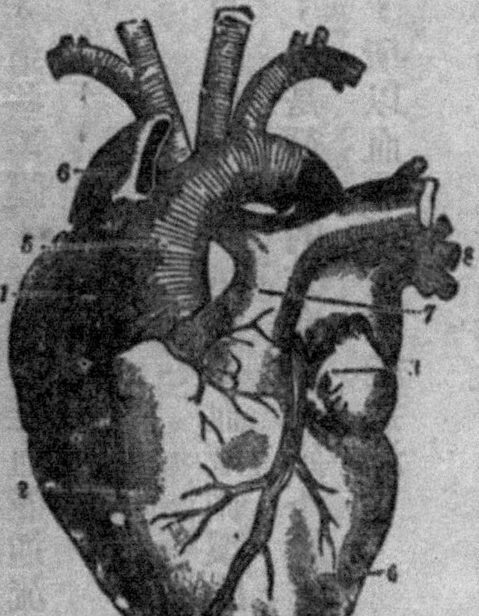

心臟

1.右心房　2.右心室　3.左心房
4.左心室　5.大動脈　6.大靜脈
7.肺動脈　8.肺靜脈

左邊的房室瓣，叫做僧帽瓣；右邊的叫做三尖瓣；尖端都向着心室。半月瓣有三個，形狀和衣袋相似，邊緣向動脈管內遊離着。這些瓣膜，都是防止血液逆流的機關。

第一項　心臟的動作

心臟的左右心房和心室，交互着營自動的縮張；這就是血液循環的原動力。

血液的循環，雖是心臟壓力的作用；但是循環的方向能一定不變，却全仗着瓣膜阻止血液逆流的功效；况且靜脈管內也有瓣膜，所以血液更是不能逆流。

第二項　心搏和脈搏

心臟因肌肉連續縮張，所以跳動不止，這叫做心搏。這種鼓動，在左乳內下方的胸壁上可以看見，也可以觸知。此外心臟每鼓動一次，都發一種特別的聲音，將耳朵貼在胸壁上可以聽見，這叫做心音。

心臟每搏動一次，都壓送一定量的血液到動脈內，於是動脈就生一個脈波，用指頭按着動脈，都可以感覺這脈波的起伏，這叫做脈搏。心搏的數，一分時有七十二次左右；脈搏的數，也是一樣。

循環器的衛生

全身的肌肉若能發達，那心臟和血管的肌肉也就發達起來；所以强健心臟的方法，最好是平時有適當的運動。按摩沐浴，都能促進血液的循環。過量的煙酒，能損傷心臟，並且能使血管硬化，成爲卒中的原因。

四十四　神經性心悸亢進（心房急跳）

原因　從精神過勞，歇斯的里神經恐怖症，房事過度而來，又有來自心臟瓣膜障碍者，其他貧血家神經性之體，來襲者居多。

症候　本病爲心臟一器質之變化，其器能亢進，能自覺心悸之頻數，胸部發窘迫，呼吸不利，有不快之感。尤每因輕微之運動，及精神之興奮，卽心悸亢進。脉搏多充實而頻數，時時不整。又患者覺太苦悶時，呈顏面蒼白，或潮紅。發作的持續，短則四五分鐘，永則一二時間，諸症全消。

主要穴　神門，通里，內關，間使，神道，膻中。

次要穴　大椎，天柱，風池，心俞。

助治穴　陰郄，鳩尾，少衝，八髎，腎俞，三焦俞，獨陰，湧泉。

治療法　1 先針內關，間使，通里，神門。

2 針風池，天柱，大椎，心俞，全用輕針手術。

3 最後灸神道五壯，繼灸亶中七壯，炷如綠豆。

預後　輕症約治五次，慢性及重症當治十餘次可愈。

四十五　狹心症　（眞心痛或心絞痛）

定義　此病之特狀係胸部發陣發性痛，心臟部苦悶，壓迫感及絞痛。

原因　多由於冠狀動脈硬化，其口徑著明縮小。偶有由於心肌發炎，心囊發炎者。凡一切能增强心臟動作之動機，皆可作爲本病誘因，梅毒亦爲原因之一，患者多爲上等社會，生活裕餘之人。多在四十至七十歲之間，男多於女。

症候　分眞性，神經性，血管運動性狹心症三種：

眞性狹心症　多見於老年，於發作前有壓迫感，發汗，苦悶等前驅症狀；或突然發病爲劇烈不可忍受之胸骨後面疼痛。自覺頻於危殆，發作時偶有成氣絕，顏貌茋羸四肢厥冷，冷汗等。

神經性狹心症　多見於青年，苦悶症與前者相似，但一般無前者之劇烈。

血管運動性狹心症　易見於身體寒冷時，四肢蒼白厥冷，感覺缺如，苦悶殊甚。

心痛病死者之狀况有三類：

一、其死也驟突，且係單純之心痛所致。病人未死前，生活功能之停頓，急轉直下，一發不可收拾，並始終併發氣喘。

二、因連續發作，致心漸弱而成眞性心痛而死。

三、因心機能漸衰，兼患呼吸困難而死。

主要穴　神門，靈道，內關，間使，神道，獨陰，巨闕。

次要穴　少府，陰郄，心俞，忍白，足三里。

助治穴　豐隆，經渠，太衝，公孫。

治療法　1 先針內關，間使，陰郄，神門，靈道及少府。

2 針忍白，足三里及心俞。

3 直灸間使（輕症）七壯，（重症）十四壯，炷如綠豆。如嚴重者，即日同時直灸獨陰七壯，炷如米粒，不嚴重者，留待次日再灸之。

4 直灸巨厥，神道各五壯，炷如綠豆，亦甚有效，當看患者之情形而决定或同時用，或他日用，或不必用。

急治法 如於危急發作時，只針神門及間使，靈道，針後卽直灸間使十四壯，炷如紅豆，又灸獨陰七壯，炷如綠豆。

預後 針灸治療可以治愈，約五至七次可愈。年久或慢性者當需十餘次至三十餘次。

四十六 肋間神經痛（胸脇痛）

原因 肋骨疾病，脊椎疾病，大動脈瘤，脊髓痨，脊髓膜炎，脊髓神經炎等，都足爲其原因。又肝氣易動，常易發怒者，亦易患此症。

症候 疼痛現於肋間神經之路徑，故作半圓，久之，多數神經，間或同被侵及，均有背點胸點，側點之痛點可證。疼痛甚劇，因呼吸咳嗽而益甚，多發生在左側第五至第九肋間神經。疾病初期，皮膚知覺鈍麻，其後知覺忘失；然亦有不然者。

主要穴 陽陵泉，支溝，期門，乳根。

次要穴 內關，少府，肩井，天應。

助治穴　肺俞，肝俞，大陵，勞宮，少海，少衝，腕骨，公孫，曲泉，缺盆，章門，中府。

治療法　1　針支溝。陽陵泉。

2　針期門。輕症當即全愈。

3　如乳下部仍有痛時，可加針乳根。如仍有零星散碎之痛點時，可針痛點（天應）。

4　如牽引背之上部痛，加針肺俞。

5　如牽引背之中部痛，加針肝俞，

6　如乳上部痛者，可針膺窗或缺盆，或中府。

7　如季肋部痛，針章門。

8　如屬虛寒性者，針後仍未止痛，可加間接灸期門或任何痛點，如間接灸仍不止痛，可用直接灸。

9　如屬烈性者，用過以上針法（不是灸法）仍未愈者，先觸患者之左寸（心）脉如强者，秉素無心病如心跳心痛者，可針患側之肩井，入寸半，使感應直達胸前，病可治愈。再加針少府穴。

預後　一二三次可愈。

消化器的生理解剖

消化器是營消化作用的各器官的總稱，在解剖學上可以分做兩大部分，就是消化管和附屬的消化腺。

消化管是一條長管，從口腔直到肛門，可以分做口腔，咽，食管，胃，腸五部分。全管的長，約有身長的五六倍，就是三丈左右，大部分在腹腔內，人的飲食物，都在這消化管內消化吸收，而飲食物的渣滓也從這管內排泄出去。

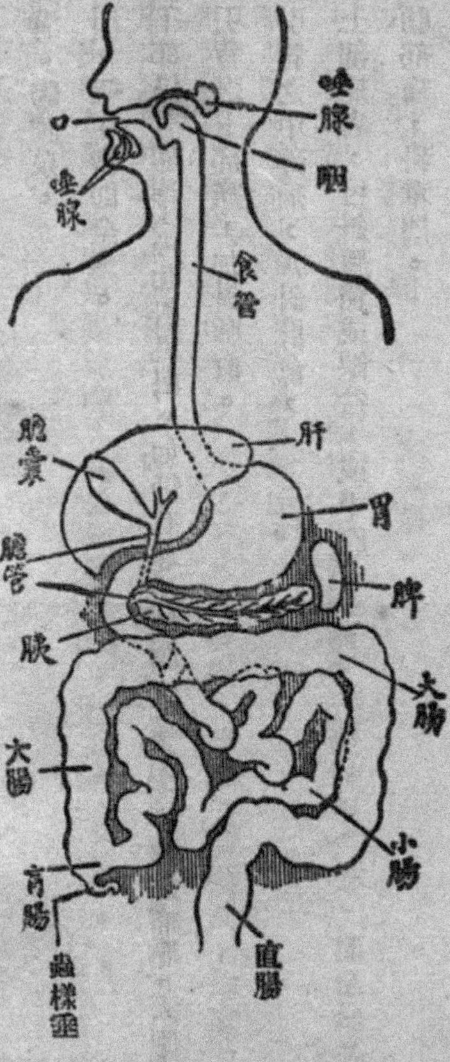

消化管及消化腺

消化管的粗細，雖是各部分互有不同，而構造却都是由外中內三層組成的。外層是漿液膜；中層是肌肉；內層是粘膜。這粘膜能分泌消化液和粘液。

消化腺是分泌各種特別消化液的器官。有些在消化管的粘膜內；有些在消化管的附近。這些腺的分泌物，或是直接，或是間接（由導管）輸送到消化管的一定部位。屬於前項的是胃腺和腸腺；屬於後項的是唾腺，肝腺和胰腺。

第一項　消化管

（一）口腔：口腔是消化管最上部的腔洞，在上下两頜骨的中間。有上下两唇做門戶，两頰在左右壁，頰的內側，又有上下两列的齒，嵌在上下頜骨內，做口腔的第二重門戶。此外下面有舌，上面有腭，前半截叫做硬腭，有骨板；後半截叫做軟腭，完全是肌肉質。軟腭後部的两傍，各有扁桃腺一個，軟腭後緣的正中央，有一個下垂的肉片，叫做懸壅垂。口腔的後方和食管交通的部分，就是咽。

舌：舌在口腔底部，全部都由肌肉構成，舌的肌肉有前後走，左右走，和上下走的三種纖維，所以能够自由運動。當咀嚼或吞嚥食物的時候，舌能將食物望適當的方向運送，並且舌和言語也很有關係，舌的表面有粘膜遮着；粘膜中間有許多的小突起，叫做乳頭，其中有味覺器官，能感覺各種的味。

（二）咽：在口腔的後部，前上方通口腔，上方通鼻腔，前下方通喉，下方像漏斗一樣，和食管相連。

（三）食管：食管是一條長管，上端和咽相連，下端和胃相續，全管通過胸腔，穿膈而下。

（四）胃：胃是一個囊形的器官，在消化管中算是最膨大的部分，空虛和飽滿的時候，形狀大小略有不同。胃的位置，在腹腔的上部略偏左邊。上端和食管相連的部分，叫做賁門，下端和小腸相連的部分，叫做幽門；這賁門和幽門中間的大部分，通稱胃體。幽門部有輪狀的肌肉，叫做幽門括的肌，專管胃的開閉。胃壁內有縱橫斜三種的肌肉纖維，胃的內面有粘膜；粘膜面有許多的皺襞，並且藏着無數的胃腺。

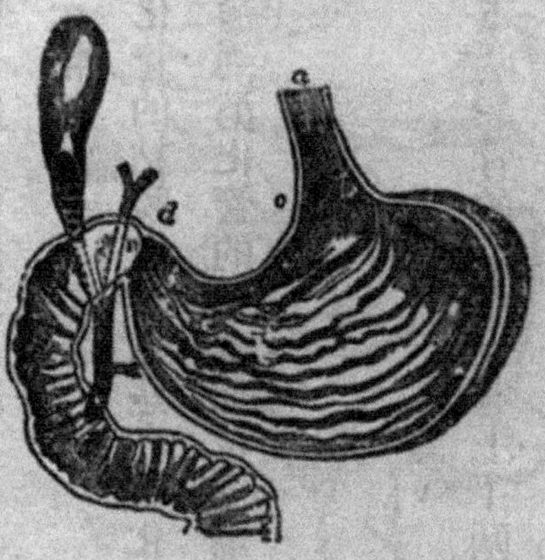

胃和十二指腸

a.食管　b.胃體　c.賁門

d.幽門　e.十二指腸

（五）腸：腸分爲小腸和大腸兩大部分。

（1）小腸：小腸是腸管的主要部分，居胃的次位，全體蜿蜒紆曲，管徑不過一寸，長約二丈左右，可以分做上中下三段，就是：十二指腸，空腸和迴腸。

十二指腸是小腸的最上段，彎曲成馬蹄狀，或匚字狀。上端和胃的幽門相連續。全長和十二個手指的橫徑相等，所以如此命名。胆管和胰管，都在這腸內開口。空腸居十二指腸的次位。迴腸是小腸的下段，居空腸的次位，這空腸迴腸，實在居小腸的大部分，同時屈折盤旋，也就占了腹腔的大部分。

小腸粘膜，有許多皺襞。粘膜的全表面上，密生無數微細的小突起物，叫做腸絨毛，所以小腸的內面彷彿像天鵝絨一樣。這些絨毛的內部有乳糜管和微血管，中間還有多數的小腸腺。

（2）大腸：大腸是連在小腸下端的腸管，比小腸粗而且短，也可分做上中下三段，就是：盲腸，結腸，和直腸。

盲腸，是大腸的上段，和小腸的迴腸下端相連續；兩者的境界上閉塞，成個盲

盲腸部的縱剖面

1.迴腸　2.迴盲瓣
3.迴腸開口部
4.蟲樣垂
5.蟲樣垂的開口部
6.結腸

囊，所以如此命名；但是下端還垂着一條細小的附屬物，這叫做蟲樣垂，形狀如蚯蚓一樣，長短不一定。蟲樣垂在人體上是個無用的器官，往往容易惹起危險的蟲樣垂炎和盲腸炎。結腸是大腸的中段，同時是大腸中頂長的部分，居盲腸的次位，彎曲成穹窿狀或冂字形，在許多小腸的周圍環繞着。直腸是大腸的末段，上端和結腸相連，下端就是大腸的末端，也就是全消化管的末端，叫做肛門。這部分有肛門括的肌，專管肛門的開閉。

大腸的構造和小腸不同，內面沒有橫皺襞和腸絨毛。

第二項　消化腺

（一）唾腺：這是分泌唾液的腺，有腮腺，下頜腺和舌下腺三種，每種各有一對。腮腺算是最大的腺，這腺的導管在頰粘膜上開口。下頜腺和舌下腺的導管，末端合在一處，都在舌下的口腔底部開口。

（二）胃腺：胃腺是胃粘膜內的許多小腺，都是由特別的細胞構成的。這胃腺所分泌的消化液，就是胃液。

（三）腸腺：腸的粘膜內有幾種細小的腸腺。這腸腺所分泌的消化液就是腸液。

（四）肝：肝是人體中最大的腺，在膈的下面，大半偏在右邊，全體呈赤褐色。肝的下面，附屬一個小囊，就是胆囊，這胆囊內貯藏肝的分泌物，就是胆汁，胆囊的導管，叫做輸胆總管，在十二指腸內開口。空腹的時候，胆汁由肝臟流聚在胆囊內；行消化作用的時候，就由輸胆總管流入腸內。

（五）胰腺：胰腺是一條扁長形的消化腺，水平的橫在胃的下面，一部分被十二指腸圍繞着。所分泌的消化液，叫做胰液，由導管輸送到十二指腸內。這導管的末端，和輸胆總管的開口部合在一處。

（附）腹膜，腸間膜及大網膜。

腹腔的內面有漿液膜遮住，這叫做腹膜，腹膜的一部分，翻轉包着內臟，使各器官保持一定的位置，這叫做腸間膜。此外腹部內臟的前面，另有一層圍裙狀的薄膜遮住，含有許多的脂肪，這叫做大網膜。

消化器的生理

人體和蒸汽機關相似。蒸汽機關要有煤炭纔能運動；人體要有食物纔能生活。人體內攝取食物的機關，就是消化管；而消化管的任務，就是消化食物，吸取養分，然後排泄廢物。

消化是消化液和食物相混和使食物變形而便於吸收的作用。

第一項　消化液

消化液是唾液，胃液，胰液，胆汁和腸液的總稱。消化作用是由消化液中所含的種種酵素而生的。

（一）唾液：這是前述的三對唾腺的分泌物，大部分由水而成，帶弱鹼性，其中含有少量的酵素，叫做唾液素。這唾液能使食物中的一部分澱粉變成葡萄糖。細嚼食物以後，覺有一種甜味，這就是澱粉糖化的證據。

（二）胃液：這是胃腺所分泌的消化液，其中的主要成分，除鹽酸外，還有一種酵素，胃液的主要作用，是在消化蛋白質。胃液素在酸性溶液中纔能作用，所以胃液中必須含有適量的鹽酸；兩者共同作用的結果，蛋白質就變成容易吸收的配布通。

（三）胰液：這胰液的性狀，和唾液相似，有鹼性的反應，其中含有三種酵素，能消化種種食物，作用很强，在消化液中很是重要，胰澱粉酵紊有類似唾液素的作用，能使澱紛變成葡萄糖。胰蛋白酵素作用和胃液素相似，能消化蛋白質；但是胃液素只在酸性液中有消化作用，並且只能使蛋白質變成配布通；這胰蛋白酵素却無論在酸性或鹼性液中，都有消化作用，而在鹼性液中，作用更强，並且能使蛋白質變成更簡單的化合物。胰脂肪酵素能使脂肪分解，變成甘油和遊離脂肪酸。

（四）胆汁：胆汁是肝的分泌物，味極苦，色帶黃綠，有鹼性的反應，平時貯蓄在胆囊內，消化食物的時候，就流入十二指腸。胆汁中不含消化酵素，不能直接消化食物；但是能促進胰液對於脂肪和蛋白質的消化，所以也算是一種補助消化液。

（五）腸液：腸液是强鹼性的消化液，性質和胃液不同，和胰液相似；其中含有各種酵素。腸液得胰液胆汁的共同作用，能分解糖類消化蛋白質。

第二項　消化液和精神作用的關係

唾液和胃液的分泌，和精神作用大有關係。嗅着食物的香味，或是看見食物，或是想起食物的時候，唾液的分泌，就要增加，這是人所共知的。胃液的分泌，亦是如此：食物未入胃以前，胃液早已開始分泌；既入胃以後，胃液的分泌，就更增加。此外遇着自己所嗜好的食物，這分泌作用更是加强，反之，遇着自己所嫌惡的食物，作用也就格外減弱。

第三項　口腔內的消化

（一）咀嚼：有器械的和化學的兩種作用。

器械的方面：固形食物，入口腔後，因下頜和齒列的運動，磨成碎塊，又因頰部和舌的運動，和唾液調勻，成爲軟滑的食塊。這就是咀嚼的結果；而咀嚼就是嚥下的預備。

化學的方面：食

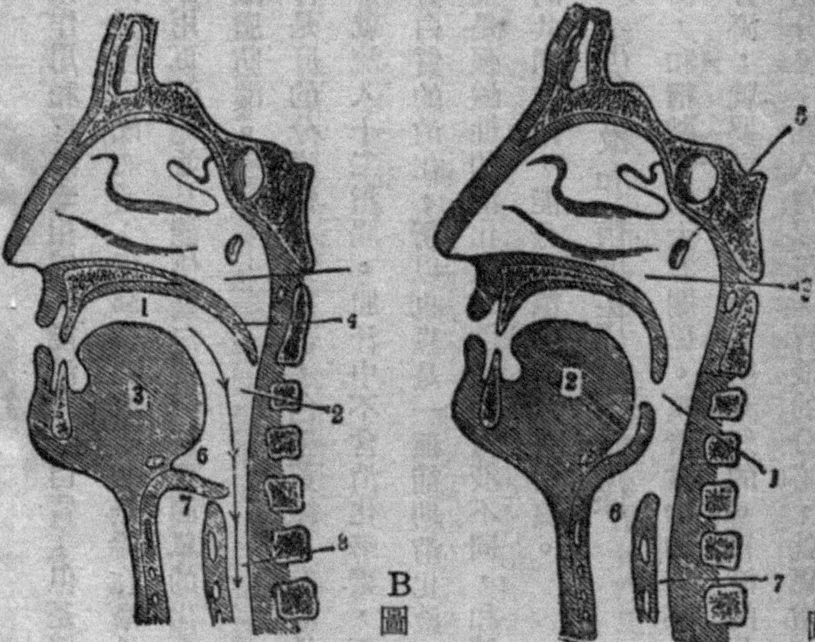

A圖　　B圖

鼻腔，口腔及咽喉的交通

A.呼吸時的狀態

1.咽　2.舌　3.口腔　4.鼻腔　5.歐氏管口　6.喉　7.食管

B.嚥下時的狀態

1.口腔　2.咽　3.舌　4.腭　5.鼻腔　6.會厭軟骨　7.喉　8.食管

（←表示食物嚥下的方向）

塊中的澱粉，在口腔內已略受唾液素的分解作用，煮熟的食物，那澱粉更是容易消化。

（二）嚥下：完全是器械的作用。食塊被舌的隨意運動，送到後方，到咽腔的時候，舌和口腔後部的各肌肉，就同時運動起來將食物向食管壓送。這種運動就是嚥下。嚥下的時候，軟腭向上一舉，將後鼻腔閉鎖，同時會厭軟骨向後一屈，也將喉口遮蓋起來，於是食物就順勢嚥下食管，不會竄入別的部分。食物由咽到食管的時候，若是液體或半流動體：就一直流入胃中；若是食塊，那食管壁就由上而下收縮蠕動起來，補助嚥下作用。

第四項　胃內的消化作用

胃內消化，也有器械和化學兩種作用。

器械的方面：嚥下的飲料，離胃很早；食物却不然，都先消化成粥狀的食糜，然後因胃壁的收縮運動送到幽門部，在幽門部又經一種攪拌運動，再送入腸管。這幽門部的括約肌是開閉自由的，時時弛緩起來，將食糜流些出去。胃內食物停留的時間，和消化的難易成正比例，普通是一小時半乃至五六小時。

化學的方面：最主要的，是蛋白質的消化。詳說起來，就是胃液中的鹽酸，和胃液素協同作用，使蛋白質變成可溶性的食糜，以便腸管消化吸收。

此外唾液的消化作用，在胃內還能繼續許久直到食物被胃液化成酸性的時候方纔停止。肉類的蛋白質，能受胃液的消化；而脂肪却仍然存在，只是由肉類中遊離出來，合成大脂肪滴罷了。乳汁入胃以後，其中的蛋白質，因胃酸和別的作用，先行凝固起來，然後又變成可溶性的物質，其中的脂肪球，也成爲大脂肪滴，遊離出來。

第五項　腸內的消化

腸內的消化，也可以分做化學的和器械的两種作用：

化學的方面：胃內的食糜，既由幽門送到十二指腸，於是胰液和胆汁也分泌出來，和食糜調和。這两種消化液，在十二指腸內開始消化作用直到食糜受腸的蠕動送到腸管下部的時候，也還繼續着，同時又有腸液加入，於是消化作用就更强盛；所以腸內的消化，實在是胰液，胆汁，和腸液的協同作用。這些消化液，都是鹼性，因此蛋白質受了强度的分解；碳水化合物多半變成葡萄糖；脂肪也被分解或是鹼化和乳化。（脂肪的鹼化，就是脂肪和鹼類相合，成爲石鹼的狀態；乳化就是脂肪分成細滴，成乳汁的狀態）。如此消化的結果，食糜中除去一部分不消化的成分外，都變成乳狀的液體；消化管內的消化作用至此纔算完成；這種乳狀的食糜，叫做乳糜。

上說的是小腸的消化作用；而大腸內也還略有這種作用繼續着。此外大腸內還有腐敗和醱酵的作用。詳說起來：腐敗的是蛋白質和脂肪的一部分；醱酵的是碳水化合物；而這两種的誘因，都是大腸內的細菌。

器械的方面：腸管有两種運動，當胃內的食糜移送到十二指腸的時候，小腸發生固有的蠕動，漸漸往下輸送；同時另生一種攪拌運動，叫做擺動，將食糜和幾種消化液平等調和。這種擺動，十分緩慢；結腸的擺動，更是如此。腸的運動，平時不能感覺；但是腹瀉的時候，往往蠕動增强，腹中發聲，自己方纔覺得。

第六項　消化管的吸收

口腔，咽腔，和食管，對於食物幾乎都沒有吸收作用。但是由胃到大腸下端的消化管內，吸收作用，却很强盛。

（一）胃的吸收作用：胃的吸收作用很微弱，只能吸收些配布通，糖的水溶液，和鹽類的濃厚溶液。

（二）小腸的吸收作用：小腸中，吸收作用最强的部分是十二指腸和空腸。這两部分皺襞和絨毛特別多，所以腸內面的面積也增加不少，並且小腸最長，食糜通過的時間也較久，所以大部分的榮養素，都被小腸吸收進去。腸絨毛對於脂肪的顆粒吸收力最大；其中有微血管和乳糜管：微血管密布在絨毛的表面，多半吸收水分，鹽類，蛋白質，和碳水化合物的消化產物；乳糜管在絨毛的中心，以吸收脂肪的消化產物爲主。

（三）大腸的吸收作用：小腸最能吸收食糜中的榮養素；大腸却最能吸收食糜中的水分；此外大腸也能吸收一小部分的榮養素。其餘的不消化性的殘渣，和消化液，細菌，腸粘膜的上皮等合成固形的廢物，就是糞便。

（四）榮養素的分配：榮養素被吸收後，分兩路輸入體內：（1）蛋白質，糖類，鹽類，和水分，被腸絨毛吸收後，經過微血管，由腸間膜靜脉入門脉、最後入肝，（2）脂肪被絨毛內的乳糜管吸收後，經過腸間膜中的淋巴管，流入胸管，最後和血液相混和。

糞便排泄的生理

大腸的糞便，因大腸的蠕動，被送到直腸，經相當的時間，積相當的分量，就能刺戟直腸，引起便意，於是直腸就發生强度的蠕動，同時肛門括的肌也就哆開，再加腹壓，糞便就被排出體外。腸的吸收作用，若是活潑，糞便都成固形；若是吸收作用阻滯，蠕動增進的時候，或是大腸內腐敗產物和不消化成分太多的時候，糞便就變成液狀，這種排便，叫做泄瀉。食物由攝取到排泄的時間，普通是二三十小時；若是消化不良，這通過消化管的時間，就很縮短。

胃腸的衛生

食物務要充分的咀嚼。同一食物咀嚼的程度如何，在榮養上，結果大不相同。進餐的時候，若是多飲茶湯，不但咀嚼不完全，並且往往成為胃擴張的原因。胃內的食物，非經過二小時至五小時不能全部入腸，所以暴飲暴食和雜食，都能害胃，進餐的時候，最好精神要愉快；因為這是促進消化液分泌的最大要件。三餐前後，務必安靜，不可過勞；但是餐後就睡却不相宜，至少要隔一小時半纔好。睡眠和運動的不足，都能惹起消化器病；過冷過熱和不消化的食物，都不宜於消化器；嗜好品也不宜多食。

胃腸的疾病

胃腸的疾病，是最容易得，又最容易轉成慢性的。胃腸粘膜炎多半是飲食不愼和夜間受寒的結果。胃擴張是胃壁肌層弛緩無力的病；主要的病因是暴飲暴食。盲腸炎很是危險。但是霍亂，傷寒，赤痢等腸的傳染病，死亡率還更大；病因是飲食不愼病菌入腸所致，所以暑天最要注意飲食，夜間也不可受寒。

四十七　急性食管炎

原因　發於刺戟性，異物酸類及過熱食物等之下咽時，或濫用烟酒而發生。

症候　病重者嚥下覺痛，胸骨下患悶痛，甚至不能攝食。炎之輕者，尋常無症狀。至於嚥下困難，食物回逆或吐膿等症，則係誤吞異物之徵。最可異者，此病無論如何劇烈，而患者並無大恙。除嚥下時覺痛苦外，其食管亦不甚痛。

主要穴　肩井，中脘，上脘，天突，亶中，中庭，中魁。

次要穴　合谷，內關，太淵，膈俞。

治療法　1　針合谷，內關，太淵。

2　針肩井入寸半（使氣達於胸前，如患者無心病或心弱者可用）。

3　針天突入寸半至寸七分，使氣直達於胃之上部，針後直灸五壯，炷如綠豆。

4　再針上脘，中脘。又隔薑灸亶中及中庭穴各一壯。

5　如症候頑固難治，加灸中魁穴七壯，炷如半粒米，又直灸膈俞七壯，炷如綠豆。如化膿灸曲池十壯

預後　佳良，輕症一二次，重症約七次可愈。

四十八　食管狹窄　（隔食）

原因　食管狹窄，漢醫稱隔食，原因從食道癌腫而來者居多。又患爛喉痧後之瘢痕收縮，食道痙攣。或者食管周圍大動脉瘤，心囊炎，横隔膜腫瘍等之壓迫而來。又有由於神經作用者。

症候　其初訴硬物嚥下困難，只能攝取液狀食物；其後狹窄愈甚，雖流動物亦不能嚥下，因食物攝取不全，漸呈飢餓狀態。患者漸形羸瘦，顏面蒼白，此症候漸漸增進，終於死亡。

主要穴　內關，上脘，中脘，天突，肩井，膻中，足三里，膈俞。

次要穴　合谷，列缺，太淵，內庭。

助治穴　中庭，中府，心俞，胆俞，脾俞，經渠，少商，大鐘。

治療法　1 針合谷，列缺，太淵。內關。

2 針足三里，內庭。

3 針肩井入寸半（提防心弱及心病），天突入寸半至寸七。

4　針上脘，中脘。
5　隔薑灸（重者直接灸）膻中，中庭。
6　針心俞，膈俞，繼以膈薑灸或溫灸。

助治方　1　生薑汁多两，鷄蛋數枚，將蛋炒薑汁食之。此方初期有效。
2　附子數枚，切片以生薑汁九浸九晒，炒香研末，約量用水送服。

預後　本症初期可以治愈，約治五至七次，末期治療希望甚微。

四十九　神經性胃痛（胃痙攣——心氣痛）

原因　本病大別為七種：
一　胃性胃痛，為胃酸過多，胃潰瘍，胃癌瘤等。
二　週圍性胃痛，為肝胰腺腸等疾患之影响。
三　中毒性胃痛，原因為瘏疾，痛風，鉛，水銀之中毒等。
四　體質性胃痛，多見於萎黃病。
五　中樞性胃痛，為脊髓癆，脊髓炎等。
六　神經性胃痛，見於臟躁病，神經衰弱症。

七 反射性胃痛,爲卵巢腫瘤,子宮疾患,閉經,遺精等。

症候 心窩部突然發生劇痛。或最初胃部有壓重感,惡心,頭痛等症候。自上腹部向左背部有瀰漫性劇痛。體位概向前屈,顏面蒼白。疼痛部可因壓迫而緩解,其發作之持續時間自數分鐘以至數小時。

說明 胃痛症如喜按者爲寒症,拒按者爲熱症。飽痛多爲胃生瘡,餓痛則爲胃粘膜有損,胃酸過多,則有噯酸腐。

主要穴 內關,足三里,中脘。

次要穴 內庭,公孫,上脘,下脘,神闕,氣海。

助治穴 巨闕,肓俞,脾俞,胃俞,三焦俞,大都,建里,陽陵泉。

治療法 1 針內關,足三里。

2 針中脘。如非熱性,可間接灸中脘。如屬輕症,已可全愈。

3 如中脘之上部仍有痛,可加針上脘,巨闕。

4 如中脘以下仍有痛,可針建里,下脘。

5 如牽連臍部痛,可針氣海,塡鹽臍中,灸神闕。

6　如牽至後面痛可針脾俞，胃俞。

7　如痛仍未止，寒性者可直灸中脘五壯，炷如綠豆。如屬熱性者可加針內庭，公孫。

8　如屬胃酸過多，常噯酸腐或飢餓則痛者，加灸陽陵泉。不灸足三里。

助治方　1　用鴉片烟荷一個，約如紅豆大；以烏棗肉（去皮去核）包之，用陳皮煎水送下，原粒吞下大效。（不可咬破）

2　以土檸檬一個，中開一小孔如小指頭大，約數分深，以鴉片烟斗內之烟積塞滿之，陰乾，年愈久愈佳，用時切檸檬五分，以滾開水冲服，能止一切劇烈氣痛。

預後　良佳，輕者一二次愈，重者十餘次。

五十　急性胃炎（急性消化不良）

原因　本病即所謂急性胃卡他，為最常見之胃病。多因飲食失宜，或過多，或誤食將腐之物，致刺戟胃粘膜，並停積變腐而成急性消化不良。或冷熱食物同食，致胃中不和，亦發此症，小兒患此，則易成急性腸卡他。

症候　輕症者微有消化不良之狀。腹覺不舒，頭痛，鬱悶，惡心嘔吐，噯氣。舌苔厚，涎增多。病初起時，或寒戰，並發輕熱。所吐之物，始雜食物，繼含粘液甚多，並有胆色汁。有時或大便祕結，惟結果併發腹瀉者較多。

治療法 1 針內關，繼針足三里。

2 針中脘，上脘，下脘，繼以温灸。

3 有瀉加針天樞，氣海，關元，繼以温灸。

4 有發熱惡寒者加針合谷，風池，大椎，風門。

助治方 藿香三錢，白芷二錢，蘇梗三錢，陳皮一錢半，桔梗二錢半，白朮二錢，雲苓四錢，川星朴三錢，神粬三錢，大腹皮三錢，生薑二片，大棗二枚，清水煎服。

歌曰：藿香正氣芷蘇陳，甘桔朮苓川朴俱，神粬腹皮加薑棗，感傷風障並能驅。

預後 佳良，一二次可愈。如有外感濕熱食滯等情，當加服助治方。

五十一　神經性嘔吐

定義 胃無變化而嘔吐者，謂之神經性嘔吐。

原因 從腦振盪，腦膜炎，脊髓癆，或胃中受直達之刺戟，及胃中被外邪中毒而起。又有因喉頭之刺戟，腹膜炎，妊娠，女子生殖器病，歇斯的里，胆石，腎石，腸寄生蟲等反射的作用而起。

症候　本病頻同反覆嘔吐，每食後卽發，患者營養大受障碍，但大多無永久持續著。又本病必先惡心以催嘔吐。

治療法　甲、針內關，足三里，又針天突，再針中脘，加以溫灸，如仍未止，可直灸中魁七壯，炷如半粒米。

乙、乾嘔不已，四肢厥冷，脉絕者：直灸間使三十壯，炷如紅豆，如仍未止，加灸大陵三壯，乳根十壯，可起死同生。

丙、嘔吐稀涎，面青肢冷，口鼻氣冷，不渴。直灸間使十壯，炷如紅豆。再灸中脘七壯，膻中五壯，氣海三壯，如仍未愈，再灸胃俞七壯，三陰交五壯，內關五壯，炷如紅豆。

丁、暈船暈車嘔吐：灸間使七壯，百會三壯，連灸三日愈。

助治穴　隱白，公孫，曲澤，上脘，建里，膈俞，中庭，章門，大椎。

預後　各種嘔吐，一至三次可愈。

五十二　胃出血　（嘔血）

原因　胃瘤，胃潰瘍，胃炎，代償性月經，肝，脾有病，中毒，外傷，動脉瘤破裂入胃等。高度精神刺激，亦能突發此病。

症候　不嘔血，猝然暈厥而死者絕少。昔有一婦人暈厥數分鐘而死，剖驗時見內臟血至三四磅之多。倘突然嘔出如泉湧者，則速致極重之貧血。嘔血之致命者，大概因胃潰瘍，胃硬變，脾腫大，動脉瘤裂入胃等所致。

咯血及嘔血兩病雖常並見，然不難鑑別，玆將其不同之處分述於下：——

▲嘔血
1　有胃，肝，脾諸病之歷史。
2　血係嘔出，其先覺頭暈疲倦等狀。
3　血常凝結，攙雜食物，有酸性反應（即氣味）。
4　嘔血之後，大便常似黑油狀。

▲咯血
1　出血前多先有咳嗽，或肺病心病之病徵。
2　血係咳出，其先覺咽癢。
3　血係浮沫，其色鮮紅，反應為鹹性，且或攙雜粘液膿。（痰）

主要穴　內關，足三里，天突，肝俞，脾俞，胃俞，中脘。

次要穴　尺澤，隱白，上脘，下脘。

助治穴　支溝，神門，大陵，膻中，心俞，膏肓俞，郄門，太衝。

治療法　1 針內關，尺澤。

2 針足三里，隱白（用强刺激，不用出血，或直灸一二壯，炷如米粒）。

3 針脾俞，胃俞，肝俞（用溫和刺激法，留針約半分鐘）。

4 最後針上脘，下脘，中脘（用溫柔刺激法，留針二十秒，針後繼用隔薑灸法，灸一壯或两壯，同時灸上下脘）。

預後　一次當止，三次當愈。如仍未全愈，當查病之來源而治之，必愈。

五十三　胃下垂

胃下垂者，胃未因食物之刺激而擴張，而下界降至臍下之謂，但非獨立之病，同時腹腔內，其他臟器亦必下垂。

原因　本病有先天性後天性之別：先天性者，生來虛弱，胸廓細長，所謂腸下垂症體質之人，常發本病。後天性者，因反復分娩，腹壁弛張，及衣服緊縛。又發於腹內臟器慢性炎症病後。

症候 自覺症爲胃部壓重膨滿，心悸頭痛，睡眠不安，食欲變常，食後噯氣，惡心嘔吐，羸瘦，疲倦等。他覺症候爲胃之位置變常，與他臟器同時下垂至下方，心窩上部凹沒，下部膨隆。胃之運動機能，初雖如常，後亦減弱，以致食物停滯。又胃下垂時，結腸亦下垂，致有頑固之便秘，且同時有頭痛眩暈等。

主要穴 百會，內關，足三里，中脘，神闕，脾俞，胃兪，三焦兪。

次要穴 天樞，關元，下脘，建里，大腸兪。

治療法

1 先灸百會穴五壯，炷如紅豆。

2 再針內關，足三里。

3 針脾兪，胃兪，三焦兪，大腸兪。

4 針中脘，下脘，建里，天樞，關元。針完用溫灸器或太乙神針灸至皮紅爲止。

以上療法，當繼續至十餘日。

5 初期三日，直灸中脘五壯，炷如紅豆。

6 再三日當直灸關元五壯，炷如紅豆。

7　又三日當灸神闕五壯，炷如紅豆，如肚臍孔淺者，當將艾放在臍中直接灸之，如臍孔深者，當用鹽塡滿臍孔中灸之。

8　如經九日仍未復原者，可直灸天樞穴五壯，炷如紅豆，連續三日。如仍未愈，可直灸胃俞五壯，炷如紅豆，連續三日至五日，在灸艾期，仍繼用上項針術治之。

預後　約治二星期至三星期之間。

五十四　胃癌（胃瘤同治）

原因　各臟器癌腫，以胃癌爲最多，胃部屢受器械及化學刺戟者，易發本病。

症候　與慢性胃炎類似，食慾不振，胃部有膨滿停滯感，甚且鈍痛，大便祕結，全身無力，羸瘦較速，且於一定時間發嘔吐。他覺症候如下：——在患處可觸知腫瘍，腫瘍尚未達一定大小時，不易觸知，但在瘦弱者可觸知，圓形或繩狀，或凹凸不平之腫瘍。若賁門癌則初病時已有嚥下困難。

治療法　1　針內關，足三里。

2　針中脘，下脘。

3 塊之頭，尾，中各一針（塊之感應甚强）繼以温灸或隔薑灸，或針上灸。

4 直灸痞根十四壯，炷如紅豆，如嚴重者，當炷如白豆，左患灸左，右患灸右，左右均患，左右齊灸。

5 直灸神闕五壯，炷如紅豆，如隔鹽灸，當炷如白豆。

6 如功效太慢，可直灸下脘穴五壯，炷如紅豆。

7 以上治療法，除痞根外，可每日施術，直至患者治愈爲止。但痞根穴，可每星期灸一次。

助治穴　內庭，公孫，脾兪，胃兪，三焦兪。

預後　西醫預後不良，針灸可以治愈，約十五次至三十次。

五十五　胃潰瘍　（胃癰或胃瘡）

原因　爲胃粘膜一局部生血液循環障碍，胃酸過多助之而發，又由多食肉類，及攝取極熱食物，或由胃部外傷，結核，梅毒等。本病女子多於男子，年齡二十歲乃至四十歲者為多。

症候　本病發痙攣性胃痛，如燒如刺，其疼痛多限於心窩部，餐後發之，由於發作時間，可知潰瘍之所在，背部亦有如咬之疼痛。通常疼痛劇甚者發嘔吐，食後往往嘔吐。其一部分血液，往往自糞便排出。食慾照常或亢進，食味佳，便多秘結。

主要穴 胃兪，內關，足三里，上脘，中脘，下脘。

次要穴 內庭，公孫，曲池，血海，膈兪。

治療法 1 針曲池，內關。

2 針足三里，血海，內庭，公孫。

3 針膈兪，胃兪（針後隔薑灸）。

4 針上脘，中脘，下脘（用輕針，針後溫灸至皮紅），初期可用直接灸法。

5 天應（卽最痛處）先針一針，得感應後，用膈薑灸法灸两大壯，當調節適當之溫度，不可太熱，以上療法，每日一次，直至治愈爲止。

6 如身體不發熱，可直灸曲池十壯，炷如紅豆。每五日灸一次；連續三次後，如仍未愈，可直灸血海五壯，炷如紅豆，五日一次，連續三次。

預後 藥物治療困難，針灸治療佳良，輕症一月，重症約月餘可愈。

五十六　胆道之癌（肝癌同治）

多　寡　凡胆囊及胆道之施割術者三千九百零八案之中，有癌者八十五，約佔百分之二有奇，女子較多，約男一女三。

症　候　若胆囊受累，每有腫瘤可捫着，腫瘤着生之勢向內斜下至臍，大小不一，有時因胆囊大膨脹，或接近之各處受累，致瘤極長。胆囊大抵皆堅硬。黃疸及痛係緊要之症狀。黃疸常由肝受累所致，其痛間陣而發，每甚劇烈，患者消瘦，有時發熱致出汗，迨肝受累，則所顯係肝癌之症狀。

治療法　1　直灸右章門十壯，炷如綠豆。

2　直灸右期門五壯。

3　針巨闕，中脘，胆俞，針後繼以隔薑灸。

4　直灸右痞根穴十四壯（七日一次）。

5　最後在腫瘤處之頭尾中各一針，輕手術，繼以温灸器灸之，十五分鐘之久。

助治穴　內關，足三里，絕骨，肝俞。

預　後　初期針灸可以治愈，約十次至二十次。若進展至肝癌時期難以治愈。若試之而有效，亦需長時間。

五十七　加答兒性黃疸

原因　由胃及十二指腸加答兒之波及，起輸胆管之加答兒性，粘膜腫脹或閉塞，或壓迫而發此症。可多因暴飲暴食，或攝取難消化，富脂肪，過冷過熱，變敗之食物，致發急性胃炎，或十二指腸炎時發生黃疸。又憂鬱，腸窒扶斯，肺炎，流行性感冒等，亦能致之。

症候　以皮膚，粘膜，與尿之變黃爲主徵，患者口之皮膚變爲污穢黃色，眼球粘膜，口唇，口腔，亦作黃色。尿呈暗褐色，或暗黃色。其他脉搏遲徐，（五十至）頭痛倦怠，精神抑鬱，食慾不振，皮膚搔癢，胆囊爲肝臟腫大而壓痛等。

主要穴　腕骨，至陽，胆俞，中脘，下脘。

次要穴　內關，足三里，脾俞，肓俞，氣海。

助治穴　風門，肺俞，風府，巨闕，上脘，商邱，中封。

治療法　1　針內關，腕骨。

2　針足三里。

3 針至陽，胆俞。

4 針中脘，下脘，肓脘，氣海。

助治方 鷄骨草（生草藥）一两，紅棗七粒，水二碗煎一碗服效。

又方 蛇皮煲瘦猪肉食效。

又方 公鼻頭（生草藥），芡實，蓮子原粒，上藥各四两，用六碗水煎至一碗水服，多服自愈，特效。

預後 三至七次可愈。

五十八 胰腺癌

胰腺贅生物中以癌爲最尋常。歐氏嘗剖驗胰腺病屍一千五百其中患胰癌者六。癌着生之處，多數在胰腺頭，然有胰腺體或胰腺尾者亦有之，患者多數爲中年人。

症候 甲 腹上部痛，大概係時間發作。

乙 黃疸，因胰腺頭之癌壓胆管所致。

丙 腹上部有腫瘤，癌時或跳動。

丁 糞不含胆汁，故常作灰白色而油潤。

戊　消瘦甚速，此外則以惡心嘔吐爲常，多涎者亦有之。

治療法

1　針內關，足三里。

2　針脾俞。

3　針中脘，下脘，氣海。

4　針癌之首尾中各一針，繼用間接灸。如難愈時改用針上灸三大壯。

5　第一次治療時，直灸痞根穴十四壯，炷如紅豆，在左灸左，在右灸右。每七日灸一次。又灸神闕。

預後　約治十至二十次可愈。

下腹部患疾

五十九　腸神經痛

定　義　本病無解剖之變化，爲發作性腸管疼痛，又名爲腸疝痛，或腸系膜神經痛。

原　因　平常疝痛，多由於暴飲暴食之結果，或由於多量氣體及糞便之蓄積，寄生蟲之集塊等。

症　候　爲發作性劇烈疼痛，患者概取腹臥位，顏貌不安，出冷汗，嘔吐，或呼吸困難，心悸亢進，尿意頻數，重症者時有併發腓腸筋痙攣或全身痙攣者，發作數分鐘即停止，或經數小時，或數日之間歇而反覆發作。通常於間歇期內，患者完全健康。

治療法　1先針足三里。

2針天樞，氣海，關元，繼用間接灸。

3如仍未愈，加針大巨穴，繼以間接灸或直接灸三壯。如仍難愈，可直灸足三里，天樞，關元，各三壯，炷如綠豆。

助治穴　神闕，曲泉，中脘，肓俞，命門，三陰交，大敦。

助治方　溫熱肚痛，舌苔厚白，針後仍難愈者，用此方助之。苡仁，芡實，炒扁豆，赤小豆，土茯苓，木棉花，川萆薢，水煎加鹽服。

預後　佳良，約一至三次可愈。

六十　急性腸炎（泄瀉）

原因　本病與年齡無關，特易見於小兒及體質虛弱者，其主要原因爲腸粘膜受刺戟。如細菌，硬固之糞塊，果實核，誤嚥下之異物，腸中寄生虫，此外食腐敗食物及混食不宜之食品，或份量過多等。

症候　自覺症狀以下腹部膨滿，時時疼痛爲其主徵，如胃部同時亦受侵犯者，則併發惡心嘔吐。輕者每日泄瀉二三次，重者數次或數十次。體溫多不上升，但亦有發熱，口渴，四肢厥冷者。以上主爲迴腸結腸炎之症狀。小腸炎糞便則有多量不消化之殘渣，大腸炎則常混糞便，十二指腸炎則發生黃疸，直腸炎則有裏急後重。

治療法　1先針足三里。
2針中脘，天樞，氣海，關元，繼以間接灸。

3以鹽填臍中，灸神闕。
4嘔吐加針內關，合谷。
5裏急後重加針長强。
6如屬久瀉當先灸百會五壯。
7脾虛者灸脾兪七壯。

助治穴　百會，章門，下脘，脾兪，胃兪，大腸兪，小腸兪。

助治方　用生薑擣爛敷鼻樑及眼眶效。

又方　腸熱症，除照上法針治外（不可用灸），加針湧泉，十手指井穴出血，用公黄牛屎晒乾煎水作茶，常服可速愈。

又方　如屬熱瀉用下方，葛根三錢，川蓮三錢，黄芩三錢，甘草一錢，水煎服。

預後　約治二三次即愈。腸熱症當治十餘次。

六十一　盲腸炎

原因　1本病之起原，可視爲大腸菌或與他種菌之混合傳染。
2起因於宿便之剌戟者最多，蓋盲腸肌質薄弱，如有宿便之剌戟，即易於擴張伸展，其血行又較劣於其餘之結腸，粘膜易被宿便之分解產物所侵害，細菌乃易於侵入。盲腸無緊張力。習慣性便閉，及坐業等，爲本病之誘因。

本病男多於女，年齡約在十五至三十歲之間。

症候 本病爲急發性，即不認有何原因及前兆，突起右下腹部之疝痛型劇痛。每向臍部及胆囊之方向放散，劇甚時每至失神，此際每伴嘔吐。

但本症亦有徐發者，最先數星期有消化障碍，下腹部不快感及便閉等，此等症狀因感冒及食物不合衛生而加重。同時在右髂骨窩部有疝痛型劇痛，其痛爲連續性或發作性，且往往於運動咳嗽或努漲時發現，發三十八度左右之熱，食慾不振，時發吃逆或嘔吐。舌被苔，口臭，病者示倦怠衰弱之狀。

觸診於右髂骨窩處有壓痛點，亦可觸知有腊腸型腫瘤。如有充份之排便時，則各症頓見輕快，但亦有不盡然者。

在本症經過中，間或炎症波及於盲腸週圍而發盲腸週圍炎者，此際局部及一般症候即見增劇。

診斷 以迴盲部疼痛，壓痛，腫瘍，發熱，發病前已有之便秘，鼓腸及嘔吐等爲憑。又右足舉動時，牽引腹部作劇痛。盲腸週圍炎之診斷，則以惡寒戰慄，及蔓延性或境界不整之腫瘍爲憑。

膿性者，惡寒戰慄，熱至四十度。迴盲部腫瘍壓痛殊甚。然其化膿大都限於盲腸部，膿瘍當向盲腸部或前腹壁穿孔，病人右下肢常固定於屈曲外展之位置。凡大便通暢後，經一星期之久，盲腸部疼痛尚存，發熱，及有腹膜炎者，通常便可認爲化膿症。

治療法 1先針足三里，血海。

2針忍白，用强刺激。

3針患側之天樞，歸來。

4又腹部最痛處一針；用輕刺戟。又針委中。

5如仍未止痛，最後直灸大敦五壯，炷如米粒，及獨陰五壯，炷如米粒。

助治穴 肘尖，二白，石門，曲池。其中以針二白，直灸肘尖七壯，炷如米粒爲最有效。

助治方 枳實，甘草，柴胡，赤芍，白芍各三錢，虎珀二錢，田七一錢，水煎服。

又方 韮菜五両，生磨取汁服效。

又方 白花蛇舌草四両，白茅根一両，水煎服效

又方 雲苓五錢，土茯苓五錢，沒藥一錢半，冬瓜仁五錢，敗醬草三錢，水煎服。

預後　輕症約五六次愈，如經化膿者，多屬困難。

六十二　腸出血

原因　外傷，腸潰瘍，痔核，心臟肝臟病，血管病，腸寄生虫等。

症候　出血量少者，殆無症候，最多時，失神，顏面蒼白，四肢厥冷，脉搏細弱。出血時，間有發疝痛者。血液或與糞混和，或純粹排泄。

直腸出血，色鮮紅，液狀，如在便秘時則暗黑色。小腸出血，血液與糞便混和。小腸下部之出血，血液在糞便表面。便血與吐血併發者爲胃出血。

治療法　1先針內關，足三里，承山。

2針天樞，關元。

3針膈兪，長强。

4直灸命門七壯，炷如紅豆（如青年人，此穴只針不灸）。

5直灸命門旁開一寸各七壯，炷如紅豆。

6如仍未愈，可直灸長强十四壯，炷如綠豆。

助治穴　勞宮，公孫，商邱。

預　後　約三五次可愈。

六十三　腸結核　（腸癆）

原　因　多爲續發性，尤以合併肺結核者爲多。因爲患者吞痰入腹，致菌隨痰寄生於腸中。原發性則罕見，僅偶見於幼兒。此因由於患肺病之父母或長輩，給與食物而傳染者。

症　候　不一，有時於全經過中，毫不顯症候者，但大多有頑固下痢，腹痛，壓痛，腫瘤，消耗性發熱等症候。

下痢次數並不頻繁，多發生於鷄鳴時，吾國古時名爲鷄鳴瀉，呈所謂完穀下痢，時常混有血液及膿汁。無自發性腹痛，但下腹部多有壓痛，尤以右腸骨窩爲著明，同時或可觸得腫瘤。以上症候往往有誤認爲盲腸炎，盲腸癌等。

治療法　1先直灸百會三壯，炷如綠豆。

2針足三里，脾俞。

3針天樞，氣海，關元，再繼以間接灸至皮紅爲止。

4灸神闕。（如臍平者，直灸在皮上，如臍孔深，用隔鹽灸之）七壯，如直灸在皮，當炷如紅豆，隔鹽當用炷如白豆。

5有腫塊處先針後間接灸。

預後　初期可以治愈，久之及範圍廣濶者難治。

六十四　赤痢

原因　本病因病原體之不同，又可分為細菌性赤痢，及阿米巴性赤痢二種，後者又名熱帶性赤痢。阿米巴性赤痢病原體為赤痢阿米巴菌。細菌性赤痢，病原體為赤痢菌。一切汚穢之食物，飲料，器具，蠅類，皆可為本病之媒介。

症候　細菌性赤痢　主要症狀為排出膿樣粘液血便，腹痛，裹急後重，初起皆與腸胃加答兒相似。經二至五日後，此等症狀始完全發現。但亦有突然發生者，於本病全經過中僅有微熱，亦有體溫不上升者。

阿米巴赤痢　多突然發病，下痢，腹痛，裹急後重，體溫或上升或不上升。常因貧血，全身浮腫而死於數月內，亦有發生肝膿瘍者，呈間歇熱，有惡寒戰慄，右肩胛刺痛，取右屈位，甚危篤。

主要穴　脾俞，關元，神闕，天樞，長强。

次要穴　合谷，足三里，中脘。

助治穴　內庭，曲泉，百會（灸）。

治療法　1先針合谷，足三里。

2針脾俞，長强；如屬白痢，可直接灸。

3針中脘，天樞，氣海，關元。（如患者不發熱，可加間接灸）。

助治方　用鴉胆子（中藥）去殼去油，以飯少許，裹之如丸狀。成人每服三丸，嬰兒服一丸，童年服二丸甚效。或用糯米粉，包作湯丸狀吞食之切勿咬破。此方專對阿米巴痢症。

又　方　四逆散方：枳實，柴胡，芍藥，甘草各三錢，水煎服，口渴加白頭翁三錢，裹急後重加薤白三錢。

又　方　用生萊菔搗汁一碗，分三次服，一日服盡。

又　方　赤石脂一錢，春砂仁五錢，炙甘草五錢，辰砂五錢，共爲末，每服六分。

又　方　閉口痢用鹹葡萄二三個煮粥食效，法當在病人床頭煮之，病人聞香味，即思食矣。

又方　久痢用野蓮炭五錢，高麗參三錢煎服，一二次即愈，此方寒性者不可用。

預後　一般吉，惟衰弱者及童叟則凶。嘔吐與吃逆爲惡徵。針灸可以治愈，約二三次可愈。

六十五　便秘

說明　健康人每日排便一次至二次，或二日排便一次，如次數減少，或間隔增大，且分量減少者，是爲便秘。

原因　便秘有一時性及慢性之分，亦有續發於其他疾患，或爲單獨之疾患者（卽原發性）。一時性者多爲某種疾病之一症候，慢性者，多爲獨立的疾患。女人較男人易犯，尤易見於貴族婦女。至於職業關係，多見於運動不足者，及營精神作業者，又易見於生活狀態不規則者。

症候　一時性便秘於經過中，無著明障碍。慢性者，自覺症候爲腹部輕微之壓重，緊張膨滿感。有時發生疝樣疼痛，食慾減退，惡心，噯氣，且伴有頭部充血，頭痛眩暈等。症候頑固者，雖投以峻下劑亦無效果。他覺症狀特異者，卽糞瘤之形成，硬固者往往因之形成糞瘤性潰瘍，引起限局性腹膜炎。此外因糞便之蓄積，又引起痔靜脈之鬱血，誘起痔核者頗不罕見。

主要穴 長强，氣海，關元，承山；大敦，章門。

次要穴 支溝，太衝，肓兪，大腸兪。

助治穴 陽陵泉，丰隆，湧泉，水道，大都，八髎。以丰隆，八髎爲最佳。

治療法 1先針支溝，太衝，大敦，承山。

2針大腸兪，長强。

3針氣海，關元，肓兪。

4直灸章門五壯，炷如綠豆。如屬輕症或一時性者，只針氣海，關元，長强足矣。

預後 急性者一二次愈，慢性者約七至十次可愈。

六十六 痔核

說明 乃肛門周圍皮下組織，或直腸下部之痔靜脉限局性或瀰漫性的擴張。又分爲內痔核及外痔核二種，其在內外之間者稱爲中間痔核。

原因 凡能使肛門及直腸之靜脉鬱血者，皆爲本病之原因。如習慣性便秘，子宮，膀胱，卵巢疾患，及因峻下劑之濫用等而發生。此外生活狀態及食物亦有關係，如常營坐業，騎馬，濫用煙酒等。

症候　一　外痔核之自覺症爲搔癢，灼熱，疼痛，殆不出血，肛門有異物感。他覺症狀爲肛門皮下能見豌豆大之小腫瘤。

二　內痔核初發生時，症狀極輕微，漸次進行則來肛門內之不快感，搔癢，灼熱，疼痛，壓重等。以至發生便秘，症象逐漸增重，終至發生特異之出血。

主要穴　承山，長强，郄門。

次要穴　二白，命門，崑崙。

助治穴　會陽，勞宮，腰眼。

治療法　A　1 針承山，崑崙。

2 針二白，郄門，針後在郄門穴直灸五壯，炷如紅豆。

3 針命門，長强。

4 如屬外痔，加用接觸灸法灸痔瘡。

5 如難愈，加直灸長强七壯，炷如綠豆。

6以上治療法，郄門可五日灸一次，長强可日日灸之。

7如屬頑痔而生於前方者，加灸會陰穴。

B痔漏　以熟附子研末，用暖水調和作餅，必須大於漏孔，將餅蓋漏上，以艾在餅上灸之，乾則易新餅，日灸二三次，至肉平乃已。加灸血海穴五壯，日日灸之自愈。或直灸漏口亦可。

C脫肛　直灸百會，長强各七壯，炷如紅豆，神闕灸隨年數。患者當臥床，治療數日自愈。又用韮菜煑水，傾痰盂中，使患者坐盂上，直至水暖，一日一次有效。

助治方　痔瘡用海參煲猪肉食效。

又方　痔漏便秘，用郁李仁，打北芪各三錢，水煎服。

又方　火炭毛（生草藥）一両，乾艾葉二錢，水煎傾痰盂中，使患坐上盂上，此方治痔瘡及下血。

預後　輕症一至三次治療後，不必理會，一月後，痔必消滅於無形，老痔殘痔，須繼續十次以外方能根治。

泌尿器的生理解剖

第一項　腎臟

腎臟左右各有一個，在膈的下方，腰椎的兩邊，形狀很像蠶豆，內側凹入的部分，叫做腎門，這腎門部有大的動脈和靜脈出入；還有輸尿管也是從腎門發生的。

在腎臟的縱斷面上，可看見有內外兩部：外部叫做皮質；內部叫做髓質。髓質分做幾個圓錐體，各圓錐體都由無數的細尿管集合而成，各個

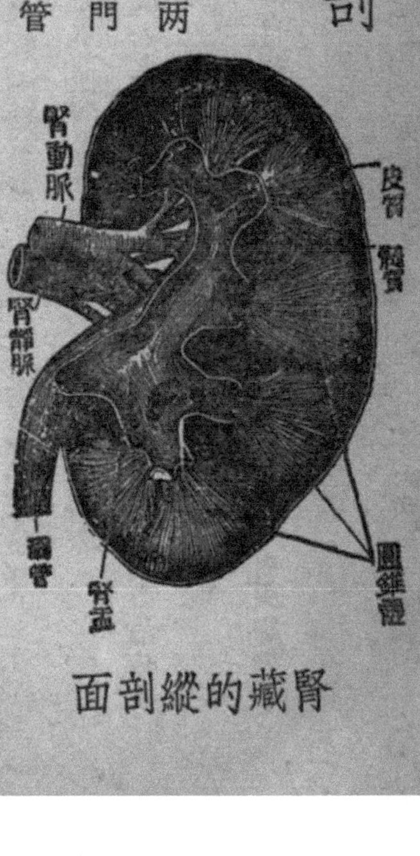

腎藏的縱剖面

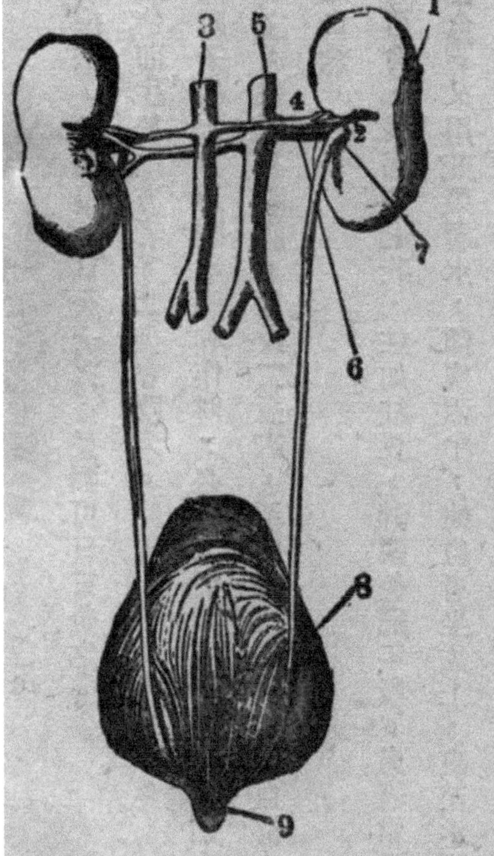

泌尿器的後面觀

1.腎臟　2.腎門　3.大動脈
4.腎動脈　5.下大靜脈　6.腎靜脈
7.輸尿管　8.膀胱　9.尿道

細尿管都由皮質內發生，起點是個小球，叫做馬氏小體，其中有許多的微血管。

第二項　輸尿管

輸尿管是由腎臟受尿導入膀胱的管，左右各有一條，上端在腎內成爲漏斗狀，這叫做腎盂。許多的細尿管，集合起來成個大管，通到這腎盂內。

輸尿管順着脊椎的兩邊下降，進骨盆腔以後就斜穿膀胱的後壁，在膀胱內開口。

第三項　膀胱和尿道

膀胱是骨盆腔內的一個肌肉囊，由平滑肌構成的，尿道由膀胱前端成一條細管，通到體外，尿道和膀胱相連的部分，有膀胱括約肌。膀胱被尿充滿的時候，輸尿管口就自然的閉塞起來，以防尿的逆流，排尿的時候，括約肌放鬆，膀胱收縮起來，尿就從尿道射出。

第四項　尿

尿是淡黃色的透明流體，在化學上呈酸性反應，其中有96—97%的水和3—4% 的固形成分，如尿素，尿酸，食鹽等。尿量的多少，因攝取的水量和肺內所呼出皮面所蒸發的水分的量而不同；平均一日有三磅左右。

第五項　腎臟內的血管

由腎門穿入腎臟內的動脈，在馬氏小體內成爲微血管網，後來又成一條血管，穿出腎球，再分成微血管，一面纏繞細尿管，一面漸漸集合起來，成爲腎靜脈，穿出腎臟，和大靜脈相合。

泌尿器的生理

細尿管由血液中吸取尿素，尿酸等，腎球由血液中吸取鹽類和水；這些廢物，滲透濾過，排泄出來，就成爲尿（參看前項）。這血液中的尿素和尿酸，是身體中蛋白質氧化分解後的產物；水和鹽類，一部分是由食物中吸取的，一部分是體內有機體氧化分解的產物。

腎臟的作用，就是將這含有廢物的尿排出體外，使血液的成分保持一定的常度。

泌尿器的衞生和疾病

香辛的食品，興奮性的飲料，都能刺戟腎臟，不可多食，此外也不可勉强忍尿。

腎臟炎是常見的腎臟病，往往由感冒或種種的急性傳染病引起。腎臟炎患者的尿中有蛋白質，尿量也減少；因為水分和廢物的排泄都不充分，所以要發水腫，最後還要發生尿毒症。

六十七　糖尿病　（三消）

說明　本病患者對於水炭化合物（蔬菜，米，糖等）之燃燒機能減退，血液中之含糖量增加，尿中可證明有糖。

原因　主因於遺傳，及精神病素因。此外與脂肪過多症，痛風，年齡，性別等皆有關係，男多於女，多見於壯年以後。

症候　患者日漸瘦弱，血中糖量增高。尿中亦可證明糖質。尿量增加，善飢，善渴，此為本病之三主徵。重者高度羸瘦，有神經痛，神經炎等症。多合併白內障，網膜炎，陰萎等。輕症如限制水炭化合物之吸收，尿內糖質即可消失。中等度者除禁食水炭化合物外，且限制蛋白質，尿內糖質始能消失。重症者則尿中糖分幾不受食餌之影響。

治療法　1先針然谷。

2針肺俞，脾俞，胃俞，三焦俞，腎俞。

A　如大渴引飲，小便清長者，加針神門，承漿，水溝，「海泉，金津，玉液出血。」

B　如多食善飢者，小便糖質重者，加針太淵，列缺，再針足三里，內庭，針灸中脘。（此症有人食煨薑治愈。）

C　如煩渴引飲，小便多而混濁者，加針腰俞。灸腎俞命門。

助治穴　陰市，行間，大敦。

助治方　鮮猪胰一枚，用冷開水洗淨，切爲小塊，如黃豆大，生吞五六塊至七八塊，日服三次，多服自愈。

又方　五棓子一斤，正雲苓四両，龍骨二両，共爲細末，用開水爲丸，如綠豆大，每服七十粒，每日三次，鹽水吞下，一料未愈，再服一料。

又方　以生菜作飯食，以粟米鬚煎水代茶。

預後　約治十次左右可愈。

蛋白尿　療法：直灸腎俞，命門，關元，三五次可愈。

六十八　腹水

原因　卽腹腔內在液體瀦留之謂也。原因甚多：——

一　心臟或肺臟有疾病，發生全身循環障碍。

二　爲腎臟炎，癌腫，肺結核等羸瘦性疾患之隨伴症狀而發現。

三　門靜脈領域內血行障碍之結果。

四　脾虛亦患水腫。

症候　本病與腹膜炎時液體不同，多不發熱。他覺症候當液量未達一公升以上時，多不顯著。如有多量液體蓄積，腹部乃膨大，其形狀亦有更變，於仰臥位，側腹部膨大，其前面一般扁平，於起立位下腹部著明膨滿，皮膚緊張而有光澤，於下方皮膚而有皸裂。臍一般消失，偶有不然者。腹水如持續多日，皮下靜脈怒張成蛇行狀。此外本病亦往往引起腹壁下肢及陰部之浮腫。觸其腹時，表面見波動。患者口渴異常，初期晨起覺眼皮腫，午後足背腫，小便短少，繼則小便全無，末期則發氣喘。

主要穴　水溝，腎俞，中脘，水分，天樞，陰交，關元，水道，神闕。

次要穴　陰陵泉，足三里，三陰交，復溜，交信，照海。

助治穴　脾俞，陰市，中極，內庭。

治療法　A　以下爲每日必用穴：先針水溝。再針腎俞，針後間接灸，如症重須直接灸腎俞五壯炷如紅豆或黃豆。針中脘，水分，天樞，陰交，關元，水道，針後溫灸至肚皮紅色爲止。如症候嚴重，當加正沉香末和於艾中，直灸水分穴七壯，炷如紅豆或黃豆。

B　以下經穴分两組，分两日針之。第一日針陰陵泉，足三里，三陰交。第二日針照海，復溜，交信；針後均加以間接灸，如症候嚴重，可直灸第一組之陰陵泉，第二組之照海或復溜，每灸五壯，炷如紅豆。如症候嚴重，B項之經穴一次全部用齊，並灸神闕。

助治方　1　用蒜頭去衣一斤，煨黃膳魚二條，煨二小時以上，食之，如不能食蒜及膳魚，當飲盡其水，有大效。單用此方亦能治愈。

2　田鷄頭數十枚，陰陽瓦上煨𤈦枯黑色，研極細末，每服一两，以生薑，木通各两許，煎水送下，重症加量服。

3　當歸三錢，蒼朮三錢，牛七三錢，陳皮一個，黑芝麻三两，黃糖二片，三碗水煎取一碗，連服數次，腫脹全消。

4 花生去殼存衣，和飴糖，入磁罐內燉爛，當飯食。

5 腎氣丸方，腎虛水腫效：熟地四錢，山萸，山藥各二錢，丹皮，云苓各錢半，附子三錢，玉桂心五分，車前二錢，牛七二錢，水煎服。

6 心臟性水腫，用赤小豆四両，瘦猪肉三両煎水服效。

禁忌 禁食鹽醬及有鹽質之食物及蔬菜水菓，減少飲水。

預後 輕症十餘次，重症二三十次可愈。

六十九 膀胱炎

原因 普通因大腸菌，淋毒菌，化膿菌等之感染而來者多。而傳染症，冒寒，外傷，鄰接臟器之炎症等均為誘因，有因感受濕熱而發作者。

症候 因其經過區別為急性症及慢性症：

急性症常惡寒，發微熱，膀胱部及會陰覺疼痛。尿意頻數，通尿之際，其痛如灼，且覺尿後淋瀝，或者一時閉止，又於化膿性膀胱炎，其尿溷濁如膿樣。

慢性症如前者之尿意頻數，而呈溷濁，且訴疼痛，但程度輕而通常乏熱候而已。然患者居常亦鬱鬱不樂，嫌忌坐業，漸次羸瘦，漸來危險之併發症。

治療法　1先針陰陵泉，三陰交。

2針三焦俞，腎俞，小腸俞，膀胱俞，八髎。

3針氣海，關元，水道。以上經穴，急性症單用針法，慢性症先針後用間接灸法。

助治方　萆薢分清飲，治急性膀胱炎及熱性尿閉。川萆薢二錢，黃柏錢半，石菖蒲五分，雲苓二錢，白朮一錢半，蓮心錢半，丹參，車前子各錢半，清水煎服，重症加倍，此方並治淋濁初起。

歌曰：萆薢分清主石蒲，丹參黃柏朮苓俱，再入蓮心車前子，淋濁流連數服驅。

預後　急性者，二三次可愈，重症或慢性者，約五七次可愈。

七十　膀胱麻痺（小便癃，小便失禁）

原因　從脊髓疾患而來，或從急性傳染病後之全身衰弱，膀胱炎，膀胱癌而來，其他手淫暴行，房事過度，或居常有尿意者，亦易罹本病。

症候　1膀胱壓縮筋之麻痺，其排尿時間漸遠，雖自覺膀胱之膨脹，而無小便射出之勢。雖經努責，僅放點滴，甚者完全不能放尿，故尿盆充滿於膀胱。

2膀胱括約筋之麻痺，其尿絕不能貯留，遇咳嗽，噴嚏，哄笑之時機，每失禁淋瀝，又兩筋均麻痺時，其症候混同。

1 膀胱壓縮筋麻痺

治療法 1先針足三里，陰陵泉，三陰交及曲泉。

2針氣海，關元，中極，曲骨及水道。

3症屬熱性者，以上治療法已經足用，症屬寒性者，當加灸三陰交五壯，炷如綠豆，及灸神闕十壯，如直接灸，炷如紅豆，如隔鹽灸，當炷如黃豆。如仍難愈，加灸曲骨。

2 膀胱括約筋麻痺

治療法 1先針陰陵泉，及三陰交。

2針氣海，關元。

3針三焦俞，腎俞。

4此症多屬寒性，針後宜在腎俞及關元，各直灸五壯，炷如紅豆。

助治穴 八髎，陰交，長強，白環俞，尺澤，神門，太衝，湧泉，丰隆，委中。

預後 輕症二三次愈，重症須七次至十次可愈。

七十一　膀胱結石（腎石同治）

原　因　本病大多數係由腎盂下降之結石，因燐酸鈣尿酸錏等沉着附加而成，故構造多作重疊狀；種類以燐酸石爲最多。此外膀胱之異物及寄生虫卵等亦成爲中心核子而引起本病。

膀胱石或孤獨存在，或發生多數，其大小不一，小如腎砂，稱爲膀胱砂，大者可至鷄卵大，同時又往往合併腎石。

症　候　因結石之大小，症候各異，但其主徵則會陰部疼痛，尿意頻數，及血尿，因起立步行，努力等運動，致疼痛增劇，其痛延及龜頭，股，肛門；又攣縮靜臥，則其疼痛少而緩解。又在排尿時，尿通俄然歇止，而來疼痛，因體位之變換則消失。

治療法　1先針陰陵泉及三陰交。

2針照海，大敦，及湧泉。

3直灸神闕七壯，炷如紅豆。

4直灸三陰交三壯，行間三壯，炷如綠豆，可分日灸之。

5直灸腎兪十壯，每日灸之。

助治方　用車前草四斤、用水六斤，煎至半斤服效。

預　後　輕型沙粒，約治五至十次效，若久年慢性症，須治三四十次可愈。

又方　金錢草二三兩煎水服效。

七十二　遺尿病

原　因　本病發於三四歲至十二歲間，小兒保育不適當，飲食不良，教育之不注意等而來。或腸寄生虫，萎縮腎，及膀胱結石等之疾患反射之刺戟而來。

症　候　遺尿於睡眠中，就眠後一二時間，夢排尿而不自知，致排尿於褥中，此名夜間遺尿症。本病經過緩慢，成人較尠。

治療法　1先針陰陵泉三陰交。

2針腎俞，命門，直灸腎俞五壯，炷如綠豆。

3針關元，針後直灸五壯，炷如綠豆。

4如仍不愈，當灸神門五壯及腰俞七壯，炷如綠豆。

助治穴　神門，通里，委中，然谷，大敦，大腸俞，小腸俞，腰俞。

預　後　初起者，約三次可愈，年久者須七至十次可愈。

七十三　萎縮腎（多夜尿）

原因　居常牛飲狂食，好吃茶，致罹本病。其他或有因急性腎臟炎之移行，或從梅毒，淋疾，麻刺利亞（發冷）等而來。

症候　本病之發症不顯明，普通發於潛然，久之亦不呈顯著之疾苦。然亦有卒然而發者，本病之初徵，起心悸亢進，頭痛，眩暈，衄血，嘔吐，視力障害，頑固之失神等。醫者每有誤會爲種種神經疾患。但本病之固有症候爲夜間尿意頻數，水量着着增加，色淡而呈淡黃色。日久加重，發爲水腫，其發也，從顔面至足踝，漸漸蔓延，致心臟器能衰減，終至亘於全身，而發腹水之水腫。

治療法　1先針陰陵泉，三陰交。

2針三焦俞，腎俞；直灸腎俞，五至七壯，炷如紅豆。

3針氣海，關元，直灸關元五壯，炷如紅豆。

預後　五至十次可愈，如變爲水腫時，則當照水腫治療之。

（附）老人單純夜尿多，而無其他象徵者，治法相同。

七十四　腎臟炎　（尿血）

原　因　患諸種傳染病時，其中尤以患猩紅熱時最易發本症。此外則諸種中毒，妊娠及感冒，又常爲其原因，又原因不明者有之。

症　候　尿之變化爲其主徵，尿量減少而濃厚或起尿閉。卽數日間不排尿者亦有之，此時尿甚溷濁，呈赤色及褐色，或如壓搾之肉汁，或完全爲血，或呈暗紅色，其次重要之症候爲水腫。最初起於顏面，眼瞼，漸次波及全身。其他一般症狀，無熱者居多，或時發輕熱，有惡寒。腎臟部發疼痛。尿意頻繁。本病經過中，往往發嘔吐，泄瀉，消化障碍，頭痛，昏矇，昏睡，搐搦等。然慢性者，則危險較少。

主要穴　腎俞，命門，氣海，關元，然谷。

次要穴　陰陵泉，三陰交，復溜，懸鐘，膀胱兪。

治療法　1先針陰陵泉，三陰交，復溜，懸鐘。

2針然谷，照海。

3針命門，腎兪，膀胱兪。

4最後針氣海，關元。

助治方　食萍葉可減少小便出血。

預後　初起及輕症時，五至七次愈，重症須十餘廿次可愈。如轉變爲水腫時，照水腫治法治之。

脊髓的生理解剖

脊髓　脊髓是一條細長的圓柱體，在椎管內，上端連着延髓，下端到第一腰椎的部分分開成馬尾形。脊髓前後各有縱構，也分爲左右两半，內層是灰白質，外層是白質，在橫剖面上，那灰白質成爲H字形。脊髓的白質，是神經纖維的通路，凡連絡腦和脊髓以及脊髓相互間的神經纖維，都從這中間通過，灰白質內，有神經細胞。灰白質的前部叫做前角，後部叫做後角；前角內有運動性神經細胞。

脊髓神經　脊髓灰白質的前後两端，都有神經分出。在前部的叫做前根，在後部的叫做後根。後根是求心性的神經，由感覺性神經纖維所合成，多半由四肢和軀幹的皮膚內發生，直達脊髓灰白質的後部。前根是遠心性的神經，由運動神經纖維所合成，從脊髓灰白質出發，分布在四肢和軀幹的肌肉內。這前後兩根相合，由脊柱的左右分出，通過各椎間孔，就成爲脊髓神經。這脊髓神經有三十一對。

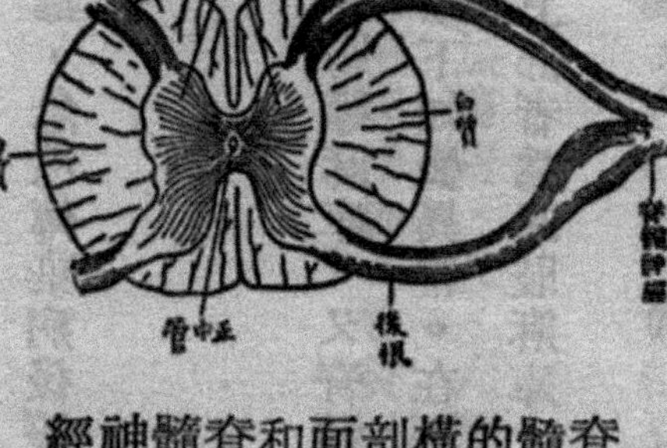

脊髓的橫剖面和脊髓神經

七十四　脊髓炎（脊髓癆或脊髓麻痺同治）

原因　用力過度，致扭傷脊椎，或睡眠於冷地，寒氣侵入脊髓中，又鉛中毒，經閉，外傷出血，及脊髓膜等比鄰炎症之波及。房事過度，精神劇動，梅毒，急性傳染病後等，皆發此症。

症候　急性症　腰部起劇痛。背筋强直，發熱及下肢癱瘓。

慢性症　先發腰痛與體端蟻行之感覺，次來下肢癱瘓，與膀胱直腸等麻痺。又脊髓炎之症在胸椎骨髓者，其症候爲两上肢麻痺，上腹部以下知覺異常。在腰椎骨髓者爲两下肢麻痺，臍部以下知覺麻痺。又在頸上部者爲四肢麻痺，四肢及軀幹知覺消失等。

治療法　足癱　1　先針腎俞，八髎，腰俞。

2　針環跳，風市，陰市，委中。

3　針陽陵泉，足三里、三陰交，懸鐘，太谿，昆崙。如屬急性症單針不灸。

4　如屬慢性症，針後當直灸腎俞，八髎，環跳，風市，陽陵泉，懸鐘，昆崙各灸七壯，炷如紅豆，每穴按序，連灸三日。

5 如灸完仍未愈時，可循環用之。

手癱 1 先針大椎，肩顒，曲池，尺澤，曲澤。

2 針手三里，外關，合谷。急性症只針不灸。

3 慢性症針後當直灸大椎，肩顒，曲池，手三里，外關，合谷。炷如紅豆，各穴按序連灸三日。

4 如屬頸椎麻痺，四肢癱瘓者，除用以上治療法外，當加第四、五、六頸椎之下正中及旁開一眼寸，急性症用針，慢性症針後用直接灸，各灸五壯，炷如紅豆，連續三日。共九日。

預後 急性症約七至十次愈，慢性症約一月或一月以上。

七十五 遺精 （早洩，滑精同治）

原因 本病通常從手淫暴行，房事過度，淫慾亢進而來。又發自尿道淋疾，包莖，痔疾等反射的，或自脊髓癆，脊髓炎，肺結核，神經衰弱症，歇斯的里等而來。

症候　遺精之輕症者，夜間每月一二回，陰莖微勃起，夢與人淫事，或快感，致漏出精液。重症每夜或隔夜，陰具輕輕觸物，或生殖器官能有關輕度之精神感動時，精液忽然漏出，精液漏出後，不論輕症重症，總感身體疲勞，頭痛，眩暈，心悸亢進，神思不振，甚至記憶力減弱，食思缺乏，消化不良。健康之男子，雖遺精無此現象。

主要穴　腎兪，志室，心俞，氣海，關元，中極，命門。

次要穴　膏肓兪，陰陵泉，三陰交，長強，歸來。

治療法　1 針陰陵泉，三陰交。

2 針心俞，腎兪，命門，志室。

3 直灸腎兪或志室五壯，炷如綠豆，两穴交替用之。

4 針氣海，關元，中極，直灸中極五壯，炷如綠豆。

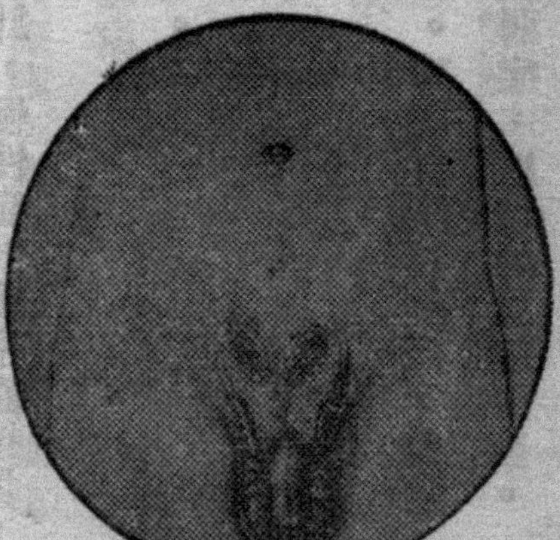

男子生殖器正面外觀圖

5 最後針長強。繼續每日治療之，一星期或兩星期後，遺精當愈。

6 遺精已愈後，再直灸膏肓兪七壯，足三里三壯，炷如紅豆。連續七日，病當根治。輕症不需用此法。

7 又關元切勿施直接灸，若灸之則反更遺也。

助治方 1 正肇實一斤爲末，以金櫻膏爲丸，鹽水送下，多服自愈。

2 熟桑棗二斤，女貞子一両，旱蓮草五両同熬膏，隨時食之，治滑精神效。

預後 輕症約十日內全愈，重症當在一月內可愈。

七十六 陽萎

原因 從陰莖氣質之變異而來，或陰莖發育不全，或生腫瘍，睪丸疾患等。又年老力衰，性慾減退，早婚不節慾，中年卽成陽萎。神經系疾患：或爲腦脊髓病，又房事過度，手淫，萎縮腎，及神經衰弱症併發。常飲紅茶，亦爲原因之一。

症候 本病初期尙有不完全之勃起，淫心發動，未及交接，早先射精，而陰莖忽萎；或在交接中，尙未到射精快感，而漸次陰莖已萎。病增進時，勃起全缺之，淫慾亦減或絕，延至與諸般之神經性疾患併發。

治療法

1 針陰陵泉，三陰交。

2 針命門，腎兪。

3 直灸命門十壯，腎俞五壯，炷如紅豆。

4 針氣海，關元，中極，曲骨，歸來。

5 直接灸關元五壯，中極五壯，炷如紅豆。

6 灸囊底七壯，炷如米粒。

7（按命門當配中極，腎兪當配關元，囊底可配三陰交同灸，一日一對，循環用之，則患者不致難受也）。

8 如病已全愈，當直灸膏肓兪七壯，炷如紅豆，足三里五壯，炷如綠豆；連續十日，病可根治。

助治方

1 蛇床子爲末，開熱酒搽生殖器之全部，可助興陽。

2 壯陽方：製付子，蛇床子，遠志各一両，甘草二錢，共爲末，以鷄蛋白爲小丸，每服十五粒至二十粒，早晚一服，用煖酒送下，或用鹽水送亦可，服一個月，重者服三個月，服藥期內，不能近色。

3 行房前飲鹹咖啡可免早洩。

預後 輕症約二十次，症重者約三十至四十次可愈。

警告 在治療期間，及治癒後一百天內，不得行房，否則有復發之虞。

七十七 縮陽症

原因 房事過度，手淫過多，亦有由於肝病而發作者。

症候 陰莖忽然痙攣，向腹部縮入，患者恐怖萬狀，面色蒼白，俗稱縮陽症。當病起時，患者多用手固執之。不使縮入，惟無法制止。

治療法 A 急性及一時性者於發作時：

1 針湧泉，承山，大敦。

2 針長強，（用強刺激，留針二十秒鐘。）

3 針氣海，關元。

4 最後針會陰穴，陽具當不再縮。

B 慢性及常常發作者，在未發作前治療法：

1 先針陰陵泉，三陰交，承山。

2 針大敦，針後灸一二壯。）

3 針氣海，關元。

4 針長强，會陰。

5 灸神闕七壯。

以上療法，連治三日，第四至第六日，不灸神闕，轉灸關元五壯，炷如綠豆，仍針上穴。

6 第七至第九日，直灸長强五壯，炷如綠豆。

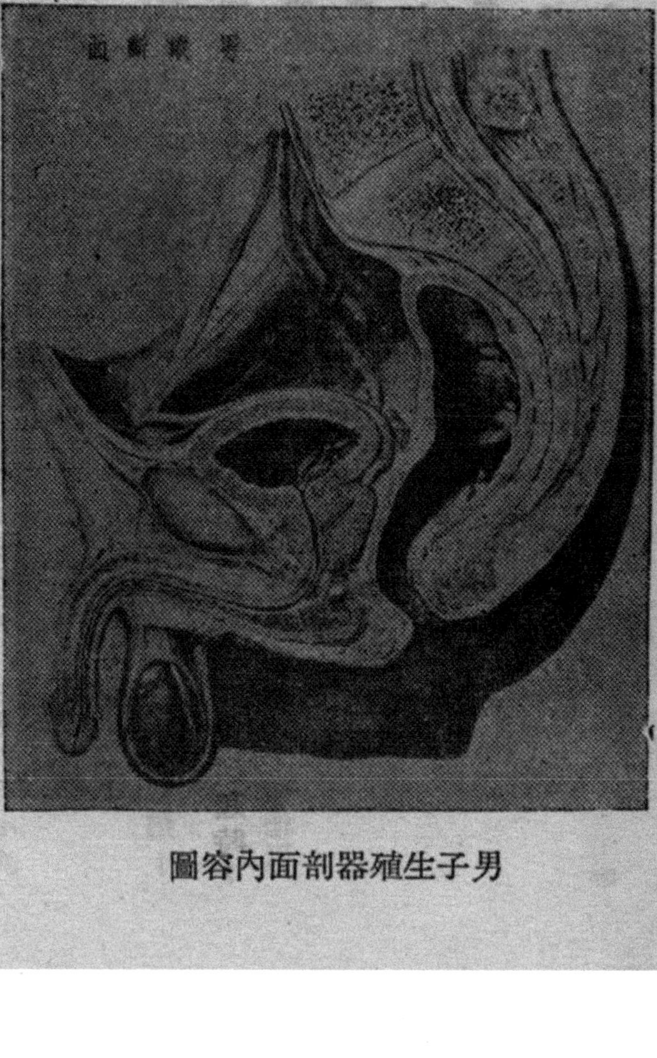

男子生殖器剖面內容圖

7 第十至第十二日直灸會陰七壯，炷如綠豆。病當全愈。如仍未盡善，可灸囊底穴。

警告 患者愈後，當停止行房一個月，以資養息。

預後 一時性者，一二次可無事，慢性者當治两星期可愈。

七十八 睪丸炎及副睪丸炎

原因 從外傷惹起，或淋疾之經過中，就中以尿道淋續發副睪丸炎者甚多。又轉移性炎症從流行性耳下腺炎，腸窒扶斯，多發性關節僂麻質斯等發生者亦有之。

症候 淋濁性副睪丸炎爲主。在淋濁發生後第三週，或第四週，多突然發現。而限局於一側；此際患者惡寒發熱。所患之副睪丸發劇甚之痛。延及精系，放散於下腹部荐骨部大腿部等。睪丸之腫可大如拳。呈赤色硬亮之腫瘍。

主要穴 大敦，獨陰，歸來，大巨，血海，委中。

次要穴 陰陵泉，行間，照海，囊底，命門。

助治穴 復溜，然谷，湧泉，足三里，氣衝，長强，八髎，少府，曲泉，太衝。

治療法　A　急性症

1　針血海，委中，三陰交。

2　針命門，深入一寸。

3　針大敦，針後直灸三壯，炷如芝麻，左患灸右，右患灸左。

4　針患側之大巨，及歸來；两穴均須得氣下至睪丸為止。

5　間接灸曲骨旁之腫痛處。

B　慢性症療法

1　針陰陵泉，三陰交，行間，照海；

2　針大敦，直灸三壯，炷如半粒米，左取右，右取左，或两側均灸亦可。

3　直灸獨陰七壯，炷如米粒。

4　再針大巨，歸來。

5　灸囊底穴七壯，炷如米粒。

6　如以上療法經五日仍未奏效，則當直灸大巨穴七壯，炷如紅豆；連續五日。

7 直灸歸來穴七壯，炷如紅豆，左灸左，右灸右，連續三至五日病當全愈。

8 但當灸大巨及歸來時，當停止灸大敦及獨陰穴，以免病者難受。

C 慢性睪丸炎特別療法。直灸山下穴七至十壯，炷如紅豆，連灸三日，不必再治，一二星期後，病當全愈。

預後 急性者一至三次愈，慢性者十餘廿次愈。

注意 凡慢性睪丸炎，脹大如鴨旦，已不紅不痛，硬實如鐵石，生殖器不勃起者名木腎難治。

七十九 陰囊水腫

原因 急性陰囊水腫，從外傷，淋毒性副睪丸炎及睪丸炎而續發，慢性從急性而轉。

症候 急性症潮紅腫脹，或發疼痛，伴以發熱。慢性症陰囊呈腫瘍性腫脹。

主要穴 陰陵泉，曲泉，水道，歸來，陰交，大敦，腎俞，命門。

次要穴 中封，商邱，太衝。

治療法 1 針陰陵泉，曲泉；

2 針太衝，商邱，大敦。

3 直灸大敦三壯，炷如米粒，商邱五壯，炷如綠豆。

4 針腎俞，命門，繼各灸五壯，炷如紅豆。

5 針陰交，水道，歸來。

預後 急性者三至五次愈，慢性者，須十至二十次可愈。

八十 淋疾（白濁）

原因 由淋球菌而起，發於男子之尿道。本病因與淋毒患者交接而發。或因淋毒汁之附着物而傳染。娼妓藝妓爲本病之媒介。又內褲浴盆，均可傳染。

症候 本病之潛伏期約一至三日。本病有急慢性之區別。急性淋之初期，於尿道粘膜出僅微之粘液分泌物，鎖閉尿道口，放尿呈異狀，其次尿道部感搔癢或發疼痛，放尿之際，覺甚灼熱，尿意頻數，利尿困難，依病勢之進步致成膿樣，含有淋毒菌。因療法不充分時，則續發爲慢性症，可能延至數年不愈，常有液體流出，但不感痛。本病發生中，與膀胱副睪丸炎等併發者最多。

主要穴 腎俞，志室，命門，氣海，關元，中極。

次要穴 陰陵泉，三陰交。

助治穴 石門，肓俞，長强，大腸俞，中封，血海，交信，照海，足三里，承山。

治療法 1 針三陰交，陰陵泉，（急性者加針血海，慢性者不針）。

2 針腎俞，命門，志室，（慢性者加直灸腎俞五壯，炷如紅豆。急性者不灸）。

3 又針氣海，關元，中極。（慢性者，直灸中極五壯，炷如紅豆，急性者温灸關元，中極。

助治方 1 用綠豆芽菜一斤，開水洗凈，擣汁，急性者服之效。

2 滑石二両，牙硝二両，泡茶飲之，一日一服，三日可愈。

3 素馨花煲瘦肉，能治老年白濁。

4 猪公脊髓一條，蒸熟，和大黃末搓爲小丸，分四次服，两料可愈。

預後 急性者三至五次愈。慢性者十至十五次可愈。

八十一　横痃（鼠蹊腺腫脹）

原因　由淋病，軟性下疳，梅毒之微菌侵入鼠蹊腺而起。

症候　由軟性下疳而起者，局部灼熱疼痛，且甚劇烈，兼有寒熱往來，食慾缺乏，精神萎頓等全身症狀，終致化膿破潰。

由淋病而起之横痃，局部亦有灼熱疼痛，及微覺潮熱等全身症狀，其中每有化膿與不化膿者。

由梅毒而起者，則大抵以灼熱疼痛者爲多，化膿者甚少。

治療法

1　未潰者，先針三陰交，復溜，血海。

2　針委中，最後針承山，取得强力之感應，留針最少十秒鐘有大效。

3　用隔薑灸患處；

4　用灸症課之四生散敷之。

5　已潰者名魚口，照以上針法以外，當直灸血海五壯，炷如紅豆，用灸治學末篇之白藥膏或生肌玉紅膏敷之。

又法 用繩一條由左乳頭起至胸上過後項下垂至右乳頭止，截斷，將两端合併，轉向背，脊骨正中，繩端盡處，用燈心火炙數燋，一次愈。

附方 下疳（生於生殖器之頭或頸部），用崗松，含羞草頭約量，同煲水浸洗患處，再用葉聯合之眼藥散搽之。

又方 下疳久不愈者，方用五棓子末，炮薑末各等分，和勻摻患處，結痂自愈。

預後 未化膿者，約三次愈，如已化膿潰破者，約十次可愈。

八十二　赫尼亞（小腸下垂於陰囊）

說明 赫尼亞者，乃指某器官越出於其本有之位置，穿過壁孔而移於其他位置之意；此赫尼亞之發生，不單指在腹腔而言，其他部份器官，亦可發生者也。本課祇論其在腹腔者，卽俗謂『小腸氣』者是也。

原因 本症有先天性及後天性二種：先天性者多因腹壁內容有畸形；或發育不全而致。後天性者，為腹壁鬆弛或腹內壓力過大，皆可致赫尼亞；最常見之原因為用力過度，常携重物等。或由於常常咳嗽，大小便之努責。又多產婦之腹壁鬆弛，則易於股部或腹部白線紋處引起赫尼亞。肥胖亦可爲赫尼亞之原因，蓋腸系膜及腹膜下之脂肪組織甚多，致腹內壓力增大也。

症候　最顯明之症狀，初期乃於氣衝穴之位置顯圓形或梨形之腫團，起立咳嗽或用力時則加大；以手捫之，使患者咳嗽，能觸得其跳動。如小腸降至陰囊內時，起立則膨大加甚，臥下後，以手壓之，腸卽隨手之壓力而縮入腹內；或不用手壓，臥下數十分鐘後，腸卽漸自縮入腹內，有咕嚕咕嚕之聲，起床時，又復脹大如故。初期發作，卽有痛感，小腸下垂於陰囊之初期，亦有感劇甚之痛楚者；但日久習慣後，反無痛苦。

診斷　須與陰囊水腫，氣腫，睪丸炎鑑別。睪丸炎者，爲睪丸本身腫脹發大，刺痛。陰囊水腫則不痛，以手捫之，有相當之重量，臥時亦能漸略縮小，但用手壓之，亦不能全部縮入腹內，亦無咕嚕咕嚕之聲發出。亦有壓之不動，非用注射針抽水後，不能縮小者。氣腫者亦如前者之脹大，臥時不能自動縮小，壓之，則有氣自尿道出，有時有斯斯之聲發出。膨脹甚時，略有痛感，但無大痛。

治療法　1　如於發作劇痛時來治，當先灸百會三壯，炷如綠豆，大敦三壯，炷如米粒，（

左患灸右，右患灸左）。

2 灸關元旁開三寸，两旁各灸七壯，炷如紅豆。可立止痛。

3 如在平時（卽非劇痛時）來治，當先針曲泉，氣衝。

4 直灸大敦五壯，炷如米粒，獨陰五壯，炷如米粒。

5 直灸大巨穴七壯，炷如紅豆，左患灸右，右患灸左。

6 直灸百會三至五壯。

如患者不能奈痛者，4項及56項，當分两日灸之。

助治穴 氣海，關元，外巨，帶脉。

預 後 初期者易治，日久慣性難治，如久治不愈，或愈而復發之久年慣性者，仍以請西醫割治之爲佳。

又 方 鴨脚木半斤，陳皮一個，燈草二十條，白菓三十粒、煲猪瘦肉六両，飲湯一次見效。

婦科疾患

八十三　婦人乳汁少　（無乳同治）

原因　由於身體虛弱，乳腺發育不全，氣血不足，營養不良，飲食不佳，致影响乳腺分泌，失其效用。

症候　婦人產後，乳汁不下或僅放點滴，或有乳汁而不足小兒之需。

治療法　1 先針合谷，內關，少澤（針後灸一壯）。
2 針三陰交。
3 針乳根，膺窓。
4 灸亶中七壯，炷如紅豆。

助治方　1 貝母，知母，牡厲粉，各等分爲末，用豬蹄煎湯，調服二錢即通。
2 用鱆魚干煲猪蹄食即見功。
3 桂枝三錢，白芍三錢，炙草二錢，大棗三枚，生薑三錢，歸頭一錢，炙黃芪五錢，水煎服。

4 特效方　王不流行五錢，通草錢半，生北芪四錢，丹皮一錢，歸身三錢，炙草一錢，川弓錢半，白芷錢半。猪蹄壹隻，用三大碗水同煎好，吹去浮油撞酒服效。

預後　輕症約二三次愈，重症之僅有點滴者，約七至十次可愈。

八十四　乳腺炎（吹乳）

病因　此病古名吹乳，謂小兒於飲乳之際，把空氣吹入乳中，致成此症，但究其實，係因該婦初產嬰兒，體强乳足，嬰兒食量不大，未能依時將乳吸盡，致乳房過於膨脹，乳頭壅塞不通，致引起乳腺發炎。

症狀　患乳膨脹硬實，紅腫痛熱俱備，其痛牽入心，乳頭閉塞，不能授乳，失治則可能變成乳癰，終致潰破難治。

治療法　1 針合谷，內關。

2 直灸少澤穴一壯，炷如半米粒。

3 針乳根穴，留針約十秒鐘。使感應透達全乳房。

4 針肩井穴入寸半，使氣直達乳房肋間，但事先當審查心臟，如有心病或心弱者不可針。改針膺窗穴。

5 直灸膻中穴七壯，炷如綠豆。

6 用隔薑灸法灸乳房硬實之處，連灸三壯，三壯之後，乳房當全部軟化矣。

助治法 在西藥房購吸乳器一具，俗名「乳泵」，放在乳頭上盡力吸之，不久乳頭內已凝結之壞乳漸出，壞乳出盡後，鮮乳繼之而出，將多餘之乳盡吸出之，不使膨脹。

助治方 用蒲公英之葉及根擣爛，和酒煮之，飲其酒，以渣滓敷乳房。或用四生散敷患處亦可。

備考 如非乳腺炎，而為乳房生瘡者，除照上穴針治外，不灸膻中穴，加灸曲池十壯，炷如紅豆，患處敷上四生散，另加針血海，委中穴。初起者自然消散，如已潰破，亦可敷四生散，如膿將盡，或四生散敷後覺痛，則改敷白藥膏自愈。

預後 三至五次可愈。

八十五　乳癌

病因　照我國古說法，本症屬於陰疽類，最爲險惡，大抵因哀哭，憂愁，患難，驚恐，肝血不舒，脾氣不運，結氣滯於乳房而結成核，日漸堅硬增大。但根據西醫解說，是由於人身上的細胞，不照常例發展變化而成。因人自嬰孩以至長大，是由於細胞分裂增加而成，即一細胞變两細胞，两個又變成四個，如此類推下去，直至成人，便自行停止此種細胞之生殖；祗在身體受到損傷時方增加新細胞去補償，此是正常的現象。但有人身上有一個或幾個細胞，（可能在身體任何一部份）違反此生長之定律；此種細胞突然反抗此定律，開始作反常與無規律之分裂增殖，不久便成爲一個無用之細胞團，而其他之良好細胞不但不能抵抗此無用細胞團，反而去附從此細胞團，以致日益增大，爲身體之大患。至於患癌之原因，據外國醫學家指出，多與職業有關，工廠內之工人，尤其是以鑛物或化合物作原料者，容易引起此症。至於家居者，若與工廠接近，爲煤烟常薰入室中，煤烟常吸入肺內亦足以引起癌症。又食物成份亦有關係，如加上顏色之食物，其中以綠色顏料，食入體內，較易引起癌症。然而憂鬱及精神刺激，不能向外吐露，亦爲最大之原因。

症狀　生於乳房之內，初如棗核，漸如棋子大，無紅無熱，時或隱痛，繼則漸漸增大，按之堅而不動，經年深月久，則潮熱惡寒，始覺大痛，牽引胸腋，腫實如覆碗，高凸如巖頂，肉色光亮，內含血絲，有血水從血絲流出。先腐後潰，有汚水或臭血流出，腐爛深如巖壑，瘡口翻花，中央突如泛蓮，痛引入心。或內生蛆虫，不痛而癢，此症男女皆有之。

治療法 1 先針太淵，內關，直灸少澤一壯，炷如米粒。

2 針肩井入寸半，使氣直達胸前，（但須先查患者，如心脉强，及素無心病如心跳心痛者可用，否則不用）。

3 針膺窓，乳根穴，繼直灸亶中七壯，炷如綠豆。

4 最後用隔薑灸法灸乳房核之所在部三壯。如患處已堅實不能移動時，當刺針在核之中央作針上灸三大壯。

助治穴 灸大陵，針尺澤，足三里，委中，竅陰。

助治方 用仙人掌一份，大生葱頭半份，擣爛，和酒放在瓦器中，煮成糊狀，敷患處數次卽愈。

預後 初期易治，約三次至七次，中期難治，次數不確，末期不可能矣。

備考 若此症達到狀如覆碗，堅實如鐵，上現紅血絲，痛引入心，或潰爛深如巖壑，突如泛蓮等時，已不可治矣。又，凡癌症，曾經割治，或曾用鐳電治療，或用藥打爛者，均不可治，因癌細胞已四散各處，成為多個癌，無法收拾矣。

八十六　惡阻

原　因　妊娠後二三月而起嘔吐，其原因稱妊娠中毒。

症　候　顯著的嫌忌食思，常催惡心，進以流動物之飲食，竟致逆吐，然若與固形物共食或反之，純進固形物，反容易收入，精神多亢奮，嘔吐久之，每數日斷食而發頭痛，身體違和，不眠等。

治療法　1　針內關，間使。

2　針足三里，灸獨陰七壯，炷如米粒。

3　針天突，中脘。

4　最後直灸間使十四壯，炷如綠豆，獨陰與間使或分兩日灸之亦可。

助治穴　直灸中魁七壯，炷如米粒。

助治方　1　半夏二錢，干薑三分，雲苓錢半，以水濃煎一次服下，日服三次，一二日而愈。

2　老母鷄壹隻，去毛不開肚，緊縛頸部及肛門，加老薑二両同煑粥，熟後去骨去腸臟，以肉和粥食。

預後 脉搏每分鐘達百一十至百二十至者，或發熱至四十度以上者，預後不良，普通約治三至五次可愈。

八十七　月經困難
（經痛）

原因 機械的月經困難，因子宮筋腫，或子宮外狹窄不全，致一時妨碍月經之排出。充血性或炎症性月經困難，由子宮內膜炎，子宮週圍炎，卵巢炎等。神經性月經困難，因精神過勞，神經衰

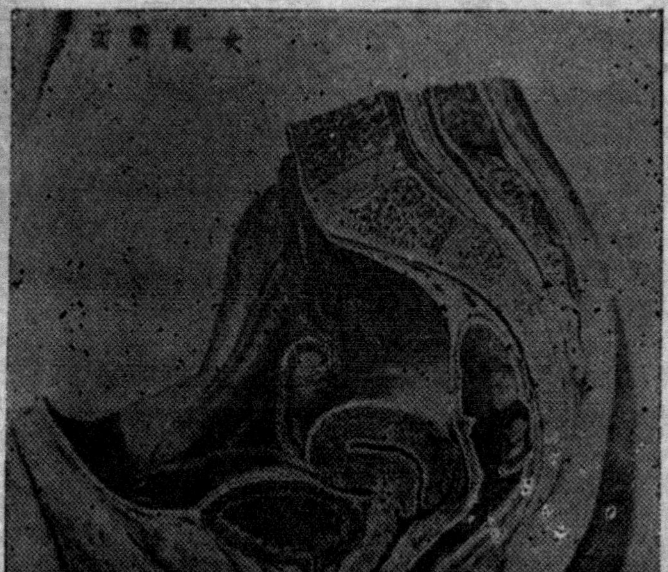

女子生殖器剖面圖

弱等而來。

症候 局部疼痛，有發作性者，有連續性者，前一種係由子宮收縮，作陣痛樣，疼痛由荐骨部向股腹放射，輸卵管之收縮，亦起陣痛。後一種由子宮或附屬器之炎症而起。疼痛有與月經同時發作者，亦有起於經前二三日者，經至一同輕快者，或有在月經中持續不止者。偶亦有在月經開始後二三日始發者，經期以外，即月經與月經之中間，每有二三日，發月經困難狀疼痛者有之，此名中間痛，原因雖不明，但必與月經之週期變化相因而至也。

主要穴 三陰交，腎俞，關元，中極，天樞。

次要穴 陰陵泉，足三里，內庭。

助治穴 獨陰，八髎，水道，氣衝，帶脉，歸來。

治療法 1 先針三陰交，陰陵泉，足三里，或內庭。

2 針腎俞，如荐骨痛甚，加針八髎，針後間接灸八髎穴。

3 針天樞，氣海，關元，中極。針後加間接灸至皮紅爲止。

4 如劇痛不可止時，直灸獨陰七壯，炷如米粒。如臍下肚腹兩旁痛不能止時，加針水道，歸來，帶脉，針後間接灸。

助治方　燕巢泥煎水，經前服特效。

預後　當發作時施治，當能一次止痛，當繼續至三四次。月中間，即兩星期後再針治一次，下次月經來時，再針三次，以後當可根治。

八十八　無月經（閉經）

自發育期至收經期之期間，即應見月經而無月經者稱無月經。但姙娠及授乳期之無月經爲生理的現象，不算入此中。

原因　無月經之原因可別爲局部的，一般的，及機能的三種：

一：局部的原因，由生殖器之發育不全，兩側卵巢疾患，子宮粘膜萎縮等而起。

二：一般的原因，由營養障碍，貧血，萎黄病，急性傳染病之恢復期，重症結核，慢性腎臓炎，糖尿病等。

三：機能的原因，由於精神激動，驚怖悲哀等。又望子過切之婦人，月經閉止，發生所謂想像姙娠者有之。

鑑別診斷：有本病者須鑑別是否受胎，受胎之徵象：

1 平素月經規則，忽來月經停止。

2 顏面之皮色漸次變爲不美麗，雀斑與酒刺亦易發生，皮膚均形弛緩。

3 呼吸較平常急促。

4 喜食酸性物，食後作嘔，或食後卽行嘔吐。

5 乳房次第膨脹，色素沉着，乳輪週圍帶褐色。

6 陰道粘膜與子宮陰道段變爲紫藍色，常有多量如牛乳之物流出，有時且感覺浮腫。

7 小便增多，常在夜間起來小便，閉經則無此象徵。

症候 月經應至之時而無月經，僅於局部或一般月經症狀者有之。或有全無症狀者。或身體他部，其中由鼻胃腸肺等，周期出血以代月經者有之，此名代償性月經。（又名倒經）

主要穴 腎俞，關元，中極，水道，天樞，血海。

次要穴 合谷，三陰交，歸來，內庭，氣海，陰交。

助治穴　然谷，太衝，腰俞。

治療法　1　針合谷，三陰交，內庭，血海。

2　針腎俞，繼以間接灸，如日久者，針後直灸五壯，炷如紅豆。

3　針天樞，陰交，氣海，關元，中極。

4　針水道，歸來，繼以間接灸。

5　如症候嚴重，直灸關元五壯，炷如紅豆。

預後　一時性者，一二次可愈，日久閉經者，須十次以上，方能收功。

八十九　月經過多（血崩同治）

原因　因精神劇動，營養不良，肺結核等而發，亦有因心臟肝臟及胃之疾患，或生殖器疾患，或舞蹈騎馬等之刺戟，又有因短年間反復分娩或流產，及房事過度等而來者。又有由於精神刺激而發者。更有由於多食寒凉及凍品而來者。

症候　尋常月經之量，依各人而不一定，但其標準，個人自己可以判然而得，若在月經期中，來多量之出血（量多），越出常規，荏苒持續費多多之日數（日數多）。或月經頻頻而來，月月數同（次數多），致影响於全身而起貧血，發白帶下等。

主要穴 通里，血海，隱白，大敦。

次要穴 腎俞，三陰交，陰陵泉，關元，中極，大都。

治療法 1 針通里。

2 針血海，忍白（用粗針重刺激，或再直灸三壯，炷如米粒。）以上療法，對于輕症，功效巳足。如屬重症或慢性症者當再針下穴。

3 針大敦，再直灸三壯，炷如米粒。如屬血崩症，血如泉湧者，當炷如綠豆。灸此穴用綠豆大艾炷，甚爲痛楚，當命患者忍耐，三艾之後，血當即減少或全止矣。

4 針三陰交，陰陵泉。

5 針腎俞，針後加間接灸。

6 針關元，中極，針後加間接灸。如症候嚴重者，次日不當再灸大敦，及忍白，當轉直灸血海五壯，炷如紅豆。又次日當直灸腎俞五壯，炷如紅豆，又次日當直灸關元五壯，炷如紅豆。在灸血海，腎俞，關元時，仍用1，4，5，6之針法。

以上六步乃對付慢性月經過多，甚至數月不止者。

助治方　血崩或經多，用舊棕繩煆灰或梹榔原隻煆灰煎水服之效。

預後　輕症一二次愈，慢性症及血崩症當在六七次之間可愈。

九十　子宮痙攣（又名縮陰）

原因　為子宮轉位，子宮喇叭管及卵巢之急性及慢性月經困難症。歇斯的里精神之激動、舞蹈，騎馬，蓄尿，便秘等。

月經之前後亦有因冷却，濕潤，勞動等。神經質者，或由房事過度而來。

症候　由子宮之神經機能亢進而起子宮之收縮，以發痙攣為始，有下腹壓重及緊滿之感，後發脊骨部及下腹之痙攣，波及股膝，其狀有如灼如絞，或如刺之疼痛，更有球狀之物體向心窩上衝。多屈上體。往往伴反射的嘔吐或胃痛，甚有四肢轉筋，舌縮，陷於人事不省者。然脈搏多無異狀，又不發熱。

治療法　1　針陰陵泉，三陰交，內庭。

2 針承山，湧泉。

3 灸湧泉七壯，用接觸灸法，炷如綠豆。（如太嚴重者，可直接燒完爲止。）又直灸獨陰七壯，炷如米粒。

4 針八髎，針後加以間接灸。

5 針氣海，關元，中極，針後間接灸。

6 如症候嚴重，急不及待針灸之施術者，可先針十手指十足趾之經穴，用三稜針，重刺激，又用粗針針湧泉穴，有特效。

預後 不論輕症重症一至三次可愈。

九十一 子宮內膜炎（白帶）

說明 白帶爲婦科中最多之疾病，且亦爲最頑固之疾患，蓋以其治之不易，而棄置亦無大害也。然其結果往往能使患者身體衰弱，精神憂鬱，月經障碍，生育不能，影响所及，迨非淺尠。

原因 最多爲淋疾傳染，其次爲貧血分娩，又人工刺戟如頻繁之交接及手淫。極甚之勞動，感冒等均爲素因。

症　候　輕症者僅分泌少量之黃白色粘液，全身及局所症候均不顯著，但重症時，其陰道粘膜發赤腫脹，壓感，疼痛，惡心，發熱，尿意頻數，交接及通便均有障碍，其分泌粘液初爲黃白色，後爲膿樣及膿血樣、經久變爲慢性，則帶下更多量，發生貧血，便秘，食慾不振，月經不調，受孕障碍。

主要穴　關元，中極，命門，腎俞，八髎，帶脉。

次要穴　三陰交，太衝，小腸俞。

助治穴　腰眼，陰交，曲骨，天樞，白環俞，膀胱俞，血海。

治療法　1 針三陰交，太衝。

2 針命門，腎俞，小腸俞，八髎，針後加以温灸。如屬虛寒症之白帶者當直灸腎俞五壯，炷如紅豆。

3 針帶脉。久帶當直灸五壯，炷如紅豆。

4 針關元，中極。如屬虛寒性之症，當直灸關元五壯，炷如紅豆。如屬花柳性之症，當直灸中極（不灸關元）五至七壯，炷如紅豆或黃豆大，連續數日。

預後　約治十次左右可愈。

九十二　子宮癌腫

說明　子宮癌腫由其發生之部位，分爲頸部癌，體部癌二類。頸癌更分爲陰道段及頸管癌等三部（陰道，頸管，子宮體。）以頸管及陰道段爲最多，體部癌腫則僅少。

原因　不明，於中年以後至老年爲多。陰道段及頸管癌，在三十五至五十歲爲最多，體部癌則多見於五十以後，二十歲以前之癌腫甚爲罕見。陰道段及頸管癌多見於經產婦。

症候　在極初期，幾不呈何等症候，病勢既進從而發生出血、帶下、疼痛等。

「出血」多爲患者最初所訴之症候，但有病勢已甚進行而不見出血者。

「帶下」初爲水狀，其量不多，病機漸進，從而變爲多量，帶膿狀而混有血液。

「疼痛」自癌腫原發部發生者較少，大抵犯及子宮周圍，始有疼痛部等。其後變爲穿刺性，斷裂性，放散於下肢。

「全身營養」隨病機之進行而漸形障碍，食慾不振，發惡心嘔吐。顏面蒼白，口唇，眼瞼結膜均失色，言動懶惰，羸瘦達於極度。

治療法

1 針三陰交，陰陵泉。血海，灸獨陰七壯，炷如米粒。

2 針腎俞，八髎。

3 針氣海，關元，中極，曲骨。

4 在腫瘤處或最痛處，用針上灸三壯，針必須長，刺至患所，然後在針柄上灸之方有效。

5 如癌生在子宮頸或子宮口者，當直灸中極，曲骨各五至七壯，炷如紅豆，又直灸中髎及下髎各五至七壯，炷如紅豆或黃豆。一日灸中極，曲骨，次日灸中髎，下髎。如是循環灸之，至愈爲止。

6 如癌生在子宮體者，當直灸關元及中極各五壯，炷如紅豆。又直灸次髎，中髎各五壯，炷如紅豆或黃豆。亦照上法循環隔日灸之。

7 用第５６法時，每日仍用１２３法治之。

8 如帶下太多，當直灸帶脉。

助治方

1 取人臍帶或胎盆，焙乾，切成細片，以水煎成濃汁，時常服用，能把子宮癌完全治愈。

2 取鮮菱角三十隻，和水三合，煎同一半服之。

3 白馬尿，乘熱飲之，能化一切腹內癌瘤。

預後 一般不良，頸部癌自發現初徵起，一年半至二三年而斃，罕有長於此數者，體部癌經過多緩慢，約可生存四五年。針灸治療，預後佳良。視症之輕重，及能忍受手術之程度而定，初期大祇施術二十次當能治愈。末期潰爛，針後仍不止痛者，或經西醫割治後，或經電療後，癌已四散，復發者難治。

警告 按本症見效後，無其他症狀發現，當繼續每星期針治一次，以一年爲度，如無復發現象，月經正常者，可算全愈。

九十三　子宮下垂（陰挺）

原因 因生產時用力太過所致，或產後過怒，或產後不事休息，起立，步行或勞作。此外房事違理，或意淫，或常坐臥卑濕之地。均能致成此症。

症候 婦女陰戶中，有物挺出，如陰莖之狀或如鴨蛋之形。

主要穴　天樞，氣海，關元，大敦，百會。

次要穴　歸來，少府，太衝，三陰交，陰陵泉，帶脉。

助治穴　然谷，交信，照海，湧泉。

治療法　1　針少府。

2　針三陰交，陰陵泉，大敦。

3　直接灸大敦三壯，獨陰七壯，炷如米粒。或两穴隔日交替灸之亦可。

4　針天樞，氣海，關元，歸來。

5　隔薑灸百會一壯或直接灸五壯，炷如紅豆。

6　直灸帶脉。

注　意　治此症時，當使患者，臥床數日，則子宮易於回復本位。

預　後　初起時及輕症，約二三次可愈；日久慢性者，當治約七至十次。

九十四　卵巢炎　（輸卵管病同治）

原　因　急性症爲子宮炎，淋毒蔓延，產褥熱，腹膜炎，子宮外膜炎。慢性症爲精神過勞，房事過度，膣加答兒，子宮內膜炎等。

症候 腸胃窩覺膨滿疼痛，及臍下两旁疼痛，發於經後，壓之則疼痛增加，有惡寒發熱，又自陰道及肛門探之，可觸知卵巢增大。若其症消散，則此炎狀亦五六日消散，若化膿，則其膿流注於腹內，直腸，膣及膀胱等。其他發便結，食慾缺損，睡覺不安諸病。

主要穴 三陰交，歸來，天樞，大敦，獨陰。

次要穴 合谷，陰陵泉，天應。

助治穴 八髎，氣衝。

治療法 1 針合谷。

2 針陰陵泉，三陰交，大敦。

3 直灸大敦三壯，炷如芝麻，又直灸獨陰五壯，炷如米粒。

4 針天樞，歸來。

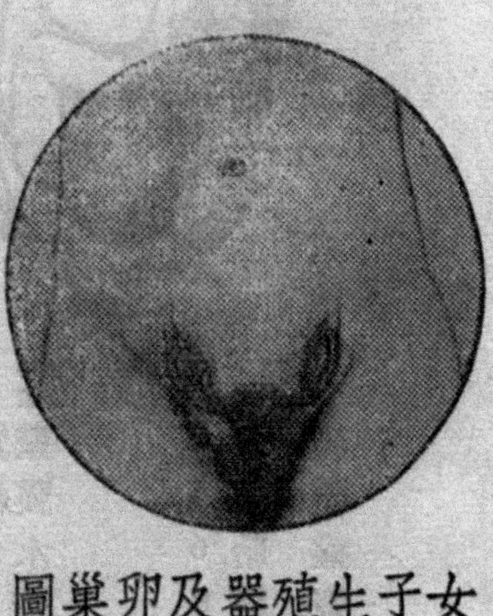

女子生殖器及卵巢圖

5 間接灸歸來及痛處。

6 如已化膿，加灸血海五壯，炷如綠豆，每日一次，再針委中。

預後 三至五次可愈；化膿者，當於十次後可愈。

九十五 難產

原因 分娩之際，不假手術而母子俱無恙者，謂之正常分娩，否則為異常難產。其故或屬於胎，抑胎之附屬物，或屬於母。

原因有三：

一：胎與胎之附屬物，其大小形式方位異常。

二：其母或欠逼力，或用力過度。

三：產道之阻力，或過多。

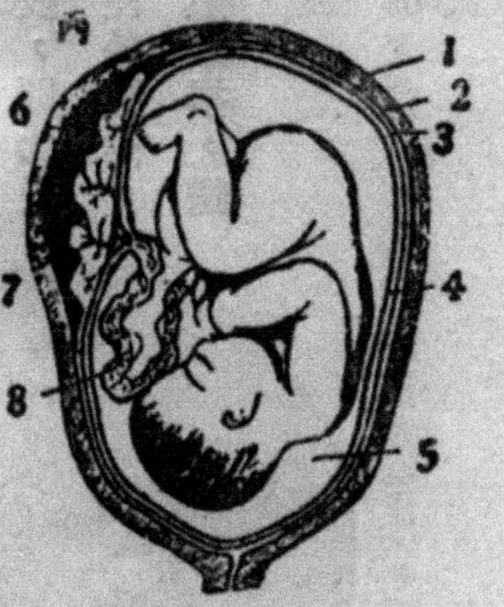

胎盤與胎兒

1 子宮壁　2 蛻膜
3 脉絡膜　4 羊膜
5 羊水　6 胎盤
7 血管　8 臍帶

症候 生產期屆，而胎兒不能產出。

治療法
1 直灸百會三壯，炷如綠豆。
2 針合谷。
3 針三陰交，太衝，昆崙。
4 針天樞，關元。
5 直灸至陰及獨陰各七壯，炷如米粒。

預後 一次當即見功。

附症 產後流血過多，以致頭暈或暈倒之治法。（此名產後血暈）
1 直灸百會，印堂各三壯，炷如綠豆。
2 針支溝。
3 針足三里，三陰交。
4 服獨參湯（方）麗參三錢清水燉服）或當歸補血湯。（黃芪一両，歸身二錢，水煎服。或二湯同服更佳）。

預後 約三次愈。

產後風癱治法：其原因爲產前後之感冒，或濕身，或營養不足，其症狀爲產後手足痲痺，甚至手足全癱。

1 灸百會三壯。

2 針風池，風府，大椎，肩井。

3 針肩髃，曲池，合谷。

4 針委中，環跳陽陵泉，絕骨，商邱，邱墟，昆崙。以下各穴，分五日灸之：

A 灸腎俞，命門。

B 灸神闕，中極。

C 灸風市，足三里。

D 膏肓俞，關元。

E 灸八髎，風門。其餘手足不禁灸之穴，當於針後加間接灸，或太乙神針灸之。

助治方　白鴿屎，凈鏤炒香，擂水煎透，取水服效。另用大量白鴿屎炒熱，布包熨手足。

預後　約一月內可愈。

婦科丸方　治婦科百病。此爲金山寺婦科丸方。

酒黄芩四錢，春砂仁錢半，白朮四錢，川芎四錢，雲苓四錢，製香付八錢，益母草一両，續斷五錢，台烏八錢，製玄胡四錢，黨參四錢，當歸八錢，白芍五錢，陳皮三錢，丹參五錢，熟地八錢，鬱金三錢，木香三錢，炙粉甘草二錢。共爲細末，煉蜜爲小丸，每服三錢。或製成腊殼包庄，（名爲六頭庄）日服一個。燉鷄取湯服效。

逍遥散方：當歸三錢，白芍三錢，柴胡三錢，雲苓四錢，白朮二錢半，炙甘草一錢，生薑二片，薄荷七分，清水煎服。此方專治婦人抑鬱而生之氣痛頭痛及性情暴燥等症。新起瘰癧亦甚效，月經不調加丹皮三錢，黑山枝三錢。

歌曰：逍遥散用當歸芍，柴苓朮草加薑薄，解鬱除蒸功最奇，調經八味丹枝着。

兒科疾患

九十六　夜驚症（夜啼）

說明　此症乃突然，自睡眠中醒覺而呈恐怖之狀態。

原因　多見於二歲至八歲之小兒，神經性，貧血性或虛弱之小兒多見之。其原因如下：——

一　就床前之飽食，腸寄生虫，呼吸障碍，身體違和等。

二　精神的刺戟，如妖怪奇談，異樣之圖畫等有為噩夢之動機者。

三　由於心火燥盛而起。

症候　常於夜間突然以號叫而醒覺，呈驚怖之狀而蹶起，或大聲喊叫，或擁抱旁人，至十數分鐘後，精神乃漸沉靜而又安眠；或叫喊數小時而不止者。翌日問之，亦毫不記憶。此種發作，每夜發作，或隔數日而發現一次。

治療法　在發作時，或發作前治之均可。

1　直灸百會三壯，炷如米粒，或隔薑灸一壯。

2　針間使，神門。

3　如屬實性病，口唇，舌，面俱紅者，當不灸百會，以三稜針針中衝，出血數滴。仍針間使，神門。

預　後　二至三次必愈。

九十七　慢性消化不良症　（猴子疳）

原　因　以不良之乳汁，不適宜之食物，飽食過飲，牛乳濃厚，食器不潔等而來者最多。又早生兒，貧血腺病質之小兒，亦易罹本病。

症　候　面黃肌瘦，消化不良，不思飲食，或大食過度。腹脹溲赤，便溏，搔手搔鼻，啼哭無常，潮熱無定。

診　斷　两手掌四指中節横紋內，呈有紅色或黃色絡紋瘀點一二粒，爲疳癪無疑。

治療法　1　以三稜針刺患兒四手指之中節紋中（即四縫穴）約一分深，以指壓出黃色稠粘之液體，以棉拭凈，至出清粘液爲止。

2　在少府穴處，以三稜刺入一分至分半深，刺後以指壓出黃或白色之稠粘液體。（按本穴不常有粘液存在，有者僅佔百份之幾而已）。

3 針合谷，內關。

4 針足三里，中脘。或直灸中脘三壯，炷如綠豆。

助治方

1 化虫方：雷丸去皮五錢，水君子去皮五錢，蒼朮二錢。用水两碗，同煎上藥，至水乾爲度，除去蒼朮，將雷丸及水君子二味焙乾爲末。六歲以上分六份，六次服完，六歲下分八份，八次服完。服法用鷄蛋一隻，以破蛋壳盛水二壳，傾入蛋中，再將藥一份放入，共攪勻蒸熟。晨早空腹食之，服後虫化成白色之粘液，與糞便同排出，病卽愈。

2 疳癪散方：淨辰砂三錢，正淮山五錢，正猴掌五錢，海漂消四錢，正麗參五錢，正白朮五錢，水仙子五錢，共爲幼末，約量蒸猪肝食，或用飯湯，開水冲服亦可。

3 杜虫方：用雷丸七錢，檳榔三錢，共爲末。每服小兒一錢，成人三錢，用水送下，臨睡服。

4 杜鞭虫方：用生雷丸二两半，酒洗晾乾，研爲幼末，分爲四份備用；另將檳榔，川楝皮各三錢，水二碗，煎爲一碗，將雷丸一份與藥汁調和成糊狀，加上白糖亦可，蛋糕，麵包，或餅和食，作早餐，連食四日。三星期後可驗大便，如無虫卵卽愈。

5 大肚癪方：葱白七條，北杏仁七粒，皮硝三錢，紅棗七粒去核，生黃枝子七粒，麵粉三錢，甜酒糟二両，以上諸藥，共擣爛，貼臍中及腰部與臍相對處，一直貼三天，見藥變青色，爲病已愈，如不變青色，再敷至變青色爲止。

預後 一至三次愈。

附註 針手指時，第一次當針指紋之中央點，次日再針，不可復針舊針痕處，當在或左，或右，或上或下針之爲更佳。

九十八 初生兒破傷風 （臍風又名鎖喉）

說明 乃Nicoldien氏所發現，及北里柴三郎氏所純粹培養成功之破傷風菌。由臍部創面傳染之疾病也。破傷風菌存在於外界之塵埃中，恐係看護之手，不潔之綳帶或臍部撒佈藥，爲其感染之媒介。該菌常佔居於感染之局部（臍部），其產出物帶有毒性，該毒素能侵犯脊髓，延髓之運動中樞，故能引起運動神經之過與奮焉。

症候　潛伏期甚短，在生後第一日已有發病者。又有經數日之潛伏期者。大多於生後一二星期始發病者。殆常見之第一症候，即爲哺乳困難。蓋咀嚼肌痙攣，所謂牙關緊急是也。牙關緊急最初爲發作性，其後則連續發生，毫無間斷。痙攣及于顏面諸肌，其次侵入頭肌背肌而顯高度之角弓反張，因呼吸肌痙攣之結果而生呼吸困難及肌肉青藍症。重症有因腸之痙攣而致窒息死者。體温升騰，至死期往往達四十二度。

治療法　A　小兒腹部有青筋一條，由臍而上，若此筋上達心窩時則不治。此筋未至心窩時，用艾在此筋頭上直灸之，灸時此筋隨即縮下，再從縮下之筋頭上灸之，此筋即消，而病即愈矣。

B　用食鹽塡臍中，外蓋生薑一薄片，用艾絨在薑上灸之，不計壯數，至愈爲止。

C　再看牙齦如有小泡，先洗凈手，以藥棉裹手指擦破之。俗名擦馬牙。

D　夏禹鑄燈心灸法，以燈芯蘸花生油，燃着，按經穴灸之，所灸之經穴爲印堂，顖會，承漿，少商，臍心各一燋（如臍帶未脫即灸在帶頭上）。臍外輪灸六燋如圖。

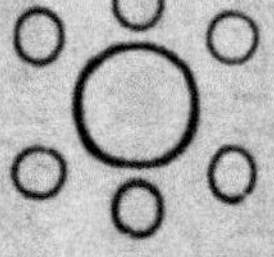

預後　一至二次必愈。

九十九　小兒驚厥（急驚風）

原因　小兒之驚厥可由許多原因而致。此等原因皆能致神經中樞不穩，而使有驟突，過度及暫性之腦力脫失也。其原因爲虛弱，出牙之影响，飲食過度或過食難消化之食物。中耳炎及熱病亦能致之。

症候　驚厥之發作，或突發而毫無預兆，然較常見者則先有燥動不寧之時期，或夜間磨牙，其痙攣常先顯於手，且最常在右手，眼不動而瞪，或向上轉。身體漸强硬，繼則顯陣性驚厥，眼球轉動，手臂顫搐，或不跳而顯有節律之動，口眼喎斜，而頭向後仰。迨此等發作逐漸退去，病兒或卽安睡，或致昏睡無定。有時其發作陣陣連發，頗爲迅速，致病兒不醒，而死於劇烈昏迷之際。若其驚厥僅限於體之一側，則退去之後或略顯癱。有時此驚厥係嬰兒偏癱之兆，迨病兒一醒，則體之一側完全就癱。當發作之際，溫度多增高。致命之故，除虛弱之小兒，及驚厥之反復發作者外，罕有獨因驚厥而致死者。

治療法　1　針水溝，印堂（用粗針或三稜針强刺激，刺後擠出血。）

2　針合谷，少商（用三稜針，强刺激出血一二滴。）

3 針忍白(用粗針或三稜針強刺激。)

4 針湧泉,(用粗針強刺激。)

5 針委中,承山,(均用強刺激。)

6 針曲池,大椎,中脘。

7 如症候嚴重,或施術太遲,針後仍未清醒者,當直灸印堂,百會,或神庭各三壯,炷如紅豆。

8 如抽筋不鬆弛者,當直灸湧泉三至五壯,炷如紅豆。

9 如常常發作者,針後當直灸印堂,湧泉,中脘各五壯,炷如紅豆。治一二次,可保永不復發。

預後 急性者一次愈,慢性者約三次可根治。

注意 如針至中途,患者已復原時,可不必針以後各步。

助治方 1 勾籐,蟬退,羌活,木通,枝子,杏仁,甘草,防風,荊芥各五分,薄荷三分;由食滯而起者,加山渣,麥芽各一錢。清水煎服。加殭蠶,全蝎各三錢。

歌曰:小兒風熱羌活通,薄荷枝子杏蟬虫,防風荊芥勾籐草,山渣麥芽食滯好。

2 小兒胎痰散方：硃砂二錢，天南星三錢，神粬三錢，巴豆霜二錢，大黃二錢，共研細末，每服二厘，（切勿過多）成人服三厘至四厘，用白糖水送下。此方專治小兒痰多，服一次卽愈，服後痰從大便瀉出，間或從口吐出，或吐瀉齊作，但不必驚恐，凡從痰患所發生之症，如風痰鶴膝等症，均奏功效，又治肛門之蟯虫症，服一至二次當能瀉淸。

一〇〇 嬰兒吐瀉症 （慢驚風）

原因 貧窮人家之小兒每因瓶哺起腸病，其故有三：

一、所哺牛乳之分量不適宜。

二、乳質不純凈。

三、用不易消化之物哺兒。小兒腹瀉與氣溫有密切關係，大概天氣愈熱，則此病愈易流行。

症候 此乃暴烈性胃腸內中毒病，不常見。其病率僅佔小兒腹瀉病極小之一部份。初起時頻頻嘔吐，飲食時尤甚。大便次數多，而出糞亦多，初出者爲糞，色或黃，繼則淸稀如水之漿液，糞初惡臭，繼則不臭，發熱。此病初起，精力卽衰竭，眼顖俱陷，顖門亦凹，皮色灰白。初則煩躁不寧，繼則疲倦，舌始垢濁，後乾紅，口渴不止，脈速而弱，終則混亂不可摸覺。甚有精力虛脫，及體內溫度大增等狀，經一日夜即死。（切勿誤認爲熱症）。

診斷　頻頻嘔吐，下糞似水，精力虛脫及體溫增高，爲臨診時不能誤認之症狀。熱度過高極端之虛脫及嘔吐不止，係最危險之症狀。

治療法

1 針水溝，印堂，大椎。

2 針合谷，內關。

3 針足三里。

4 針中脘，天樞，氣海，關元。

5 間接灸印堂，百會，大椎。

6 間接灸中脘，神闕，天樞，氣海，關元，足三里。

7 如目定口流沫，手足抽搐時，直灸章門五壯，炷如紅豆，湧泉三壯，炷如紅豆，大敦三壯，炷如米粒，可救。

助治方　白胡椒末少許，麝香二分，共放膏藥上，貼臍中，一小時後，即飲奶而愈。

預後　一二次可愈，如嚴重者最多三四次可愈。

一〇一　流行性腦脊髓膜炎

原因　本病乃因Wechseldaum氏細胞內腦膜炎雙球菌，而起之化膿性腦膜炎。本病好侵小兒及乳兒。發現於冬季及早春。流行時屢於健康者鼻，咽，喉粘膜內，證明毒力之菌，觀此則其侵入門多係口腔及鼻腔矣。

症候　雖有一二日間呈惡寒不安，頭痛，背痛，四肢痛之前驅症狀者。幾於突然發病為常。卽以高熱（四十度以上）劇烈之頭痛而發病。同時呈高度之項部强直。頭部極度後屈，若欲使向前方屈曲，則因劇痛而發叫喚。意識雖略溷濁，然而不全被侵害。知覺甚過敏，腱反射亢進。痙攣發作初期雖有之，然非必發之症狀。腦神經症狀有見瞳孔不全，眼瞼下垂，斜視，顏面神經麻痺不全等，乳兒之顖門常緊張膨隆等。

診斷　發熱，頭痛譫妄，項部强直及反縮，知覺過敏，乃診斷上之主要症候。以指掐人中，中衝二穴，出聲者可治，否則危險。視病者男左女右握拳時，拇指在外，男順女逆，拇指在內，女順男逆，在中食二指中者不治。

治療法　1 針外關，後谿，曲池，曲澤（出血）。
2 針足三里，陰陵泉，陽陵泉，懸鐘，承山，風市，環跳，委中（出血）湧泉。
3 針水溝，承漿，風池，風府，百會（出血），頭維，太陽。
4 針天突，上脘，中脘，下脘，氣海。
5 針肺俞，腎俞，命門，腰俞。
6 如仍不見效，可針十指井穴或十宣穴（卽十指甲縫）出血。

助治方　用鮮蒲公英之葉，及根擣爛，敷百會穴可愈。

預後　患者百份之七十難愈，愈早治療，愈有希望。

一〇二　急性脊髓前角炎（小兒麻痺）

原因　本病常侵一至四歲之小兒，多從高熱，麻疹，猩紅熱等疾患而誘發；又冒寒，外傷，驚恐，出齒困難等亦能引起。昔之醫者，未能斷定此病是否有細菌作用，今日醫學昌明，已證明其爲細菌所致矣。此卽所謂脊髓之灰白質前角之急性炎症是也。

症候　本病以俄然戰慄及高熱開始，體溫達三十九度乃至四十度，以不歡，嫌惡，食欲不振始，繼以頭痛，嘔吐，脊骨及四肢疼痛，精神朦朧而發譫語；甚至人事不省，筋肉抽搐，痙攣。發熱期由數小時乃至二三日，其次來肌肉之麻痺。間有時初發症候，完全缺如，或僅微者；於褥間醒覺後，突然發現麻痺者；其麻痺從上肢而至下肢，尤以左下肢爲最多。或犯一側之上下肢者，或祇犯一肢者，或四肢均犯者，或祇有口眼喎斜者。麻痺側之肌多萎縮，腱及皮膚之反射均消失，而知覺及膀胱之官能均無障碍。

治療法 A 上肢針肩井，肩髃，曲池，手三里，外關，合谷；先針後灸。輕症用温灸或隔薑灸，重症用太乙神針灸或直接灸法。

B 下肢針委中，環跳，陽陵泉，陰陵泉，絕骨，三陰交，昆崙，太谿，腎俞，八髎。（两肢者針两側，一肢者針一側）。灸法如上肢之辦法。

C 口眼喎斜，照腦出血中之治法治之。

預後 輕症約七至十次，重症須二三十次方愈，日久失治者，有須半載至一年之間。

小兒雜治有效方

1 小兒爛頭胎毒，百醫不效；用京芥，薄荷各五錢，煎水冲入朴硝（約量）中，俟水煖，洗頭上瘡毒，用絲巾抹乾水，用橄欖油開鋅養粉搽患處，行之數次自愈。

2 頭上中梘毒生皮膚病者，諸藥不效，用上好白醋搽之，數次卽愈。

3 頭上生鷄屎堆，用（西藥）白降汞百份之五開花士苓和勻搽之卽愈。

4 小兒受驚，發熱不退，（精神不受影响者）灸印堂一至三壯，炷如米粒，出汗卽愈。

5 小兒夜間磨牙，針中衝，湧泉，頰車，風府。

皮膚的解剖

皮膚包被全身，外面直接和大氣相接觸，內面和肌肉相連續。

皮膚可分爲上下两層，就是表皮和眞皮。

表皮是許多上皮細胞排列而成的，沒有血管和神經，表層漸漸成爲皮垢而脫落，深層能新生表皮來補充。深層的細胞，含一種色素，所以皮膚有特別的顏色；這色素的多少，又因人種和個人而有不同。

眞皮是由緻密的結締組織所構成的，有許多血管和神經，並且還有彈力纖維。眞皮和表皮的接觸面，有無數的乳頭，突出於表皮中。

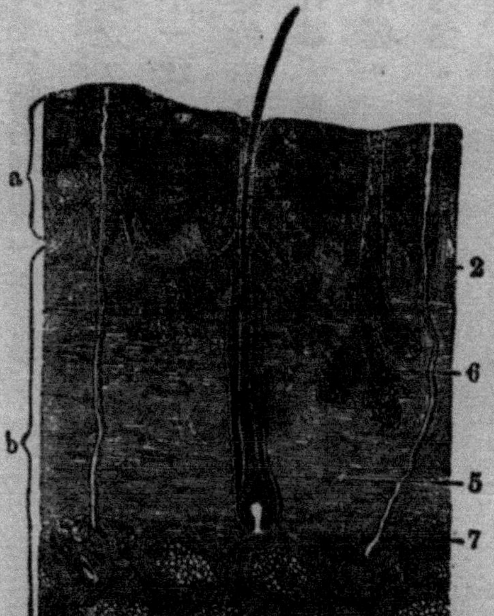

皮膚的構造

a.表皮 b.眞皮 1.角質層 2.乳頭

3.脂肪 4.毛髮 5.毛根

6.皮脂腺 7.汗腺

眞皮的下層，和肌肉或骨相連續的部分，結締組織很鬆，和網相似，中間有許多脂肪，這叫做皮下脂肪組織。這皮下脂肪的量，在肥胖的人自然很多，女子也比男子多些。

外科疾患

一〇三　炎症（無名腫毒）

原因　炎症原因甚多，一言以蔽之，自一定刺戟而起。其刺戟之性狀，及組織之抵抗各有不同，故刺戟之反應亦不一致。而發炎有強弱，今就可致炎症之刺戟類別如下：

一　化學刺戟：卽化學藥物沾染於皮膚而引起發炎是也。

二　器械刺戟：卽遭受打擊或壓迫而引起。

三　溫熱刺戟：卽湯火所傷。

四　電氣刺戟：受電所灼傷。

五　毒物刺戟：毒性物體，或藥物或昆虫所嚙而起。

六　傳染刺戟：細菌之傳染也。

六者中以傳染刺戟爲最要。卽細菌侵入體內化膿是也。

症候 炎症之主要症候，爲潮紅，腫脹；疼痛，灼熱，及官能障碍五者。

潮紅 炎症發生時，其局部潮紅，係血管壁變化而局部充血所致。

腫脹 其原因爲血管充血，而滲漏漿液及潛出血球所致，倘炎症部爲疏鬆組織，則腫脹更甚，因漿液易於積聚故也。故炎症起於厚筋膜下，則鄰處見腫脹，如手掌炎症，腫於手背，頭皮炎症，腫於上眼瞼等。

灼熱 因局部血管充血，輸送於該部之溫量增加，並以血行緩慢，而溫量之放散減少所致。與全身之溫度無關。故局部灼熱即爲高度者，亦常在體內血溫之下也。

疼痛 局部疼痛，爲知覺神經受滲漏血漿之壓迫而起。

炎症除此四種特徵外，倘有官能障碍之一種徵候，由於膨脹及疼痛而起。

治療法 1 針曲池。

2 針血海，委中。

3 針發炎附近經穴。

4 發炎處敷以雷弗奴耳藥液。（一粒藥餅開一百CC水）。

5 如患處已潰膿，在上身者，加直灸曲池五壯，炷如綠豆，潰膿處敷上四生散或白藥膏。如在下身者，直灸血海五壯，炷如綠豆。如上下身俱有潰膿者，曲池，血海同日灸，或日灸一處，如久年爛肉，百醫罔效者，除以上二穴外，仍須加灸膈兪七壯，炷如紅豆。同時敷上四生散或白藥膏。

6 如屬皮膚疾患，並不潰爛，祇有作癢者，除以上四穴外，當加針肺兪。

助治方 四生散方　生南星一两，生半夏二两，生馬錢五錢去毛，大京芥一両，生草烏一両，大生軍一両，金銀花五錢，共研細末，以米醋賚成糊形，症重者先買上項各藥煎水洗之，然後貼藥，（切忌入口）。或用散使患者冲熱開水洗之。

此方能治一切大小癰瘡，爛肉，（無皮者不合用），無名腫毒，敷之，無不應效如神。但陰疽切勿用之。

預後 初起炎症，一二次卽愈。已潰之輕症，約五至七次愈，久年潰瘍，不收口者，當需十次左右。

一〇四　癤腫　（疔瘡）

原因 爲皮腺及毛囊之急性炎症，因黃色及白色化膿性葡萄狀菌竄入而起。

症候 瘡堅硬有脚，其狀如釘，故名疔瘡。疔之經過甚速，而其毒尤烈，有朝發夕死，有隨發隨死者，有數日或半月而死者。初起如疥，或發小泡，始則或癢或麻木，後則漸痛，亦有起卽痛者，由癢而起之症，其毒必四散遊走，最爲厲害。一二日後，發寒熱如瘧，甚則嘔吐煩躁，頭暈眼花，舌硬口乾，手足青黑，心腹脹悶，精神萎頓，語言顚倒，其瘡形大小長圓，其色黃白紫黑，或發紅絲，無一定形。發於手部及頭部者多，別處者少。其生於两足者，多有紅絲至臍，（至臍者死）生於两手者，多有紅絲入腋（至腋者死），又生於唇，面，口內者，多有紅絲入喉。（入喉者死）更有生於內者，亦有寒熱等症，而瘡形不現；過數日或有一處腫起，卽內疔所發之處，又有生於暗處者。初起不可認爲傷寒時疫，當於鬚髮眼耳口鼻肩下两腋，手足甲縫，糞門陰戶等處，遍尋細看數次。以針刺瘡，不痛無血，是此症也。

診斷 以生黃豆令病人嚼之，如無豆腥之味，卽是疔瘡。又取酒甑中氣垢（積也）少許納口中含之，必有一處痛甚，卽知疔瘡之所在。嘔逆直視，譫語如醉者，則不可治矣。

治療法 一 針身柱，靈台用粗針，針後使微出血水，針合谷，曲池，中衝（出血），血海，委中。服新鮮野菊花汁數杯。如無野菊花，藥店中購菊花一両煎汁服亦可，一次不效，二次必愈。

二　灸掌後四寸正中十四壯。

三　疔瘡初起，灸掌後横紋中七壯（卽大陵穴），男左女右，其腫卽消。有失治而致走黃者（卽瘡頂凹陷，神昏心煩）刺患所，擠盡惡血，卽隨走黃處，按經細尋，有芒刺直豎，卽是疔苗。急用針刺出惡血，卽在刺處艾灸三壯。

四　疔生在咀角名鎖口疔，當在患者背後反對方，找得紅瘀點，針刺之出血。此紅瘀點卽疔之根。疔在左咀角，根必在背右；疔在右咀角者，根必在背左，則視瘡之左右行之，疔在右刺左，在左刺右，刺後擠出惡血，再用杏仁數枚，以微温水泡開，搗爛敷疔處及腫痛處，半日一換，卽痛止腫消而愈矣。

五　若疔瘡生在指者，不論生在何指何節，須刺該指之本節指根近掌處（出血）。使毒不致竄入旁指及手心手背，而本指毒亦可洩，若已旁及他指，再刺所及之指根。

六　紅絲疔生於手足者，在紅絲之尾刺出血，無頭者在兩端及中間刺出血。

七　凡疔生在人中者最惡，須灸两手之合谷穴有特效。

助治方 1 巴豆去皮尖三錢，明雄黃三錢，生大黃三錢，共研細末，加麵醋煑糊爲丸，如梧桐子大。輕症服三四丸，稍重七八丸。極重至走黃者，服十丸至十二丸，用白開水送下，務使大瀉三五次，以殺其勢，如體弱不耐多瀉者可飲冷開水或粥，其瀉得止。此丸祇用於疔癰之紅腫痛熱者。體虛者切勿服用。

2 取雄鷄冠血點患處。

3 消毒散 雄黃一錢，白砒五分，研末同元肉七枚擣爛敷一夜卽消。（切勿入口）。

4 貓尿搽之立愈。捉貓放磁盆內，以薑擦其鼻，尿卽出。

5 活臭蟲和白飯擣勻敷之。以水楊梅煎水洗之。

預後 視症之輕重，約治三五次卽愈。

一〇五 癰瘡疽

原因 因膿菌侵入皮下組織，多爲金色膿葡萄球菌所致。身體衰弱而組織欠殺菌力者，則易生癰。又有因身體某處受打或被壓，或該處生活力減低，菌遂乘勢由汗腺或毛囊而入，或因皮略有傷而侵入等而成癰。

症候 初起該處皮下組織硬而痛，皮色變爲紫紅。漸腫則漸痛，腫處致累及數寸之寬。其延大時中央柔軟，數日後，所蓋之皮，似乎欲破，其面起數皰，生膿穿出，並有灰色壞死塊緩緩流出，其漏孔漸漸加多致皮形篩形。其底有死組織，膿及膿頭出淸之後，炎始稍退，死組織塊漸脫，而癰底現肉芽。癰多生於背，項或肩臂等局部，蓋此數局部生活力不甚活潑也。生癰常僅單獨，癰生時人多欠爽，惟體溫不甚高。

治療法

1 針曲池，少商（强刺激並出血）。

2 針血海，委中，大敦（强刺激）。

3 如癰生在上身者，灸曲池十壯，如生在下身者，當直灸血海十壯，均炷如紅豆，如症嚴重者，當炷如黃豆。如患者發熱，則暫時不灸。

4 如患者症候嚴重，可加直灸膈俞七壯，炷如紅豆或炷如黃豆。

5 患處敷上四生散，初起者當散，已潰者則生肌而愈。

6 癰瘡初起時，患處紅腫，或無頭可見時，用土紙濕透，蓋於患處，看何處先乾，即是瘡頭之所在，以蒜頭去衣，擣如泥，蓋在瘡頭上堆如小丘，以艾炷如花生大，在頂上灸之，痛者灸至不痛，不痛者灸至痛。灸完敷上四生散，同時仍用一至三步之療法。

7 如已潰膿後，仍用一二三步之治療法，潰處用五百份之一之加波力水洗淨，如瘺口仍有皮遮蓋者，仍用四生散，如皮膚已不存在者，當敷白藥膏或生肌玉紅膏。

助治方 此方名爲仙方活命飲：穿山甲三大片炒，皂刺五分，歸尾一錢五分，甘草節一錢，金銀花二錢，赤芍五分炒，乳香五分，沒藥五分，花粉一錢，防風七分，貝母一錢，白芷一錢，陳皮一錢五分，好酒煎服，或淸水煎服亦可。凡瘺來勢凶猛，或太大者，當兼服此方。

預後 初起者，三五次可愈，已潰者約七八次可愈。

陰疽療法

凡患陰疽者，身體必虛弱，顏色蒼白，患處不紅，與肉色相同，患處腫起而微熱微痛。起此症者，可能數月至一年而潰，潰後永不收口，長流毒水，致人衰弱而死。有時會連生數個，散佈於身體各處。初患此症時，患者亦不覺大痛苦，仍能飲食動作。潰後流水太多及太久者，身體始漸衰弱。針灸療法，與癰相同；不論初起或已潰，均須多直灸艾，以灸曲池，血海，膈俞，肝俞爲主；四穴循環灸之，每灸十壯，炷如黃豆或紅豆，日灸一穴；又可直灸膏肓俞十壯，配關元五壯，以上各穴，循環灸之，直至治愈爲止。初起時，仍當以治癰法之1236四步治法治之，不刺少商及大敦穴，但切勿敷四生散，宜用瀉鹽水熱敷之，一日三四次，每次半小時至一小時，有大效，有時可能就此消散。

凡患疽必須內服陽和湯；方用：熟地一両，眞鹿角膠三錢，好玉桂一錢，炮薑五分，麻黃五分，甘草一錢，或加白芥子三錢，清水煎服。患處用白芥子末，調酒塗之。已潰者不必塗藥。

預後　新起者約一月之內可愈、已潰者，須二月至三月間可愈。

瘡、癰、疽之鑒別

凡瘡初起，即如小丘形，小丘範圍以外之肌肉，與普通好肉相同者，此即爲瘡，不論大小瘡，潰後，祗得一處開口，旁邊並無孔穴者。

凡癰初起，常令人不經意其爲癰者，初起於身體任何部份，於肌肉中，起一小癤形之小粒，小粒之週圍約一寸範圍之肌肉，略帶微實性，此小癤粒之面上，現小點之黃白膿點，若誤以爲癤瘡，以手將小癤之膿點壓出，則次日患處雖不復現膿點，却見患處更爲廣潤，約直徑在二三寸之間，而現紅色，其痛更增加，而紅色範圍以外，最少有寸餘二寸之間，變爲硬實塊，再次日則其範圍更廣矣。如該小癤不經手壓，聽其自然發展，則不致擴展至如此之速，成熟後，亦無上文所述者之廣潤。但癰成熟後，必現多孔，約五孔至十孔不定。凡診瘡科，須知瘡癰均有紅腫痛熱四者兼並，所當注意者爲瘡脚，即瘡範圍之外圍，是否堅實，若堅實者，爲癰無疑。又瘡則如丘形，癰則不如丘，反若鱉之背部，略墳起而寬廣而已。

至於疽則有腫痛熱而不紅，而痛與熱亦略輕於癰與瘡，初起易被人忽略，但疽初起即成幅，並非漸漸擴大者，每經數月或一年而後潰，瘡癰潰後，出濃膿血，多能生肌收口，疽則不然，潰後永不收口者。瘡癰雖惡，但必在正頂穿潰，疽潰時，多在一端，內部有如深窖之隧道或暗渠，內部廣濶深遠，長期化膿腐潰膿水永流不盡，亦無收口之日。

又有人分別陰瘡陽瘡之名稱：有人以爲生在陰部如前後陰或腋下等爲陰瘡，其他各處即爲陽瘡。此說並非屬實。所謂陽瘡者，指其有紅腫痛熱，四者兼備爲陽瘡，若不紅而生於任何一處，均爲陰瘡，以其不紅故也。因此陰部亦有陽瘡者，如前後陰腋下等處是。而陽部亦有發陰瘡者，如大腿等部是，至於附骨疽常多發於環跳部，更爲顯明矣。

另有一種瘡名爲鼠偷糞，多生於肛門附近者，此等瘡並不向橫徑發展，乃向直徑發展者，初生以至成熟，瘡頭始終甚細小，約如指頭大，一旦潰後，深至寸餘二寸，亦是長期流水，永不收口，以後被人稱爲『漏』者是也。

一〇六　癬

原　因　由黃癬菌寄生而起，傳染極易。

症　候　生於身，成片，獨生或夥生，大小無定，有鱗而癢。此症有不治而自愈者，有必待治而後可愈者，有雖治而亦難愈者，更有此愈而彼患者。此種病多由接觸傳染，更因搔抓之結果，而散佈於全身，成爲不可收拾之勢。有所謂牛皮癬者，多生於關節活動之部位及項部等。癬最忌塗上刺激性之藥品，如坊間所售之癬藥水，能使癬愈塗而愈厚，終至成爲牛皮癬。

治療法　1　針曲池。

2　針血海，委中。

3　針肺俞，膈俞。

4 初起薄癬，用温灸器隔紗布灸患處，直至止癢，繼用乾蒜頭切開，將切開處用小刀橫直斬花蒜之切口，將此蒜擦患處，一粒用完，再擦一粒，直至患處覺痛爲止，數次自愈。

5 如患處廣濶，可用燈芯灸法灸之。先灸癬之外圍，再灸內部。每粒以約相隔三四分遠，不可太疏，不可太密。若患處濶數寸至一尺餘者，當劃分數份，分日灸之，痂脫後，多數已愈，若仍有小部份未清時，可再灸之，至清爲止。

老　癬　用毫針在患處密刺出血，後用温灸器熨之，行之多次，能漸變薄而愈。

老癬方　用其所偏五錢，硫黃一錢，辛養粉五錢，楊柳酸錢半，花士苓一両，和匀成膏搽患處。

紅雲血癬　症狀爲面部起紅塊，大小不定，紅塊處略厚，面部常覺有虫行蟻走之感覺者。

治療法　1 針合谷，曲池，血海，委中。

2 灸合谷，曲池，大陵，膈俞，以上各穴，循環灸之，每灸五壯，炷如紅豆。

3 用毫針密刺天應全部出血，拭去血後，繼用隔薑灸之，覺痛卽換位，灸愈多愈佳，久之自愈。

助治方　葱頭，老薑各二两，鷄蛋黄四個，用蓖麻油（或滬油）一磅煎至各物乾枯為止；搽普通薄癬甚效。

又方　雄黄一錢，生砒一錢，用蓖麻油半磅煎至藥枯為止；此方治老癬甚效。

預後　新癬三五次即愈，老癬當治數十次。

一〇七　疥

說明　疥虫之雌者，長約〇・二五粍，雄者較大，約長〇・四粍，虫之頭部，常由皮膚表面向皮內斜穿隧道，虫體在內加以刺戟，該部遂生小水泡小結節。水泡不久即乾燥。隧道中有微細黑點，即係虫糞；其後虫再前進，則水泡復生。隧道之長，幾達一二釐，其終點有微細稍深之白色部份，即虫體棲留之處。在此產卵而生幼虫，再鑿新隧道。於是其蔓延益甚矣。

原因　疥因人與人互相傳染者居多，亦有由犬馬等動物而傳播者，尤以温暖之季節為顯著。其傳發部位為手指之两側，指間之皺襞，及乳房，陰莖，陰囊，腰部，臀部：足部內側等處。

症候　主徵為局部發癢，尤以夜間在被褥中加温時為最劇。又因搔爬之結果，往往引劇烈濕疹或膿疹。

治療法 1. 針曲池，陽谿。

2 針血海，委中。

3 針肺俞，膈俞。

4 如患此疾，經久不愈者，或發爲濕疹膿疹者，當直灸曲池，血海各五壯，炷如綠豆。

助治方 古月二錢，萊菔子二錢，大風子二錢，甘草二錢，硫黃二錢，北細辛六分，共研細末，茶油開塗患處。

又方 用硫黃粉開花士苓搽患處效。

預後 不超過七日當愈。

一〇八 凍傷（俗名蘿蔔）

原因 凍傷係因久受寒氣之作用，血管發生變化，該部血液停滯而起。多發生於手，足，耳鼻等部，貧血及營養不良之人，易爲所侵。

症候 凍傷多爲三種程度如下：——

第一度凍傷患部之血管，因寒氣而收縮，呈蒼白色，若寒氣侵襲不已，血管神經遂起麻痺，於是血管乃擴張而變爲紫紅色，略見腫脹，而覺奇癢，尤以夜間就寢時爲甚。

第二度凍傷，卽變色之處發生水泡，破後漿液漏出，遂成潰瘍。

第三度凍傷，最重，皮下組織化膿，該部全部壞疽，呈暗褐色，血液循環停止。又因水分蒸發之故而成乾性或濕性壞疽。其甚者，往往皮膚骨肉等亦將脫落，良可畏也。

治療法　1　用隔薑灸法，（先在薑上刺數小孔，然後置艾其上），灸患處，灸至熱時，改換位置，週而復始，至止癢爲止，日灸二三次，數日愈。

2　凍瘡初發時，用太乙神針藥料，以火酒調和如糊狀，放於凍瘡上，在藥料上放艾灸之，灸至覺癢，再由癢而覺痛時除去之，可不復發。

3　凍瘡潰後流水，用艾烟噴射器噴射之，或燃燒大量艾絨，以艾烟燻之，數日可愈。

預後　未潰者，一二次愈，已潰者約五至七日愈。

附外科雜治法

1 **鷄眼或飯蕊** 在患處用艾直灸之，艾粒當如鷄眼頭之大小相同，小者灸三至五壯，大者灸五至七壯，數日後，患處週圍，當發生裂口，不久該鷄眼自然浮起而脫出。如生在脚底者最難愈，灸後當用大熱水浸數十分鐘之久，連治數次自脫落而愈。

2 **肉粒** 在皮膚上生一肉粒，色紅，無眞皮者，在患處之頂上灸五至七壯，次日當卽脫落而愈。

3 **粉瘤** 患處多作圓形，有眞皮包裹者是。在瘤脚貼肉處環刺之，刺之深淺，當看瘤之大小，約刺至瘤之中央爲合；每針約隔三四分遠，再在瘤體之全部刺之，每針亦隔三四分遠，數日自然收縮或破潰而愈。有不愈者，當用三稜針刺破之，擠出瘤肉內之粉，擠淸自愈。

4 **鼠偷糞** 此瘡生於肛門之附近，其面積小而內部却深入寸餘，初起時卽劇痛，除照瘡科針治外，初起當加灸瘡頂，每易消散，將潰時則當改敷四生散，潰後成爲

手腕附近生小核，直灸患側曲池五壯，一次愈。

痛時，當照治痛法治之。

5 石梗

此症多生在足蹠底之正中，多由赤足走路，足蹠踏在小石之上，一時不覺有他，一二時後漸痛，繼而潰膿，因足蹠皮厚，有痛苦十日亦不破者。初起時，針雙血海，雙委中，針患脚之復溜，交信；再以大艾接觸灸最痛處；一二次當愈。若將潰時，（即有陣陣大痛，與脉搏同起者，是作膿之期。）針後當用四生散冲滾開水浸之，再用醋煑四生散，熱敷足蹠上離地兩旁約一寸許之處，加灸血海五壯。如已成膿而未破者，當以利刀將皮割開，將膿擠盡，再敷上四生散，膿盡改敷白藥膏。久痛而不化膿者，針治後亦不愈，當在痛處直灸處直灸不痛爲止。

6 生蛇

此病多生於身上之背或腹等部，其色紅，其狀約濶寸餘至二寸，初起一小塊漸生漸長則漸濶，終至環繞全身，患者則危。當在患處之頭（初起處），尾（後起處）以燈芯蘸花生油灸之，繼灸其中心之全部，每灸約五七分一粒。一次當愈。

7 湯火傷

當受湯火傷之當時，即用酒精（七十份酒精和三十份凍開水或蒸溜水），用藥棉吸此酒精，敷受傷處，如覺熱時，立即更換，三四換後，患者痛苦即除，而患已愈，次日毫無痕跡矣。如酒精一時不便，當即用洋油（火水）用棉吸取敷上亦效，但不如酒精之速愈而已。如患處已起泡，當將泡刺破剪去之，掺上生肌散，或敷上湯火膏。如已脫皮，亦當敷上生肌散。如皮膚不脫，而仍未愈者，可塗上外科油，或湯火膏均可。加針曲池，血海委中。

A　湯火膏方　用生石灰，以水浸過面，澄清，次日，取石灰水和生油各等份，攪勻如稀膏狀可用。

B　湯火傷內服方　用崩大碗（生草藥）多量，研爛，取汁和蜜糖服，可免熱毒攻心，如臨時無別藥可敷，將一部份敷患處亦效。

8　白蝕

身體任何部份，均可發生，其色雪白，初起小點如豆時，用艾一粒，與患處同大小，直灸之，一次即愈。如患處大如洋毫或更大者，當劃分數部份，如法以艾直灸之，一粒當與先一粒相連接，分數日灸之，痂脫後，自復原色而愈，若更大，或全身均有者，此法不可用。

A　白蝕方　用蝙蝠鮮血塗之，多塗自復原色；但日後仍有復發者。

B　用生草藥名『白花燈芯娘』者，磨正白醋，塗患處，日久自復原色。

C　用公鷄腰子，在鷄腹內取出後，去衣以藥棉蘸鷄子擦白點處，擦多次自恢復原色。(灸腎俞)

9　香港脚

針血海，委中，太谿。用西藥「水楊酸」，又名「楊柳酸」，又名沙力斯酸，溶於足力酒精中，份量爲溶至此藥約有多少沉澱於瓶中，不能再溶化時爲合，將此藥液用毛筆塗於脚趾縫中，日塗二三次，直至脫皮凈盡，即愈，能持久而不復發。如於手掌有同樣發作者，塗此藥亦甚效。如患處潰爛不堪，甚至不能舉步者，當將藥液和以百份之三十清水，然後塗上，則不致痛苦難以抵受。俟稍愈時，再塗以原裝藥液可也。

10　鵝掌風

即手掌爛，出膠水，作癢，長期不愈者。針曲池，大陵，勞宮。再用松葉一把扎實，將葉頭(即近樹身之一部)切齊，蘸熱猪油擦患處，數次自愈。或塗以香港脚水。

11　指間小泡

指間起小水泡如米粒大，初起即癢，經搔抓之結果，頃間即增至數十粒；初起數粒時，用小艾粒如水泡粒大小，直灸一壯於水泡中，每粒一壯，此後即愈，若增多時，仍用松葉蘸熱猪油塗，或用香港脚水塗之，直至脫皮淨盡卽愈。

12 蛇頭指　指頭生瘡，針曲池（雙），支溝，外關，患指井穴出血，隔薑灸患處。用滾開水一杯，滴下拉蘇藥水七八滴，待開水之熱度可抵受時，將指頭放入水中浸之，直浸至水凍爲止，一日浸二三次，二三日卽脫痂而愈，不論已潰未潰，均可如法行之。未潰者，浸後塗外科油，已潰者，浸後敷白藥膏。

13 皮膚濕爛流膠水　流至何處，爛至何處：方用飛揚草一兩，蒼耳子五錢，生艾葉一两，（以上生草藥），金銀花五錢，作癢者加枯凡五錢，煎水洗患處。如毒深者，用四生散和開水洗之，繼敷白藥膏。

14 腎囊生油蟣作癢難耐　灸血海，囊底，用四生散冲滾開水洗患處。生紫蘇葉，飯面蒸熱，乘熱擦患處。

15 陰毛部生三角虱　先剃去陰毛，再用檳榔燒灰擦患處。

16 麻木性痲瘋　身體局部麻木，全無知覺者名爲麻木性痲瘋，治法當針患處附近經穴，患處用毛針密刺全部，如有血出，拭去之，繼用隔薑灸法灸患處全部（提防起泡），多次自愈。

脫髮又名鬼剃頭　方用首烏二两，拔蘭地酒半斤，同浸十日後，搽脫髮處，內服下方甘草二錢，黃蓮錢半，黃芩錢半，半夏二錢，黨參二錢，生薑二片，水煎服。

汗腺生理

汗腺是一種管狀的腺，在眞皮的深部，上端在表皮面開口，下端迂曲成團塊；這團塊的外面，有微血管纏繞着，這汗腺在手掌足趾，腋窩，額部的皮內特別多些。

汗是汗腺所分泌的無色透明的液體，其中含許多的廢物，所以也算是人體重要的排泄物。汗量的多少，和氣候的冷暖，身體的動靜，都有密切的關係，平均計算，大人每天排泄兩磅左右。

一〇九　多汗（盜汗）

原因　生理的多汗症，乃因運動過度或神經恐怖而起。病理的多汗症，則因衰弱狀態如結核等病而來。此外亦有因交感神經之疾患而發生半身多汗者。

症候　主要症候即發汗過多，其重要者爲限於手，腋窩，及鼠蹊部之多汗症。足患多汗症者，兩足濕潤，襪常不乾，又因汗液分解而發惡臭，此之謂臭汗症，其後往往皮膚濕潤。腋窩鼠蹊及肛門亦因多汗症而發糜爛性濕疹。又入睡後並不由天氣影响而大汗淋漓者，稱爲盜汗。此乃由於身體虛弱而來。

治療法

1 針合谷，陰郄，後谿。

2 針復溜，交信。

3 輕型者隔薑灸，重症者或盜汗者直接灸陰郄，復溜各三壯，炷如綠豆。

4 如體虛甚者，汗止後當直灸膏肓俞十壯，足三里或關元三壯，炷如紅豆。連續五日。

5 如手汗多加直灸後谿三壯，炷如綠豆，大陵五壯，炷如紅豆，連續三日。加灸心俞。

6 如脚汗多，加針委中，直灸然谷五壯，炷如綠豆。加灸腎俞。

預後　輕症二三次愈，全身多汗者，須十餘次愈。

助治方

1 盜汗用韮菜炒冷飯食之有效。

2 小兒盜汗用五棓子末，和本人或母親唾液（或清水，以唾液爲佳），調勻如膠狀，臨睡時，塗於小兒臍孔中，數次可愈。又用酒餅擣爲末，臨睡時拭抹全身，局部多汗亦合用。

臭狐治法　直灸極泉穴三壯，炷如綠豆。此穴在腋窩中之最凹處，屬心經，按之有筋應手，其感應透達少海穴者是。

臭狐方　用樟腦二錢，枯凡一錢，蜜陀僧一錢，輕粉二分，共研細末，以好白醋調和如稀糊狀，臨睡時塗腋下，初塗連續三天，以後一星期塗一次，可止一星期之臭味。

一一〇　肌肉僂麻質斯（頑固風濕痛）

原因　除感冒等偶發的原因外，其眞正原因尚未明瞭，亦有謂爲傳染性者。如常在潮濕環境中工作者，或常睡眠於地上或石床者，肌肉感受寒濕之氣，侵入肌肉中，又跌打後之遺患等，日久便成爲風濕。

症候　局部肌肉發生疼痛性緊張，或竟攣縮，往往亦有發生浮腫者；屢合併神經痛。持續數小時乃至數星期。慢性者則頗頑固。特見於肩胛肌，項肌，背肌，腰肌等處。肌肉或發生胼胝或結節，此種慢性者往往成爲職業疾患，例如水中工作者及鑛工等，因反復感冒發生本病。本病易於再發，與氣候變化有關（不與天氣相關者不是風濕）。天氣温暖則漸痊。亦屢易見於四十歲以上之坐食者。

治療法　1　在背肌

1　針人中，中渚，委中。

2　針風門，膏肓俞。

3 針天應，針後輕症用間接灸，重症用直接灸，五至十壯，炷如紅豆或黃豆。

2 在肩肌

1 針肩井，肩顒。

2 針手三里，中渚。

3 針風門，膏肓兪。

4 針痛點，針後用間接灸或直接灸，五至十壯，炷如紅豆或黃豆，或針上灸三壯。

3 在項肌

1 針後谿。

2 針風池，天柱，風府、百勞。

3 針大杼，大椎橫針入寸半使針氣直達項上。

4 針痛處，針後用間接灸或直接灸五至十壯，炷如紅豆或綠豆，或針上灸三壯。

4 在腰肌

1 針委中，環跳。

2 針腎兪。

3 針痛處，針後用間接灸或直接灸，或針上灸三壯。

4 如腰痛甚者，直灸患側脚之大都穴五壯，炷如紅豆甚效。

註 以上之直接灸均用紅豆大艾炷，起碼五壯至七壯。如患處是禁灸穴，可用針上灸替代之。

風濕方

1 製馬前一両，血竭四錢，共爲末，分六十服，每日一服，開水送下。

2 此名搜風順氣丸治風濕筋痛，半身不遂。酒浸大黃二両半，獨活両，枳殼麵炒両，檳榔両，牛七酒浸両，羌活五錢，火麻仁火焙去殼一両，郁李仁滾水浸去皮両，車前子酒炒両，兎絲子酒煑一両，山萸去核酒浸両，眞山藥両，各淨爲末，蜜丸爲梧桐子大，早晚一服，每服三十粒。十日後見效，虛寒者勿用。

預後 輕症三五次愈，久年者須十餘次愈。

關節的解剖

骨聯接可動的叫做關節。種類很多，有的和門的鉸鏈一樣，只能向一方面運動的，肘，膝，指趾的關節，就是這樣；這叫做屈戌關節。有的两骨聯接能左右迴轉的，第一頸椎和第二椎的關節，就是這樣；這叫做車軸關節。有的一個關節面是杵形，一個關節面是臼形，两相接合起來，運動的範圍最廣，像肱和肩，股和盆骨，都是這樣；這叫做杵臼關節。有的關節面很平坦，两骨只能略爲移動的；像腕骨和跗骨的關節，就是這樣；這叫做磨動關節。

關節構造上的要件，就是：1．運動的時候两骨直接不相衝突；2．運動能圓滑不起摩擦；3．两骨不容易脫離，構成關節的两骨，因爲要適合這些條件，所以骨端有彈力性的軟骨，叫做關節軟骨；周圍還有一重分泌滑液的膜，這叫做滑液膜；並且外面還有强韌的特別組織包裹着。使兩骨的聯接能够鞏固，這叫做韌帶。包裹關節两骨端的韌帶囊，叫做關節囊；這種韌帶特別叫做囊狀韌帶。滑液膜就在這關節囊的內面。

全身骨骼圖

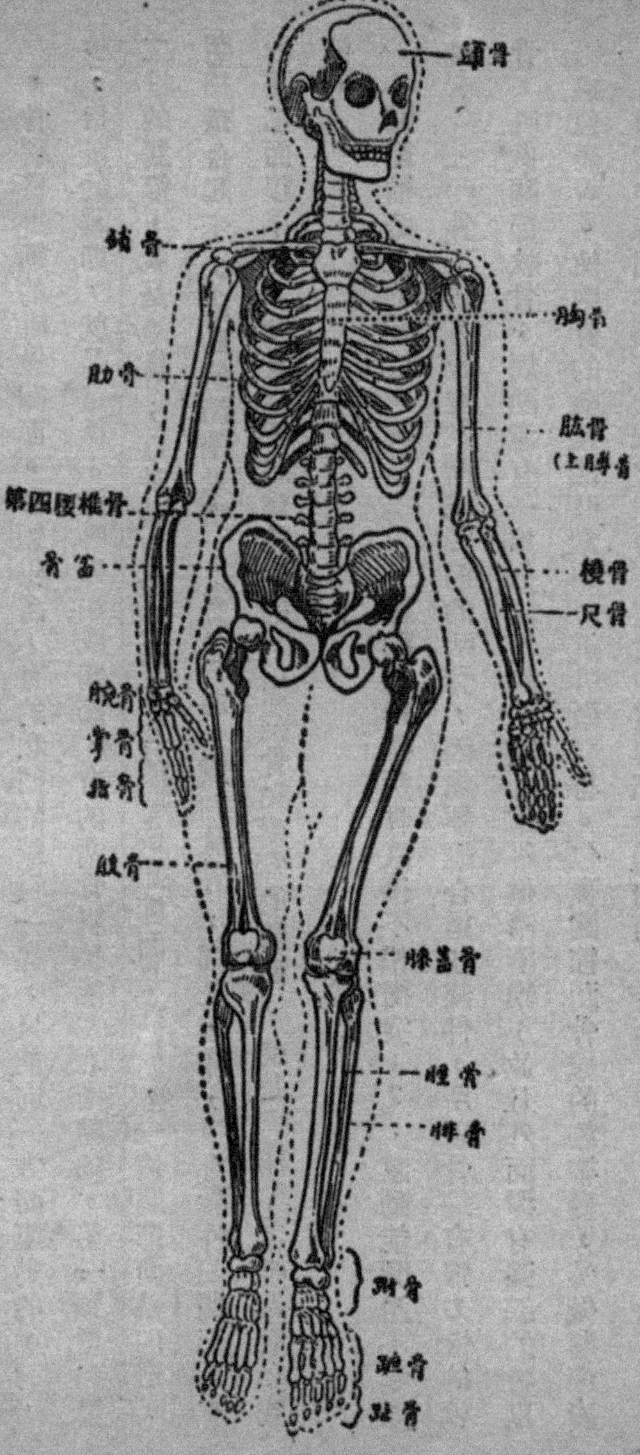

手脚疾患

一一 關節神經痛（或風濕）

原因 爲發作性關節之神經痛。多見於臟躁病者或貧血者，凡精神感動，感冒，外傷，傳染病等，都可爲其誘因。

症候 其中股膝關節爲本病好發部位，疼痛性質甚强烈，向上下放散，但爲弛張性。關節皮膚間或潮紅，對於壓迫亦可現過敏之象，而疼痛强弱，不與壓迫重輕相比例。運動因疼痛而受障碍，大多數取展伸位置。

治療法 1肩關節 針肩顒，肩井，巨骨，臂臑；針後加以間接灸，如嚴重性者加直灸肩顒五壯，炷如紅豆。助治穴風門，膏肓俞。

2肘關節 針曲池，尺澤，曲澤，手三里。針後加以間接灸，除禁灸穴外，可直接灸之。如有其他痛點，再加一針，針後不愈可灸之。助治穴內關，少海，中渚，液門。

3腕關節 針腕骨，太淵，陽谿，陽池，外關。及痛點。助治穴靈道，後谿。

4指關節　針合谷，外關，本節前後五分骨縫中，針後間接灸。

5股關節　針委中，風市，環跳，針後間接灸環跳，如另有痛點，加針痛點，針後用間接灸或直接灸，可看情形而定。助治穴針腎俞，直灸大都。

6膝關節　針陽陵泉，陰陵泉，膝眼，委中（入寸半至二寸，以觸骨爲度。）針後間接或直接灸膝眼陰陽陵泉。助治穴陰市，風市，曲泉，足三里，陽關，懸鐘。

7跗關節　針太谿，昆侖，照海，申脉，如痛在關節之前部加針商邱，邱墟，中封，如另有痛點，可針痛處，針後直接灸或間接灸。

預後　如輕症一至三次必愈，如屬重症及久年者，約七至十次可愈。

一一二　三角肌麻痺

原因　膊神經叢麻痺，外傷，神經炎，肩胛關節風濕症都可爲其原因；間有爲中樞性麻痺之一分症者。年老氣血衰弱者，亦可由於肩膊局部感寒而起，本病多發生於四十歲以上之人。

症候　上膊上舉困難爲本病唯一症候。如麻痺限三角肌之前部，則不能向前內側上舉。麻痺如限於中部，則難向外側上舉。麻痺如限於後部，則難向後上舉。

治療法　A不能向前內側上舉者，針肩井，肩顒，曲池，合谷。針後間接或直接或針上灸肩顒。

B不能向外側上舉者，針肩顒，臂臑，曲澤，曲池，手三里，針後間接或直接，或針上灸肩顒及臂臑。

C難向後上舉者，針肩顒，巨骨，臂臑，尺澤，中渚。針後加直接或間接或針上灸肩顒，巨骨，臂臑。

附說明　本症有ABC三情形混合發作者，經穴可混用。針後再看何處最痛，可先針後灸之。如不能知時，可將患者之手勉强抬起少許，便可發覺痛點之所在，卽在痛處針灸之。

助治穴　風門，膏肓俞，天柱，風池，中府，章門，支溝。

預　後　輕症三五次愈，日久頑症，約須十餘二十次。

附手部其他疾患

1由臂至手酸痛　針肩顒，曲池，手三里，合谷。針後間接灸。

2手肘筋緊難伸　針曲池，尺澤，曲澤。繼以間接灸，或曲澤直接灸。
3手腕無力　針腕骨，太淵，列缺，加間接灸或直接灸腕骨。
4手臂冷痛　間接或直接或太乙神針灸肩井，肩顒，臂臑，曲池。
5手指拘攣　針曲池，曲澤，手三里，間使，合谷，大陵。針後加間接灸或太乙神針灸各穴。或直灸曲澤大陵。
6五指皆痛　針外關，少商，用粗針强刺激。
7臂內廉痛　針太淵，曲澤，繼以間接灸、
8肘　攣　針尺澤，曲澤，肩顒，間使，後谿，大陵，針後用太乙神針灸。或直灸曲澤，大陵各五壯。
9肘及指不能屈　針曲池，尺澤，曲澤，手三里，外關，中渚。繼用太乙神針灸或間接灸。
10指頭麻痺　針大陵，合谷，支溝，中渚，腕骨。或直灸大椎。
11指節腫大風濕症　針曲池，手三里，外關，中渚及無名指與食指之間本節前後五分處，隔薑灸腫大之節。直灸曲池穴十壯。

12書痙，卽寫字時手震或抽筋，針大椎及患側之風池，肩顒，曲池，尺澤，少海，腕骨，合谷，陰市，單針不灸。

一一三　震顫麻痺　（手脚震搖）

原因　眞因不明，感冒，梅毒，外傷等均爲誘因，未滿四十歲者不易發病，男多於女。心臟衰弱亦爲原因之一。

症候

一　初爲潛行性，漸呈著明之特有症狀。

二　肌肉强直，瞬目運動減少，患者呈特有之姿勢及相貌。

三　步行——細小急速，如無所憑藉，不易自止。

四　震顫——最初於手部（右側爲多），發規律的震顫，如數錢或搓丸狀。後乃波及四肢，軀幹及全身。一般震顫停止後，他肢之震顫卽開始。當作隨意運動時，得暫時抑制之。精神興奮時則加劇，入睡時震顫不發生。

五　發熱，發汗，流涎，流淚。

六　亦有無震顫性震顫麻痺者，卽不發震顫，僅有姿勢及容貌之異狀。

治療法　1直灸少海，及陰市各五壯，炷如紅豆。

2針肩髃，曲池，尺澤，曲澤，合谷。

3針環跳，風市，委中，陽陵泉，懸鐘，三陰交，昆崙，太谿。

附註　如初起時，患者祗限於一手者，祗針1 2步已足。

助治穴　灸百會，心俞，大椎，命門。

預後　初起至半年內者易治，久病難治。

一一四　坐骨神經痛（或麻痺，腰痛同治）

原因　坐骨神經痛爲習常神經痛之一種。下列諸項可爲其原因：感冒，外傷或器械作用。腫瘍，妊娠，宿便，荐骨與腰椎疾患。糖尿病，梅毒，痛風。脊髓炎，神經炎等。

症候　疼痛發於臀部；上腿後面，外側足椽，足背等之一部或全部。疼痛只限於上腿或下腿者，痛之性質往往劇烈而多持續，夜間或行走時加甚。

經過一至三次患脚羸瘦，尤以久不治時爲然。

坐骨神經全體麻痺，犯者上腿外旋，下腿屈曲，足之運動，均發障碍，狀類馬足，藉腹腰肌臀大肌之力，雖可舉步，而足趾欲離地面，勢不能於股關節作過度屈曲，遂有涉泥步之稱。

腓骨神經麻痺，在下肢孤發性麻痺中最所習見，犯之者，背屈發生障碍。足之外轉不能，並足之伸展不能。

脛骨神經麻痺，犯者足蹠之運動，趾之運動，並皆障碍。拮抗肌苟拘急則生鈎足。

治療法

1 針水溝，委中。

2 針患側腎俞，針後加間接灸。重症直灸五壯，炷如紅豆。

3 針環跳，風市，針後加間接灸，重症加直灸五壯，炷如紅豆。

4 針陽陵泉，懸鐘，昆崙。重症加直灸。

5 如症重考直灸患側大都三壯，炷如紅豆。

6 如另有痛點，在痛點處先針後灸。

助治穴 腰眼，大腸兪，膀胱俞，八髎，腰俞，陽輔，長强，白環俞，陰陵泉，承山。

預後 輕症二至四次可愈，重症須十次以上。

附足部諸疾患或風濕

1 足麻痺 針腰俞，環跳，風市，陽陵泉，陰陵泉，足三里，三陰交，懸鐘，太谿，昆崙，直灸至陰三壯，炷如米粒。以上各穴，除至陰外，針後均用間灸，其中以太乙神針爲最佳。如仍難愈，加針灸八髎。

2足攣縮難伸　針腎俞，繼以直接灸七壯，炷如紅豆。再針八髎，繼以間接灸；又針委中，承山，風市，陽陵泉，陽輔，均加間接灸法或直接灸法。委中用針上灸。

3足寒如冰　直灸命門十壯，腎俞七壯，足三里五壯；炷如紅豆或黃豆。用太乙神針灸亦可；連續七日。

4足抽筋　針承山，繼以間接灸至皮紅爲止，又針湧泉，繼以接觸灸七壯，炷如綠豆。如頑痼難愈，當用直接灸法。再針金門。繼用間接灸。

5膝　軟　針委中至到骨，（約一寸半至二寸）又針陰市，足三里，膝眼，間接灸膝眼，直接灸鶴頂七壯，炷如綠豆。如症重者，再直灸膝眼五壯，炷如紅豆。

6足蹄痛　針交信，使氣直達足蹄下。再針復溜，太谿，大鐘，照海，然谷。如針復溜交信已愈，不必針以後經穴，如症頑痼難愈者，可直灸復溜，交信各五壯，炷如綠豆。直灸痛處七壯。

預後　看情形而加減治療之次數，以二至六項，不出一至五次治愈之範圍，脚麻痺則有時需治十餘次者。

一一五　急性槳液性關節炎　（鶴膝）

原因　原發性大抵自關節外傷，次則繼發於鄰接骨膜及骨髓之炎症，或爲轉移性而發。其餘淋病，梅毒，感冒等均能誘發。

症候　其主要症候爲局部腫脹，疼痛，潮紅，灼熱等。疼痛以壓迫而增劇，如有多量滲出物，則呈著明波動，在膝關節，則膝蓋骨舉上，狀如浮遊，壓之易於移動，此名膝蓋骨跳動。其關節運動不論自動他動，皆略有障碍，但全身無熱，即有之亦爲輕度

治療法
1 針陽陵泉，陰陵泉，陰市，血海。重症均加直灸。
2 針足三里，膝關，三陰交，懸鐘。
3 針委中入至到骨。
4 針膝眼，針後在針柄上灸艾三壯。或直接灸七壯，炷如紅豆或黃豆。

助治方　此方名敷膝吐痰膏。用熱烟絲两半至二两，晒乾透，搓成粉，檳榔肉二隻爲末，石

灰一錢至錢半，共和勻放瓦盅內，用正酸米醋漸漸加上，攪和如膏若滴爲止，不可過多，用時以火煑滾，俟暖敷兩膝蓋，約三四小時後，痰自能從口中吐出，不必懼怕，治鶴膝無名腫毒等症特效，均敷膝蓋。

又方　服兒科之胎痰散，亦能瀉痰或吐痰。

預後　約治十餘次至二三十次可愈。

一一六　脚氣

原因　由維他命B缺乏而發。又水土不服亦爲最大原因之一。以多發性神經炎，浮腫，心臟衰弱爲其特徵。好發於青年，兩性相較男多於女。

症候　有三種不同病型，卽：

一　乾性脚氣，以神經症爲主。患者脚軟麻痺，肌肉消瘦。

二　濕性脚氣，以水腫爲主。患者脚腫，脚重難舉步。

三　急性脚氣或惡性脚氣，早發生重症心臟徵候，有頓死之危險。

病初起時，全身違和，脚重，腸胃障碍，心悸亢進，及呼吸迫促，勞作時然不顯著，未幾則因神經炎發知覺異常，兩腿浮腫。乾性脚氣，除脚軟無力外，多起肌肉萎縮與瘦削。急性脚氣，則突發心臟障碍卒死者。患者心臟肥大，自訴心臟部疼痛，心悸亢進，呼吸困難，血壓低降。如無合併症，自不致發熱。小便與普通無異。

主要穴　風市，足三里，三陰交，懸鐘。

治療法

A乾脚氣：

1先針風市，針後直灸三壯，炷如綠豆。

2針陰陵泉，陽陵泉，足三里，三陰交，懸鐘，太谿，昆崙，至陰，湧泉。針後加以間接灸至皮紅爲止。

3如嚴重者，除湧泉外，均須直接灸。

B濕脚氣：

1先針風市，針後直灸三壯，炷如綠豆或紅豆。再針陰市。

2針足三里，三陰交，懸鐘，承山，針後均間接灸至皮紅爲止。

C急性脚氣當發作暈倒時：

1直灸風市十至十五壯，炷如綠豆卽醒。

2針足三里，三陰交，懸鐘，繼以間接灸至皮紅爲止。

預後　乾脚氣約七次愈；濕脚氣三次可愈，急性脚氣，一次可愈。

一一七　跌打症治療簡法

跌打一症，除斷骨，脫臼，大流血以外，其餘均可用針灸治療；除針灸外，亦當用藥輔助，因跌打症屬於受傷致病，所以又稱爲『傷科』，本書所用之藥方，開列於下。

甲　跌打通脉丹　大田七三錢，沒藥三錢，沙牛三錢，製馬錢八錢，全蝎二錢，殭虫二錢，土別錢半，竹黃三錢，乳香三錢，以上共爲細末。又用籐黃一両，蘇合丸二個，先將籐黃及蘇合丸溶於熱酒中，再將以上諸藥末加入酒中，慢火煑至凝結，搓丸如小提子大，約橫直徑如蓮子大，陰干，用紗紙臘殼封固，重症跌打內服一丸，酒水送下。外敷患處（用酒開化），舊患跌打或風濕，食一丸至二丸（分日食）即愈。

乙　跌打藥酒方　生馬錢去毛，紅花，歸尾，樟腦各三錢，浸雙蒸酒或三蒸酒一斤，（此藥切忌入口，若誤入口，即發生舌腫大，立用白醋含口中可解），小跌打，用藥酒擦患處，重症跌打，將藥酒煑熱，用藥棉吸取，乘熱敷患處，功效如神。

丙 白花丹（生草藥），擣爛，視患處之大小，約量敷患處半小時，（切勿超過半小時，否則起泡，皮膚甚痛），半小時後，將藥除去，皮膚即出現紫黑色瘀塊，內部即愈，數日後，瘀退後，即安然無事。

茲將跌打症略述於下：

1 由高跌下，暈倒不省人事，即用通脉丹一粒，用酒開化，灌入患者口中，不久即醒，加針人中，灸百會三五壯。若跌倒全身疼痛，亦同樣服食通脉丹一粒，可止痛。

2 跌傷頭部，針風池，風府。用白花丹敷半小時。或用跌打酒熱敷亦可。

3 傷及肌肉瘀痛，仍以敷白花丹為速愈。無白花丹，可熱敷跌打酒。

4 傷及手足關節，當針關節上下附近之經穴，關節部用跌打酒煑熱，用藥棉吸取適量，乘熱敷於患處，一日敷三次，最嚴重者，不過三日可愈。

5 如傷在胸背部之一小部份，即用棍頭點着，或被担竿擂着者，或用拳打着，敷白花丹，如過數日後方來治者，可內服通脈丹半粒，患處用直接灸在最痛處灸五壯，傷輕者，炷如紅豆，傷重者，當炷如花生大。怕灸者用跌打酒熱敷之。

6 如舊患跌打，常常作痛者，針患處附近經穴，最痛處灸五至七壯，內服通脈丹一粒至二粒。（分日服）。

7 傷及內臟而致吐血者，仍當內服通脈丹，外熱敷跌打酒或白花丹，按所傷部位或臟腑取穴針灸之，隨機應變，隨症變化可也。

8 扭傷腰骨，多發生於第十四椎或第十六椎之間，其痛多偏於一側大腿，針十四椎或十六椎下，先刺正中，再向痛側一邊橫刺約寸餘，得感應後出針，在刺針處直灸七至十壯，一次愈。

9 小刀傷或穿破流血，用純艾敷上，血當即止，不必換藥，數日後，艾自脫落，傷口已愈，但在敷艾時，切勿濕水。

傳染疾患

疾病和傳染病總說

凡身體的器官，有了障碍，失了調和，那生活現象常要發生異狀，這就叫做疾病。疾病的成因，不外身體抵抗力薄弱。若是平時注意鍛練身體，就是受了强烈的病毒或是遇着不良的氣候，未必都會發病。但是世人往往流於消極的衛生，過講保護，以致抵抗力漸次減少，因此容易得病；這都是不知積極鍛練的結果。

疾病的初期，症候都還輕易，若是不受適當的醫治，那病勢就要增進，是不消說的。醫藥多半只能阻止病勢的進行，至於疾病的治愈，却和身體原有的能力（就是自然良能）很有關係。平素强健的人，病後容易回復健康，就是這個道理，所以病中固然要醫治，而靜養和看護，也决不可忽視。

疾病的種類很多，其中一部份由父母傳到子孫的，像癌腫，梅毒，精神病等，就叫做遺傳病；還有一部份由人或動物直接間接互相傳染的，像傷寒，赤痢，白喉，猩紅熱等，都叫做傳染病。

傳染病的病原，都是微生物。動物性微生物，有赤痢的假足蟲，瘧疾的胞子蟲等類：植物性微生物，就是各種病原細菌，像化膿的球狀菌，傷寒的桿狀菌等類。

傳染病的種類很多，但大別起來；不外急性慢性兩種。急性傳染病，就是百斯篤，霍亂，赤痢，傷寒，類傷寒，猩紅熱，天然痘，麻疹白喉等類。慢性傳染病就是肺癆，癩病等類。

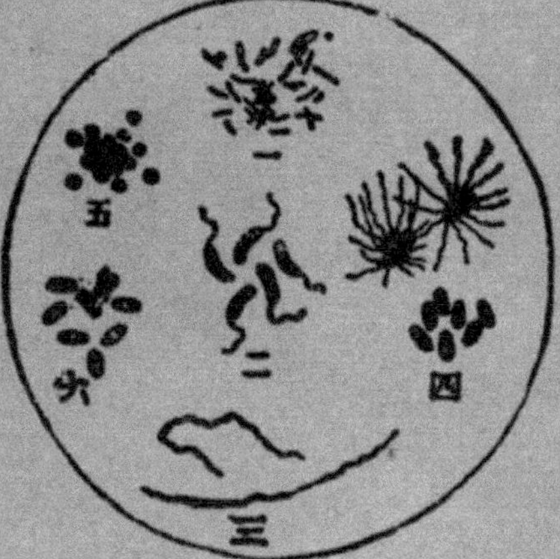

各種細菌圖
（放大約一千倍）

1 結核桿菌　2 霍亂弧狀菌
3 回歸熱螺旋菌　4 傷寒桿菌
5 化膿球菌　6 百斯篤桿菌

傳染病的來源

主要傳染病的來源如下：

一：病毒由接觸而傳染的：沙眼，疥瘡，頑癬。

二：由空氣傳染侵犯皮膚的：猩紅熱，麻疹，天然痘。
三：病毒由飲食物入消化器的：霍亂，傷寒，類傷寒，赤痢。
四：病毒多半由呼吸器粘膜侵入的：肺癆，肺炎，流行性感冒，流行性腦脊髓膜炎，肺百斯篤。
五：病毒由動物傳染的：瘧疾（蚊），黃熱（蚊），百斯篤（鼠疫），狂犬病（狂犬）。

法定的傳染病

法律上指定應該報告官廳嚴重隔離的急性傳染病有幾種，現在略述如下：

一：霍亂　患者的糞便和吐物中很多病原細菌。發病的時候，忽然上吐下瀉，所瀉的糞便，和米泔汁一樣，還帶有一種腥氣。這是一種最激烈的傳染病，體弱毒强的，幾小時內就可致命，胃腸素弱的人更易傳染，所以暑季切莫暴飲暴食。

二：赤痢　病原有兩種，就是：動物性的假足蟲和植物性的細菌。感冒和胃腸素弱，都是本病的誘因。發病的時候，頻頻通便，便量很少，並且有裏急後重的症狀；糞便是粘液狀的血便。

和赤痢類似的疾病，就是所謂疫痢。患者都是小兒，大約一二晝夜就要致命，所以比赤痢還要可怕。

赤痢和疫痢都是夏秋兩季的傳染病。

三：傷寒　病原在患者的糞尿中，多半由飲食物傳染的。這病的主要症狀，就是發熱；熱度有一定的經過，普通繼續四星期左右。患者精神朦朧，口發譫語。退熱以後，食慾和精神都漸次回復。看護本病的要件，就是慎重飲食。回復期的時候，更要十分謹慎，免得再發，或是引起腸出血而致命。

此外還有類傷寒，也是同一系統的傳染病，只是病狀輕些，多半一二三星期就可全愈。

四：天然痘　發病後三四日渾身皮膚面發生許多紅疹，由紅疹變成水泡，後又化膿就成所謂痘瘡。這病的死亡率很大，傳染性也很强，小兒患本病的更多。

惟一有效的豫防法，就是種痘。普通小兒在三四個月以後至一歲半之間，要行第一次種痘，十歲以內，還要行第二次種痘；這在文明各國，都有法律規定的，此外遇着天然痘流行的時候，還可以隨時種痘豫防。

五：發疹傷寒　本病的病原還未發見，傳染很快，毒性也很強，本病的特徵是皮膚發紅疹，同時有高熱和沉重的神經症狀。死亡率很大，平均有 5—90％

六：猩紅熱　發病的初期，發熱嘔吐，然後軀幹顏面四肢等處順次發生猩紅色的皮疹。這種發疹是本病的特徵。本病入回復期以後，全身都要脫皮，並且往往要續發腎臟炎，很是危險。本病的病原，至今還未確定，傳染力很強。

七：白喉　小兒最容易感染這病，發病的時候，咽部的粘膜和扁桃腺，都發赤腫大，呑嚥食物，覺得疼痛，表面有灰白色的膜，所以俗稱白喉，這種病理的變化，也有在鼻腔，眼結膜等處發生的，都是好發的部位，多半是咽喉兩部，而且發生於咽喉的，最是危險。本病的病原，是一種桿狀細菌；致死的原因，一半是細菌毒素的中毒，一半是咽喉的窒息性變化。

本病的療法，最有效的就是注射抗毒血清。這是近世醫學上的大進步。

八：百斯篤　這也是最劇烈的傳染病，鼠類和旱獺，最容易感染本病。這病原細菌就是由鼠蚤傳染到人體的。

這病最常見的有两種，就是腺百斯篤和肺百斯篤。前者的特徵是淋巴腺腫大，在我國閩粵各省流行的，多是這種。後者由呼吸器傳染，蔓延最快，毒力也最强，北方各省，像滿州山西都發生過這病。

慢性傳染病

慢性傳染病，雖不及急性傳染病的容易惹人注意，但是那傳染力的猛烈，却决不亞於急性傳染病，不但關係國民的健康，並且影响社會的經濟和國力不小。現在將重要的略述於下：

一　結核病　病原是結核桿狀菌，在身體各部分都可發病，其中最多而且最烈的，是肺結核或叫做肺癆。

肺結核菌，在病人的痰中；這痰乾燥的時候，病菌就飛散空氣中，趁着吸氣，就進到肺內。此外也有混在病牛的乳汁或是肉內再傳染到人體內的。大凡身體虛弱的人，和生活不規則的人，都容易傳染這病。這病的經過，多半是慢性的，發病的初期，最好兼行榮養療法和氣候療法。此外這病菌由粘膜的小傷侵入淋巴腺，就要發生瘰癧；若是隨着飲食侵入腸管，就要發生腸結核。

二　花柳病　花柳病有三種，就是：梅毒，淋疾，和軟性下疳，這三種的病，病原各不同，都由接觸而傳染的。其中梅毒毒力最强，不但能引起全身的疾病，並且還能遺傳子孫。淋疾也會引起關節炎或是盲目。

三　沙眼　這是一種傳染性極强的眼病，貧民階級最多這病，重症的也要失明。現在歐美各國已是很少這眼病，但是我國和日本，却還很多，近來竟成爲一種學校病，實在可歎可怕得很。

四　癩病　這種慢性傳染的病原，也是一種桿狀菌，傳染力很大，毒性很强，神經最容易受害我國南方，像福建两廣，都有這病。

傳染病的豫防

傳染病的豫防法有幾種，就是：免疫法，隔離法，和消毒法。

一　免疫法　是用特種的製劑注入人體，養成個人免疫能力的方法。譬如種痘就是豫防天然痘的免疫法，還有豫防白喉，可以注射血清，豫防傷寒，百斯篤，霍亂等傳染病，都可以注射菌漿。

二　隔離法　發生急性傳染病的時候，將患者或有傳染病的人隔離別處，斷絕交通，以免傳染。

三　消毒法　將吐瀉物痰唾，患者所用的器具，衣服，和房屋等，用種種方法消滅病毒。消毒約方法，有燒棄和煑沸的，也有用日光，蒸氣和藥品消毒的。

燒棄的方法，就是將用具和房屋，全部燒燬。

煑沸法是將沾有病毒的衣服等類加熱到沸騰點，煑十餘分鐘至數十分鐘。

日光消毒法就是將物品在日光中晒幾小時。用這種方法消毒，也很有效。

消毒藥的種類很多，都要有一定的濃度，經相當的時間，纔生效力。普通常用的主要藥品是：一千倍的昇汞水，二十倍至三十倍的石碳酸水，和生石灰。這生石灰通常加水九倍，做成石灰乳，用於陰溝厠所最是相宜；所用石灰乳的分量，要在被消毒物的全量五分之一以上。

一一八　瘧疾（又名間歇熱，俗名發冷）

原因　病原體爲瘧原虫，斑翅蚊爲本病之媒介。當其吸引患者血液時，原虫自血液移行於身體，在蚊體內仍以有性生殖而逐漸分裂，待成爲芽胞胞子後，乃集存於蚊之唾腺內，其後藉咬刺之機會，復移行於其他人體內，於其血液再爲無性生殖。因原虫種類之不同，其痛候亦各異。或爲三日熱，或四日熱，或熱帶熱。

症　候　潛伏期約一至三週。三日熱即隔日發作一次，四日熱即隔二日發作一次；其發作每有一定時間，槪以惡寒戰慄爲前驅，其後即發熱。脉搏充實，口渴頭痛，經數小時後乃發汗退熱，經十小時左右乃降至平溫以下。日久者脾臟腫大，瘧疾治愈後脾腫大亦有殘留多日者。亦有每日發作者名每日熱。每療不完全頗易再發。惡性瘧（熱帶熱）多見於熱帶，此症單熱無寒，危險性大，往往因虛脫，昏睡，譫妄，重症下痢及嘔吐，痙攣發作，黃疸，肝臟腫瘍，衰弱等而死。

治療法　A　1　不論每日或二日三日發作一次者，在瘧發前三小時針灸大椎，輕症繼用間接灸至皮紅爲止，重症直灸七壯，炷如綠豆或紅豆。

2　針間使，及後谿；輕症用間接灸至皮紅爲止，重症或慢性症直灸三壯，炷如綠豆或紅豆。

B瘧發時針膏肓俞，或針十指頭井穴出血可立止。次日當用A法治之。

C久瘧諸藥不效，用A法以後，加直灸脾俞七壯，炷如紅豆或黃豆。

D1　久瘧脾臟腫大者針左章門，左脾俞，左天樞。

2　第一日治療當直灸左痞根十四壯，炷如黃豆。

3　第二日當直灸左脾俞七壯炷如紅豆，連灸三日。

4　第五日當直灸左章門穴五壯，炷如紅豆，連續三日。

5　如七日後脾大仍未全愈，可再照上法循環再灸一次。

E惡性瘧單熱不寒者用A法單用針不用灸外，加針十指井穴出血，又針曲澤，委中均出血，一二次愈。

助治方　川芎，白芷，倉朮，桂枝各等份爲末，在病發前一小時，用紗布包藥末如小指頭大，塞於一邊鼻孔中，能止一切瘧疾。又方：西藥之撲瘧母星，或瘧滌平亦有大效，在病發前两小時服一粒，瘧發時服一粒可愈。

預後　輕症一至三次愈，重症須五次左右，脾腫大當治十餘二十次。

注意　瘧疾愈後，當戒食生冷凍品及疏菜菓子等半月，否則有復發之虞。

一一九　流行性感冒

原因 流行性感冒，或為散發，或為盛行，在數百年前早已認識，乃由流行性感冒桿菌而發。患者之鼻腔或枝氣管內所排出之分泌物內，含有此菌極多，故咳嗽打嚏時，此種分泌物散佈於空氣，可以傳染於他人。蓋此症乃由呼吸道而傳染也。且此症之傳染，不拘年齡，在流行期內，壯者與老弱者，皆無分彼此同易受染。雖患此症後可得一時之免疫，但往往易於再染.

症候 本症初起時每甚驟突。在病菌入體後祗一至三日內，即覺微有寒熱，頭及眼球腰背四肢均痛。同時呼吸道之黏膜發炎，噴嚏時作，咳嗽困難，而痰不易咳出。病者之虛脫衰弱，極為顯著，鼻常流血，面唇及耳等之皮色青紫。或有惡心嘔吐，及輕微之譫語。在第四天後下降甚速，而病亦旋即痊愈，病後衰弱殊甚，約需數星期之久，方能恢復健康。

亦有其所顯之胃腸病狀，極為昭著者，如腹痛，惡心，嘔吐，腹瀉等等。其嘔吐有時甚劇，而所顯之腹病狀有如下痢。

此外更有顯昭著之腦系統病狀者，如沉重之虛脫，而發熱不高，失眠，譫語，神經呆滯，頭痛，關節痛，及有時末稍神經發炎是也。

輕症之流行性感冒，每易誤認爲傷風。此症併發症甚多，其中尤以肺炎爲最常見。且每爲患此症者致死之原因。若原有結核性病灶者，則常因此症而增劇。有時或致變成胸膜炎，及膿胸（卽胸部內積膿）。心臟每受障碍。鼻發炎及中耳炎亦爲此症常有之結果。若於痊愈後，有至三數日復發者，亦非罕見。患此症者多因併發症而致命。

治療法

1 針合谷，委中。

2 針風池，大椎，風門，如此時患者已出汗退熱，則不必多針。

3 如針後身仍覺惡寒者，加間接灸大椎及陶道。直至覺暖爲止。

4 如患者熱度太高時，可加用三稜針針少商及中衝出血數滴。如仍不退時，可針十指井穴盡出血，加針曲池，大椎，湧泉。

5 如患者覺心翳，加針肩井入寸半，如患者因心弱或心痛不能針肩井時，可針期門，中府，或缺盆，或乳根，或膺窓。

6 患者有咳加針肺俞。

7 如有頭痛加針頭維。

8 如有眼重，加針攢竹及絲竹空。

9 有嘔吐加針內關及中脘。

10 下痢加針足三里，天樞及關元。

11 如有其他併發症，並治其併發症。

12 如有喉痛，加針少商，尺澤，天突。

13 如四肢倦怠加針大陵穴。

14 如有關節發炎者，加針血海，曲池及發炎附近經穴。

15 如掌心熱加針勞宮穴。少府．中冲。

16 如有項强，加天柱，百勞，大椎及陶道橫刺法，又針膏肓，肩井（淺針）。

助治穴　風府，陶道，大杼，膏肓俞，曲池。

預　後　一至三次愈。

助治方　外感一症，千變萬化，在中醫亦分門別類，除病在太陽經能一次針治後，能發汗退熱之外，其餘之傳變症狀，仍可使藥物，以收速效，茲特分別列出之，使學者臨症時更爲方便也。

1 銀翹散方　此方治温熱症，亦有發熱惡寒，或作嘔吐。右手脉常滑大於左手，或兩手均滑大者可用。

方用　銀花三錢，連翹三錢，桔梗三錢，淡竹葉三錢，薄荷八分，荆芥二錢半，淡豆豉三錢，牛蒡子三錢，生甘草一錢。熱甚加蘆根五錢，口渴加花粉三錢。清水煎服；汗出卽愈。

方歌：銀翹甘梗竹薄荷，荆芥豆豉牛蒡和。

2 桑菊飲方　温熱症有汗者或有咳者，或服銀翹散方後，熱仍未淸者可用。

北杏仁三錢，連翹三錢，桑葉三錢，薄荷七分，桔梗二錢，甘草七分，杭菊三錢，葦莖五錢。清水煎服。

方歌：杏翹桑薄梗甘菊，葦莖同煎温熱服。

3 藿香正氣散方　此方治外感發熱，兼有腹痛吐瀉者，或單吐，單瀉者均合用。

藿香三錢，白芷二錢，（按如患者熱甚，此味可刪去。）蘇梗二錢半，陳皮錢半，甘草一錢，桔梗二錢半，白朮二錢，雲苓四錢，川厚朴三錢，半夏粬三錢，大腹皮三錢，生薑二片，大棗二枚。清水煎服。

方歌：藿香正氣芷陳蘇，甘桔朮苓厚朴俱，夏麯腹皮加薑棗，感傷風障並能驅。

4 香薷飲方　此方專治夏日感暑發熱，两脉浮軟者合用。香薷三錢，扁豆三錢，川星朴三錢，甘草一錢，如熱甚者加川連三錢，濕重者加雲苓四錢，川木瓜三錢，如兼內傷勞倦，元氣不充者，加橘紅三錢，黨參三錢，黄芪四錢，白朮二錢，清水煎服。

方歌：四味香薷豆朴甘，若云熱甚益黃蓮，伏苓五味兼滲濕，瓜橘芪參朮十全。

5 小柴胡湯　外感傳入少陽經，寒熱往來，（卽忽覺寒忽又覺熱，卽陣寒陣熱），其症狀爲脉絃，口苦，咽乾，舌苔白，胸脇痛，甚者耳聾眼花。如見其中一二症狀，卽可用此方。

柴胡四錢，半夏三錢，黨參三錢，黄芩三錢，炙草一錢，生薑二片，大棗二枚，清水煎服。外邪盛減去黨參，如口渴者去半夏，入蔞根，有咳者加杏仁，久咳氣喘加北五味，胸痛或胸痞者加蔞仁，項背强痛加干葛。如婦女外感發熱，適逢經至者，名熱入血室，原方加白眉，白芍，小生地。

方歌：小柴胡湯和解供，半夏人參甘草從，再入黃芩加薑棗　，少陽百病此爲宗。

6 大承氣湯方　此方治陽明熱，脉洪實，唇舌紅乾，苔黃，便秘，譫語者合用。

大黃三錢後下，芒硝三錢冲，枳實三錢，川朴三錢後下；清水煎服　，大瀉即愈。

方歌：大承氣湯用芒硝，枳實大黃厚朴饒。

7 白虎湯　治大熱自汗口渴，脉洪大者合用。再者用白虎湯法，須細心認症，脉不洪，口不渴，汗不出者皆在所禁，須當識此，勿令悞也。

石膏二两，知母三錢，甘草一錢，粳米一撮，或用花粉三錢代粳米，如體質弱而有此症者，當加麗參三錢。

方歌：白虎湯用石膏煨，知母甘草粳米陪，更有加入人參者　，躁煩汗渴舌生苔。

8 柴胡靑骨散　此方治發熱不退，轉爲夜熱者合用。靑蒿穗三錢，知母三錢生曬，干葛四錢，柴胡三錢，地骨三錢，白芍三錢，丹皮錢半，白薇三錢，石斛三錢，雪蓮花三錢，清水煎服。

又方：單用白花蟛蜞菜，又名白花蟛蜞草，屬生草藥類，取一兩煎水服亦效。

9 普濟消毒飲　治大頭瘟疫症，此病初起卽頭面腫大，頸項下頷均腫，甚者形成頭頂尖而頸大連肩者，又名蝦蟆瘟，此症除十指曲澤委中放血外，當用此方。

甘草，桔梗，酒芩，酒川蓮各三錢，馬勃，元參，橘紅，柴胡，殭蠶，卜荷各一錢，升麻四分，連翹，牛蒡子各錢半。

方歌：普濟消毒用芩連，元參桔梗牛蒡侶，升柴馬勃連翹併，殭蠶薄荷爲末咀。

10 甘露茶方　山渣二斤，赤芍六兩，防風一斤，香薷一斤，麥芽一斤，藿香八兩，枳殼八兩，青蒿二斤，黃芩一斤，川朴八兩，薄荷一斤，甘草四兩，南星六兩，蘇葉一斤，半夏八兩，陳皮八兩，柴胡一斤。共爲粗末，每包重三錢，加生薑二片同冲服，治一切外感發熱，初起甚效，每次服一包，重症用两包，有咳加杏仁三錢。

一二〇　霍亂

原因　病原體爲霍亂菌，概存於患者之大便及吐物中，凡此等含菌物，污穢之器具，食物，飲料，蒼蠅等皆可爲傳染之媒介。

症候　潛伏期爲一——八日，亦有數小時者。初以輕度下痢（前驅症）而發病。經一至三日夜，乃來霍亂發作。患者突然衰弱，下痢（一二十次）嘔吐極烈，但不疼痛。糞便初爲有色便，次呈溷濁水樣。且溷有絮片狀（米泔汁樣便）。腸部雷鳴，煩渴，顏貌焦瘦，眼窩陷沒，顴骨及鼻樑凸出（此爲霍亂顏貌），皮膚及粘膜蒼白乾燥有裂隙，彈力性減退。如四肢厥冷，聲音嘶嗄，腓腸肌痙攣則爲厥冷期（亦名絕脈期）。尿量減少，或竟無尿，心悸亢進，心窩苦悶。突然心臟衰弱，脈搏幾不可觸得，嗜眠，體溫於腋窩檢查雖下降，但於直腸檢查，則往往上昇。發作持續期間約爲一二日。其後或昏睡而死，急性者將在數小時內死去。或症象減輕，嘔吐減退，排有色便，尿量漸增，經一二週而痊愈。

治療法　A　上吐下瀉直灸神闕，天樞，關元，中脘，輕者灶如紅豆，重者灶如黃豆，五艾同時着火，不得先後。（當燃艾時，艾須黏以蒜汁，又當使人按實患者之手足，不使移動。）或加直灸天突，水分，足三里各三壯，灶如紅豆。吐瀉卽止。

B 如患者已經抽筋，手足厥冷，除用上法外，當直灸湧泉，承山各五壯，炷如紅豆。抽筋可解，如仍難解時，當繼直灸神闕，不計壯數，至愈爲止。

以上二法，能對付任何上吐下瀉之霍亂症，萬無一失者。

C 欲吐不得吐，欲瀉不得瀉。

1 先針水溝。

2 用三稜針針少商，商陽，中衝，關衝，少衝，少澤皆出血。

3 針合谷，曲池，間使。

4 針懸鐘，太衝，內庭，及委中出血。

5 針上脘，中脘，下脘。

D 手足厥冷，腹痛不可忍者，此名絞腸痧。以瓦匙或小瓦碟，蘸菜油或生油，刮患者肘灣，膝灣，及背部脊骨兩旁肌肉高處，使皮膚現紫紅色，如有紫黑點出現，用針將黑點挑破出血，其症自愈。十指井穴出血亦可治。

助治穴 針曲澤及在靜脉出血，針委中，及在靜脉出血。上脘，期門，胃兪，支溝，間使，陽陵泉，陰陵泉，大都，湧泉。

助治方

1 用樟木第二層皮，和米一小杯，共炒至焦黑色，用水煑透飲之效。

2 用沙籐斬碎炒焦，用水煎透飲亦效。

以上二方，均治上吐下瀉者。

3 欲吐不吐，欲瀉不瀉者，先以鹽一撮放刀上，用火炙透，以熱童便或半温百沸水和服，服後能吐，上得吐下便瀉矣，病即輕一半。如飲後將鹽湯吐出，可再冲服，此名鹽湯探吐法

治霍亂又一法

使患者端坐，脫去上衣，曲彎肘，取竹竿一條，竹身如拇指大者，横穿两肘，使竹竿在背後，即在脊骨處，竹之上下，均設記

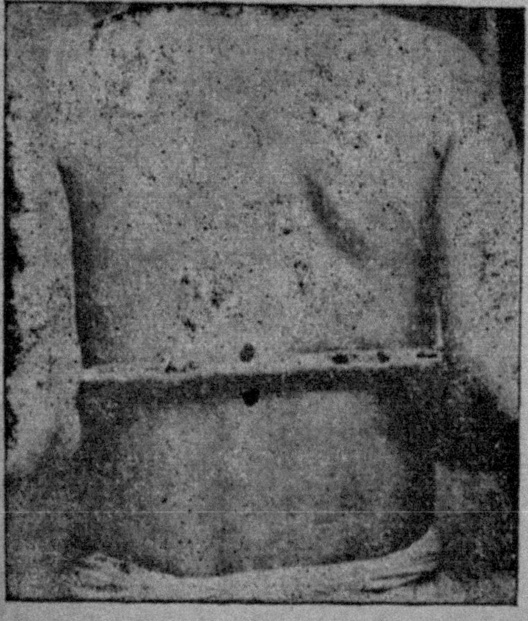

號（如圖），如先吐後瀉者，先灸竹上穴，後灸竹下穴，約各灸七八壯；如先瀉後吐者，先灸竹下穴，後灸竹上穴七八壯。灸畢穿衣臥下，再用老薑約半斤，洗淨磨爛，使患者仰臥，閉眼，用薑敷鼻樑至鼻頭及眼眶之四週，敷至覺熱時除去之，後再敷一一次，其病卽愈。此法對於輕型霍亂者適用之。

預　後　一至二次可愈。

民間療法

1 痧症（出痧法）

痧症之爲病，醫經甚少記載，唯雷峯之時病論一書略有記載，據書內云：『南方之人，體氣不實，偶觸糞土沙後之氣，卽腹痛悶亂，名之曰痧，卽沙字之訛也。蓋痧在皮膚氣分者，宜刮之，在肌肉血分者，宜刺之，此輕而淺者言也。若深重者脹塞腸胃，壅阻經絡，直犯乎心，斯須莫救，刮刺無功，非藥帖不能救也。須知痧無定脉，凡脉與證不應者，卽爲痧脉也。

痧之種類：頭痛自汗，腹痛肢痳爲風痧。頭暈汗多，吐瀉腹痛爲暑痧。腹痛肢冷爲陰痧，又稱凉痧。腹痛肢暖爲陽痧，又名熱痧。又有膚隱紅點，一如痦瘆，此痧在肌表，爲紅痧。滿身脹痛，且有黑斑，此痧毒在臟腑，爲烏痧，（俗稱斑痧）。欲吐不吐，欲瀉不瀉，心腹大痛，爲絞腸痧，又云：痧之爲病，不盡六氣所觸，或因飢飽勞役，或因穢氣所犯，皆可成痧。』

按本人爲長期之痧症患者，常易發痧。根據歷來之經驗，多與飲食起居，互有關連；其起多因常食熱性食品，先蘊熱毒於內，再受輕微外感風寒於外，本人雖知之，却置之不理，久之，風從火化，與內蘊之熱毒相合，漸發而成痧。其初侵入門，多在項肩等部，初覺些微有如項強之狀，項之兩旁及後項，漸有牽緊之感覺，若再置之不理，則漸次波及於背之風門及膏肓等部，同時胸前之肋骨，亦有牽緊及酸痛之感覺，若仍繼進煎炒食品，則四肢均有疲癆之感覺，此時痧氣已走四肢矣，因上部從肩膊散於臂肘，下肢則從背之膀胱經下行。久之不理，則痧向內行入腹，而發腹痛，發時無法可止。唯照治痧法治之多效。若痧不入腹而深入胸部，則覺心窩部苦悶或翳感或緊壓之感，此時卽變爲斑痧，在胸部範圍可尋得斑點。輕斑爲淡紅色，重斑爲深紅色，若現黑斑，則危在旦夕矣。玆分別將治法列下。

1　刮痧前須知　古人刮痧用銅錢，今則已無銅錢可用，當用瓦匙，匙邊當以圓滑不傷皮肉者爲原則，再用小碟盛花生油，以瓦匙邊蘸花生油，在應刮處刮之，若有痧者，三五刮卽有紅痧出現，若痧重者，則有大粒黑痧出現。刮時若油已乾，則匙口當再蘸油，刮至皮膚全紅或全黑爲止。若刮十餘刮，仍不現紅痧者，爲表示該處無痧，不必勉強刮之。然老年痧症，常須刮一二十刮方出現。

2　全身刮痧法　凡刮痧必須由上而下，由內而外，換言之卽當順刮，不可倒括。先由後項正中頸椎骨刮起，繼刮百勞穴由後髮際至肩上，再刮耳後無髮之處，向肩前直下，此後則刮結喉之两旁，向缺盆而下。結喉之正中線，則以拑痧法為佳，當用中指食指，同時屈曲，而两指之中節，作成拑狀，先蘸於清水中，然後用此拑拑於下頷之正中，由廉泉之上而下，直至天突止。頭部仍有鼻樑及印堂，當用拑痧法拑之。肩膊部當由頸旁起經肩井橫刮而達於肩顒穴。

胸部先刮正中胸骨，由上而下。次刮肋骨，先由鎖骨起，由中央起向外刮，如鎖骨刮時覺痛，當用拑法。次及第一肋骨，但第一肋骨常不顯現，則當刮於鎖骨之下，亦由中央向外刮，以後每一條肋骨，均須刮到，每骨當刮在骨面上。如胸部肋骨覺翳痛難堪者，則每一肋骨當改用拑痧法為宜。

腹部先刮正中腺，上腹由胸歧骨直下至臍上，两旁則當刮旁開二寸及四寸線：痧症輕者，四寸線部多無痧出現。下腹部刮法，與上腹相同，但痧症輕者，亦多無痧出現。

背部先從脊骨正中刮起，由上至下，再在脊两旁夾脊刮之，由上至下。又在脊旁開二寸線處刮之，其濶度約一寸餘之間，亦由上而下。

手部先由大腸經刮起，即由肩顒至曲池，再經手三里直下外關穴。又在內廉由肘之上端盡頭起，經肘之尺澤曲澤盡刮之，直下至大陵穴。最後心經路線，甚少有痧者，但症重者當由少海穴起，直下至腕骨穴。

足部先由委中穴起，直刮至承山。症重者再刮風市穴之上下，次及陽陵至絕骨處。以上爲全身各部應刮痧之處，普通之痧症，多在頭，胸，背及肘灣，膝灣等處爲多。

用拇指在肌肉上按下，離指時，肌肉上即現白印，不能即散者，是有痧之徵。

凡項强，胸背或局部痛點，經針後及間接灸後而全無功效者，當可疑爲痧症，或用刮法，或用措法，有痧出現即愈。如屬絞腸痧，當刺十二井穴出血。

3　禁　忌　凡發現有痧症，當忌食飯或粥等米氣食品二三天，則痧易清，否則痧將纏綿不斷，不久再來；更忌食薑，否則症更變爲嚴重矣。

4　助治方　重痧症，出痧後，除上述禁忌外，當再服下方：狠毒（俗稱痕芋頭，又名野芋頭，以尖尾者爲佳）一斤，切爲薄片，加青蒿七片，用大瓦鍋貯滿水，用火煑之，煎爲數小碗時，命患者試飲之，若覺甘甜可口，則慢慢飲盡之即愈。若非痧症，入口時即覺舌痺難堪者。

2用南蛇籐（生草藥）約量煑水，擂酒少許服之，能起死囘生。

3生白礬爲末，每服一錢，用陰陽水調服。

2 猪毛斑 （俗稱毛疔）

毛斑一症，與痧同類，所不同者，痧則外露，斑則內藏，發作初期，並不爲人所發覺。痧症初發，多感項强背緊，四肢及身軀疲倦。斑症初期，則覺心窩翳悶難過，日漸增重，且大便作咖啡色，全身外表無發熱，其實則熱只向內攻，更深重時，患者則陷於半昏迷狀態。在此病進行中患者食慾不振。

療法 1以糯米粉和白醋，（亦有和鷄子清者），撓勻成團，將此粉團在心窩及胸部額部頭部各處，貼肉滾動（俗稱碌），約經十五分鐘後，試將粉團在中間拗斷，則可見有毛狀物出現，俗稱毛，其毛白色者爲輕，紅色者爲重，黑色者爲危。宜將此粉團繼續滾動至三十分鐘之久，方算告一段落。此時患者稍覺舒服，但病愈祇是初步而已，當繼續第二步療法。

2用公鷄鷄毛煎水，乘熱洗抹胸前心窩及背部，頭部等處，洗法須從上向下抹，千萬不可倒抹或亂抹，若用新白毛巾抹之，仍可看見有色之毛，在白毛巾處出現。此種洗法，須一連两日，每日一次行之，患者巳愈一半，精神漸佳。

3 第三步療法，當察看患者胸前有無斑點出現，輕症斑點爲淡紅色，重症爲深紅色，黑色斑點爲危，凡黑色者，挽救機會較少。若發現有斑點時，當用粗大縫針，（先消毒），先將斑點表皮挑破，繼而將深層之纖維挑起，用（消毒）利刀割斷之，繼而在此斑點處，擠出黑血，直至見鮮血爲度。再挑其他之斑點。若胸中有十點八點者，祇挑去一半以上便可，不必盡挑，其他斑點自可消滅。

助治方 照痧症用狠毒煎水飲之，可清餘熱。

戒忌 除色事外，須戒薑及米，約一星期後可無事。

說明 本症由糯米粉在胸前滾動所得之毛，其實並非毛，乃是一種生物；因我對於猪毛疔之毛，素來發生懷疑，以爲衣服纖維，或棉被與毛毡之纖維，亦可粘於糯米粉團中，以爲是婦人之流，循例行之，糊裏中以爲有毛而已。豈知一九五六年間，本人亦曾患此症，初覺心翳難過，初用針法治之數次而無效。心翳加甚，心窩十分苦悶難過，自疑莫非是毛疔症臨於我身？乃試以糯米粉團（和醋），預備在心窩部滾動，試看看有毛與否，小兒英偉，素具科學頭腦，（電針機及中子電療機乃渠所設計與製造者），乃於粉團製好之後，預先與英偉共同拗開，觀察其中是否有毛存在，但一經拗開以後，全不見有毛存在，於是將粉團在胸中滾動，約十分鐘後，因心急欲看有無毛之發現，乃試拗開一看，果見有白毛多條，間有一二紅色者，如此則開始證實有毛，再將粉團搓合，再滾動如前，以後拗開，則毛更多。我心中欲知此是何等之毛，手持斷開之粉團在燈前細看之，忽覺毛爲能動者，在左右擺動或灣曲等動作；因拔數條，放於潔淨磁碟中，用十倍放大鏡觀之，其形狀如藥店中之冬虫草，在碟中灣曲活動。又當在粉團中時，試以香烟燃着之一端接近此等毛時，此等毛能自動成群避開，烟火在左，則毛群向右，烟火在右，則毛群向左。由此證明，此等毛，並非毛，乃是微生物之一種。此後如遇此症，不妨照樣研究，又希望後學者，有科學家其人，將此種微生物，作進一步之研究，此篇之貢獻，不過是其開端而已。

3 夾色

『夾色』一症不見於經書，純爲民間療法之一種。其意卽謂當風寒之氣，侵入人身之時，適當在色事進行當中，或色事進行之後，又或人已感染風寒，獨不自知，繼而行房，風寒隨洩慾之時機而入裡，直入於腎，或入至於骨髓間；數小時後或次日，疾病隨卽發現。本症亦有虛實之分；虛性者，發輕熱，但覺頭痛，四肢關節，腰背俱盡痛，以尾閭骨部之痛爲尤甚。實性者，除有上述情形以外，兼發高熱，四肢疲乏，幾不能舉步，意識略溷濁，口舌乾燥等。不論虛實，雙手尺脉必浮。據民間傳說，尾閭骨處，有瘀紅圈出現，初現祇得半圈，此圈能每日加長，經七日，則圈之两端能自相聯，此圈两端相聯接後，（卽過七日後），此病無法可治云云。又在行房時，尾閭骨部如有汗出，當隨時抹去之，可防止夾色之發生云。如感病後之次日，隨之大飲大食，兼有食滯，或曾食鷄鵝等食品，又稱之爲夾食。夾色兼夾食者最難治，此種情形，患者可能患稽溜熱，無論如何亦不退者，情形甚爲險惡。

療　法　1　輕症夾色症，祇用藥方可以治愈，方錄於下：

苦瓜干三錢，鬼羽箭三錢，鴨脚皮二錢，芒果核二枚，榕樹鬚四錢，木槵根二錢，存仁釉三錢，葛根一錢，甘草一錢。清水三碗，煎一碗服。

2　夾色兼夾食，久熱不退者，必先用針挑法，挑完後再服上方。

用粗針一枝，（約二十二三號鋼線），先針十宣穴，本穴在指甲縫中。先用棉繩一條，由肘綑起，一直綑至手腕，然後用粗針在五指甲縫刺入一針，如嚴重者，當刺两針，然後用手將血擠出，先出者多爲黑血，直至見鮮血爲度，血出完後，當將棉繩解開。頭部在攢竹與絲竹處挑破，擠出血。胸部在天突穴及胸窩處刺一針，其刺法並不如針灸刺法之入幾分者，其法乃於刺入皮後，將皮拉起，然後將針再入約六七分深，然後出針，出針後，亦如是將皮拉起，擠出血。（以下刺法相同）脇部刺两帶脉，亦如前出血。腰部刺命門，亦出血。肩部刺肩顒及肩顒左右肩之两側角，各一針，亦出血。腿部刺膝蓋骨上寸半正中一針，亦如前刺法及出血。如是刺法已經完畢，患者之熱能立卽消退。

按此症當加刺曲澤，委中靜脉出血更佳。）刺後仍服夾色方以善其後。

4　標蛇

「標蛇」一症，亦爲民間瘀法之一。凡患此者，必發熱面赤，胸部肋骨，有緊壓之感，且有頭痛。民間診驗標蛇之法，乃用食指屈曲，在胸部正中旁開二寸線位，由上至下，用力一劃，隨指節端所劃過之處，隨卽有物如小蛇形者出現，此物隨現隨伏，再劃之，亦如是出現，左右均如此。

瘀法　在劃出小蛇形位置之肋骨面，以左手捏起肋骨面之肌肉，右手持利刀，將捏起之肌肉割一豎痕，約二分長，隨卽用雙手將血揑出，至見鮮血爲度，左右均如此，每肋骨均如此，其病卽愈。繼服消凉劑藥物，以善其後便可。

5 辟穀符

本辟穀符，並無迷信成份，或倚賴鬼神等類方法；相傳爲張良之行軍符。雖不能賴以維持一生生活，但亦可支持一段時期，賴以渡過一個時期之困苦，頗爲有效。此符出於何經何典，不得而知，在日人侵香港時期，由友人所傳授，當時本人之生活尚可維持，但欲確知此符是否有效，必須親身嘗試，方能瞭解，乃親自試用，經八日之久。初期三日間，稍覺飢餓，則食蔬菜或豆以充飢，每食約一碗，三日後，雖欲多食而不可能，胃似覺飽，直至第七八日，食與不食，均可隨便，不食亦不覺飢，唯必須飲水。在八日過程中，只有一次大便，在第五日排出，約八分徑，三寸長。人覺瘦，體力若不作重力勞動及遠行，亦不覺有異樣，精神及睡眠均如常。當此符食入口中後，腹中似覺飽脹。當時本人想一直繼續試驗，看究竟此符能使人支持若干時日，但無奈爲慈親所阻，不得不恢復常食，致未窮其究竟，殊爲可惜。第九日早餐始食飯，亦如平常一般，並不覺得飯味特別甘美，亦祗可進飯兩碗；第十日，胃口大進，竟進飯五碗；第十一日減爲四碗，以後則照常爲三碗矣。事後本人逃難於廣西，曾教過數人試過，亦甚有效。按照原文謂服本符過七日後，可終生不飢云。依本人之意，終生不飢，或有可能，但恐『終生』二字，變爲短時期之『終生』，而非長命百歲之終生。本符之有效，既已證明，但不應該靠此符以長期過日。此符之發表，目的在於一時之利用，遇有困難時期，可以渡過一個時期之難關之用而已。茲將符形及使用法，詳列於下：

此符形並非如道教家或喃巫師所劃之符形，乃以五圈一直線相聯，一筆劃成者。所用材料，須用毛筆竹紙墨劃成，紙張不必太大，只需橫直二寸便足。劃時，由最下之一條橫線劃起，一直從左至右向內轉，直至轉足五個圈，然後向下直劃，但開端之一筆，須與最末之一筆相聯接，如此劃符工作，始算完成。

偈語

奉天濟世受融符　點墨成丹辟穀菰　開合陰陽能運氣，蒸民乃粒永無虞。

預備

劃定符七個，預備碗一隻，熱開水一瓶。

用　法

先取符一個，隨念誦偈語一遍，念誦完畢，即用火燒符於碗中，一連七個，均如此做法，隨即用熱開水冲入碗中，將符灰冲開，然後一口氣飲下。如此做法，當一連七日，七日後，不必再服符水矣。

禁忌及解符

凡服符後，不得行房；此外須禁食米麥及米麥製成之食品，如誤食之，即覺飢餓，但於身體無碍。如欲解符，祇須食飯或食麵或米麥製成品便可。但祇食一次米麥品，以前所食符之功效，便完全失去矣。

特效灸法七種

一：附骨疽灸法　附骨疽者，無故附骨而成膿，多發於四肢大節筋間，虛弱人及產婦偏發腿膣間，其症候先覺痺重，或痺痛，或只烘烘然，肌熱，動搖不便，按之應骨疼痛，久之，便覺皮肉紅腫，如肥人狀，多作賊風風腫，治之因循多致死。凡有此患，宜灸掌後四寸两筋間，十四壯。男左女右，患處宜隔蒜片灸之。

二：皮膚中毒風灸法　毒風之症候，忽然偏身痛癢如蟲嚙，癢極搔之，皮便脫落，爛壞作瘡，凡有此患，急灸曲池穴各二十一壯，男女同法。

三：蛇咬灸法　一切毒蛇咬，急於新咬處，隔蒜灸十四壯，則毒出而愈。又灸陽谿穴。又用廣東萬年青煎水服及敷患處可愈。

四：瘋犬咬灸法　於所咬處隔蒜片灸百壯，自後日灸一壯，不可一日間灸，滿百日方得免禍，宜常食炙韮菜，終身勿食狗肉蠶蛹，食之毒發卽死。又特忌初見瘡痛稍止，自言平復，此最可畏，須耐心灸治。若被咬已經三四日，方欲灸者，視瘡中有毒血，先刺出之，然後灸之。用地榆一斤煎水，服盡水卽愈。

五：骨槽風灸法　本病起於耳前，連及腮頰，筋肉隱痛，日久則腐潰，腐潰之後，腮之裹外筋骨，仍然漫腫硬痛，牙關拘急。潰後瘡口難合，且膿血淋漓不絕。治法，將脚踏在地上，從踹地脚跟當中量上約一寸，赤白肉交界處，此名女膝穴左右足各灸五十壯，久久灸之自愈。此症俗名牙瘓，加灸曲池，膈俞。

六：噎疾灸法　凡打噎急灸脚底中指節紋中央凡七壯。男左女右。又法直接灸乳根一壯。白鴿屎两炒香擂水服卽愈。

七：大小便不通灸法　置鹽臍中艾灸二十一壯。未通更灸，已通卽止灸。

救急法八種

一：懸樑自盡　切勿斷其繩，須托高除下，以布掩全身各竅，用皂角細辛爲細末，吹入鼻孔中，半個時辰可醒。

二：服砒霜　用防風末二兩，冷水調服可解。

三：服梘水　服大紅浙醋可解。

四：湯火傷　a.青药搽汁，蜜糖一盅，和勻搽食兼用。

b.用羌汁或火酒敷患處。（七十份火酒，三十份清水爲合）

c.用藥棉吸火水（洋油）敷患處。

五：食蜈蚣尿　蜈蚣見鷄肉必下尿，人食之必肚痛，腹部見紅圈，如圈不可見則危甚。以皂角五錢煎汁服可解。鼻涕虫煎水服亦可。

六：吞鴉片煙膏　a以金魚椿爛冲水服，毒可嘔出。

b.灰猛養微量（西藥）冲水服，毒亦可嘔出。

七：化骨丸　燈心燒灰，烏糖，以上二味和勻，合攪製如桐子大。若被骨塞在喉者，可吞一丸，清水送下，丸到水到，其骨卽化爲烏有矣。

又魚骨梗喉中，用威靈仙煎水服卽愈。

八：蜈蚣咬傷　腫且痛，以生羌四両樁爛，飲水，取羌汁少許調雄黃敷患處可愈。

又法：胡椒嚼爛封之，卽不痛。最好用亞摩尼亞搽之卽愈。

九：食狗肉誤食綠豆；治法用蘿菜頭煲水飲特效。又黃皮果核煎水服亦效。

飲食戒忌篇

中醫治病，素來注重飲食及色慾之戒忌，因飲食之適宜與否，均能左右疾病之進退；苟飲食失宜，反能令疾病惡化以至於死亡，醫者對此，當有充份之認識，方得稱爲良醫。西醫對此，反不甚留意，每令疾病惡化，縱不至死亡，亦足令患者遷延歲月，方能全愈。學者對此，不可不知也。

凡病無論任何種類，均須戒色，此爲首要，若不戒色，縱有神醫，亦無能爲力。

痛症忌食酸品，其次爲凍品及辣味食品。因酸味入肝，肝主筋，筋者卽神經之別名，酸物入肝則神經收縮，收縮則痛增加。辣味亦有刺激性，雖不及酸味對神經影響之强，但亦以不食爲宜。至於凍品之攝取，亦不適宜，因有痛點之患處，因痛之影响，血管比較縮小，患處神經已減少血液之供給，若再食凍品，血液凝結，血液循環阻滯，其痛則益甚矣。此外更宜戒絕惱怒，怒則傷肝，亦能影响神經痛也。

外科皮膚疾患或瘡科爛肉等，則忌食無鱗魚類，公鷄，鯉魚，鵝，蝦，蟹等，如有潰膿，則當忌食蛋類及花生，黃豆，肥猪肉等。

外感或傷風，則忌食肥膩食品如鷄鵝，肥猪肉等，外感更不宜食白菜乾湯及鴨肉，否則將傳入裏，至於煎炒油炸食品，亦以不食爲宜，發熱則不宜食飯。

血壓高則不宜食熱氣食品，如煎，炒，油炸食品等，又肉類亦以少食爲佳，至於烟酒，咖啡，濃茶等，都宜戒絕。

心臟病首宜戒酒及刺激性食物，此外更宜戒勞動及登高，更需多休息。

肺病如喉炎，氣管炎之咳嗽，哮喘，肺癆等，則忌酸，辣，冷，肥膩，煎炒油㷄食品，更忌烟酒，蘿蔔，否則病更難愈。哮喘則連蔬菜水菓亦當忌之。

胃腸病則忌食難消化之食物，更忌食蛋類，此外又忌食糯米，芋頭，蘿蔔；酸凍食品，亦在禁例中。

腎臟炎初期則不宜食熱性及有刺激性之食品，變爲水腫時期，則不宜食鹽，又當減少飲水，至於生菓凍品菜蔬等，均宜戒之。

瘧疾當戒凍品，蔬菜，水菓等約半月至一月間，方能根治。霍亂則當忌米及薑，寒涼食品，亦在禁列。

總之，虛寒病，則忌寒涼生冷食品，熱性病則忌煎炒油炸辣等食品。以上所提，是其大要，其中亦有變化多端，更有胃病宜食糯米，發熱久之，則食飯反愈者，此是特殊情形，學者經驗多時，對症自能了解矣。

五臟相關表

		心	肺	肝	脾	腎
1	五臟	心	肺	肝	脾	腎
2	五腑	小腸	大腸	胆	胃	膀胱
3	五行	火	金	木	土	水
4	五生	火生土	金生水	木生火	土生金	水生木
5	五尅	火尅金	金尅木	木尅土	土尅水	水尅火
6	五色	紅	白	青	黃	黑
7	五味	苦	辣	酸	甜	鹹
8	五主	血	皮毛	筋	肌肉	骨
9	五竅	舌	鼻孔	目	口	耳
10	在面部位	額	右頰	左頰	鼻頭	両頤下頷
11	在舌部位	舌尖	舌尖後部	舌邊	舌中心	舌根
12	在目部位	內外眥肉	眼白	烏珠	上下瞼	瞳神
13	五聲	笑	哭憂	怒呼	歌唱思念	呻吟驚恐
14	五病脉	洪	浮	絃	滑	沉石
15	五藏	神	魄	魂	意	志
16	五絕	肩息囘視	毛焦口張氣出不返 腹熱腫脹洩利無時	舌捲囊縮 汗出如油	屍臭口不合 肌腫唇反	髮直齒枯泄黑目 黃腰欲折自汗
17	五死脉	本息末搖 魚翔相若	釜沸空浮 絕無根脚	雀啄連連 止而又作	乍密乍疎 亂如解索	彈石沉絃 按之指搏
18	五時	午	寅	丑	巳	酉
19	五方	南、丙丁	西、庚申	東、甲乙	中央、戊己	北、壬癸

五臟相關畧釋

五臟　心，肺，肝，脾，腎。

五腑　小腸，大腸，胆，胃，膀胱。心與小腸互爲表裏，臟爲裏，腑爲表。小腸與心爲表裏，大腸與肺爲表裏，胆與肝爲表裏，胃與脾爲表裏，膀胱與腎爲表裏。表爲外圍，裏爲內部。又五臟爲陰，六腑（連三焦腑計）爲陽。凡病在腑者爲陽，凡病在臟者爲陰。腑有病能影响臟之正常活動，臟有病亦能令腑失常。

五行　火，金，木，土，水。心屬火，肺屬金，肝屬木，脾屬土，腎屬水。

五生　火生土，土生金，金生水，水生木，木生火。表面解釋，地球之生化萬物，純由於太陽火力之温暖所致，又萬物經火化爲灰，亦歸於土而成爲土之一部份。土生金者，凡金屬物，均出於泥土，五金鑛物是也。金生水者，凡有金出產之處，必有水源。水生木者，木之生長，無水則乾枯矣。木生火者，凡木質均能生火。

五尅　火尅金，金尅木，木尅土，土尅水，水尅火。表面解釋火尅金者，云五金雖堅，一經火燒，均能變態而化爲溶液。金尅木者，金屬能斬伐樹木。木尅土者，土雖堅實，樹木植於土中，能深入土中也。土剋水者，云土能制水也，古云水來土掩，以土爲堤之處，水不能越也。水剋火者，火燃之處，以水灌之，火卽熄滅是也。

五臟生剋原理　古人在科學未昌明時代，無以說明五臟相關之原理，特藉五行生剋之理，以說明之而已。五臟相生者，卽相助之意也，五臟相剋者，卽相制止之意也。吾人曾學習內分泌作用之理，均明白凡一切臟器，均有交感神經及迷走神經（两種神經）所控制，而此两種神經，亦聽命於內分泌液，而內分泌液亦由某一臟器分泌出來而刺激該二種神經者。五臟生剋之理，若用內分泌之理解而說明之，可謂毫無神秘之可言也明矣。比如心臟屬火，而木生火，水剋火，肝屬木，水屬腎，此則說明『心』是被肝，腎两臟器內分泌所控制。如肝盛腎虛，則心火當盛，心之動力將過强，如肝虛腎强，則心之動力必減弱，其他各臟之相關，可根據此理推之，大致可明矣。

五色　心屬火，其色赤。肺屬金，其色白。肝屬木，其色青。脾屬土，其色黃。腎屬水，其色黑。故俗人亦有顏色食物，能依各色而入各臟腑之信念。但由於面部所表現之顏色，亦能測知內臟之病態也。

五味　苦入心，辣入肺，酸入肝，甜入脾，鹹入腎。各味對各臟均有補益，但多食則有傷。

五主　心主血，全身血之流動，均賴心之動力，血有不正常時，多關於心。肺主皮毛，皮膚及毛有病，均關於肺。肝主筋，筋有病則責於肝。脾主肌肉，肌肉有病，唯脾是問。腎主骨，骨病有關於腎也。

五竅　心開竅於舌，又稱舌爲心之苗，觀舌可知心，舌有病必發源於心。肺開竅於鼻；鼻有病，必發源於肺。肝開竅於目，目病多由於肝。脾開竅於口（或唇）、觀口唇，便知脾之情狀。腎開竅於耳，耳之不正常，其原因必在於腎。是以觀其末則知其本，其末有病，治其本多能愈。

在舌部位　舌尖屬心，舌尖後部屬肺，舌中心屬脾，舌两邊屬肝胆，（按此處當將舌分爲三行線，三行卽分爲三份，中央之三份一屬一份，舌两旁各佔三份一爲合。）舌根部屬腎。觀舌部位之本身顏色，或舌苔在何部位生長，更兼察看舌苔之顏色厚薄，病在何處，病情如何，均可瞭然矣。

在目部位　目之大體屬肝，但內部亦屬五臟。眼頭內背肉屬心，眼尾外背肉屬心胞絡。眼白色部份屬肺。眼胞（卽上下瞼）屬脾胃。烏珠屬肝。瞳神屬腎。眼有病時，可觀其初起病時，何處先病，其病即發於某臟腑，甚顯然也。

五聲　五臟亦有五聲：笑屬於心，哭屬於肺，怒與呼叫屬於肝，思念與唱歌屬脾，呻吟與驚恐屬於腎。病時觀其所發之聲音，亦可知其病之所在。

五病脉　心之病脉必洪，肺之病脉必浮，肝之病脉必絃，脾之病脉必滑，腎之病脉必沉實如石。

五藏　心藏神，神者精神也，觀其精神而知其心之强弱。肺藏魄，魄者氣力也，肺强者，其氣力必强。肝藏魂，據宗教家所云，魂之所司，爲感情，意志，知覺等。醫書云，肝爲將軍之官，謀慮出焉。脾藏意，能思想，能歌唱者，皆脾之功力也。腎藏志，志者志氣也，人之有志與否，全在乎腎之强弱與否也。

五絕　絕者，死狀之表現也。心之絕爲「肩息回視」，肩息者，呼吸時聳肩也。回視者，轉頭而望也。肺之絕爲「毛焦，口張氣出不返，腹熱腫脹，泄利無時」。肺主皮毛，毛焦者，肺絕不能養毛，故毛焦。口張氣出不返，其時已無吸氣之力量。肺與大腸相表裡，肺爲大腸之臟，大腸爲肺之腑，臟既死，腑亦不能獨生，故作用全失，而腹熱腫脹而泄利無定時也。肝絕爲「舌捲囊縮，汗出如油」，囊縮者，因爲『肝脉絡陰器』，肝既絕，囊當然收縮；而舌捲者，因（肝）木能生（心）火，（肝）木既死，其火則熄滅，心則隨之而死，故舌捲。汗出如油，爲肝絕之特徵。脾之絕爲「屍臭，口不合」，脾主肌肉，脾絕則肌肉隨之死而變臭；口爲脾之竅，脾既死，其竅自不能動矣。腎之絕爲「髮直，齒枯，泄黑，目黃，腰欲折，自汗」。經云：「腎主骨，其華在髮」，齒屬骨類，腎既絕，則髮直而齒枯。黑色屬腎，泄黑爲眞臟色現之死象。目黃者，目屬肝，水（腎）生木（肝），腎（水）既絕而不能供給肝（木）之需，故引起肝臟衰敗而目黃。腰欲折者，腎之神經系於腰部，故腰痛而欲折。自汗爲俗稱亡陽汗，亦卽爲虛脫（死）之汗，汗盡卽氣絕而死。

五死脉

心之死脉爲「本息末搖，魚翔相若」。尺脉爲脉之本，脉之根也，尺脉既無，寸關縱有，亦不能持久，如魚之游水，頭不動而尾動也。肺之死脉爲「釜沸空浮，絕無根脚」。肺之病脉爲「浮」，浮至如釜中沸水之泡，若脉浮至如水泡之無力，可知病之深，而脉微之甚，此足以表示肺氣之盡絕也。肝之死脉爲「雀啄連連，止而又作」。肝（木）生心「火」，木既死，則不能生火，心因而受累而減少動作，因而時跳時停，其狀如鳥之啄餌，忽密忽疎，此已爲將停之候矣。脾之死脉爲「乍密乍疎，亂如解索」，其狀有如用手觸於亂繩索之間，忽而數條齊起，忽而祇覺一二條，此爲亂脉也。腎之死脉爲「彈石沉絃，按之指搏」。沉者重也，彈石之絃，石去後，絃仍震動，此時若以指觸絃，則絃當在指下搏轉震動，腎之死脉亦如此。

五時

午時屬心，爲正午十一時正至一時正，此時氣血流注於心。寅時屬肺，爲清晨（俗稱下夜）三時至五時。此時血氣流注於肺。丑時屬肝，爲半夜一時正至三時正，此時血氣流注於肝。巳時屬脾，爲上午九時正至十一時正，此時血氣流注於脾。酉時屬腎，爲下午五時正至七時正，此時血氣流注於腎。關於本項，在診斷中之十二時辰應十二臟腑表中，已詳爲說明矣。

五方

心屬火，應南方，在八卦爲丙丁。肺屬金，應西方，在八卦爲庚辛。肝屬木，應東方，在八卦爲甲乙。脾屬土，應中央，在八卦爲戊己。腎屬水，應北方，在八卦爲壬癸。

以上所述，爲五臟相關之大要，未能盡其詳也。學者有暇，參考黃帝內經，當能更多明白矣。

知熱感度測定器用法說明

蘇天佑

知熱感度測定法，是日本針灸醫師『赤羽氏』所發明的一種最新而最有效的診斷法。這測定法的用途，是用來測驗人身十二經的狀況：因人身患病，多是因爲臟或腑的經絡，左右不平衡而發生，或某臟某腑比其他臟腑的溫度特別高或特別低而產生疾病。凡病在醫治期間，有時效時不效的現象，或屢醫不效的情形，就要用知熱感測定器去測驗一下，就可以查出某經左右相差若干度，就在不够熱那一經的一邊俞穴，用艾直接灸，或用針刺來治療它、就會收到意想不到的功效，任何頑病，都可以在短時間內治愈了。這個辦法是很簡便而有利的。我們應當追上時代、使用這個方法和這儀器，一則我們針灸家治病的效率可以提高，二則頑痼疾病，可以很容易找到病源來治療，眞是有百利而無一弊的好方法。

知熱感測定法初發明的時候，據說是因赤羽氏本人患了病，屢醫不效，睡在床上的在時候，用熱水袋暖脚，發覺他的左右足，對於熱感，有所不同，一足覺煖，一足覺冷，因而他懷疑他的身體會有左右經不平衡的可能，於是用線香燃着，在手足井穴來測驗，把燃着的線香火，靠近井穴，和井穴距離很近，隨手又拿開，復又靠近，如此反覆，一路數着次數，直到穴位處覺痛至不能再試爲止，而把次數記在紙上，結果探出病源的所在，依法治療而至於痊愈。後來覺得用線香探測，其法麻煩，且有時欠準確性，因而發明用電器測驗，結果成功了一具『赤羽氏知熱感度測定器』，售價港幣約二百元。這器用法極好，但可惜並非普遍發售，且也不是日本的出口貨，購買時要托航海客到日本採購，又要申明和證明是香港某醫師採用的，方可出售一具，希望將來能普遍發售。本學院特製造簡便而廉價的知熱感度測定器發售，以利便針灸同業，以便提高治療的效率，使民衆得早臻健康之境，這就是本院要製造這簡便測定器的最大原因。

現在要說到本學院的出品了。本學院出品的知熱感測定器，是筆型的，用三伏特乾電池，有開關掣，開掣時發熱線即有熱量，在測驗時，先開電掣，從左方穴起，將發熱之一端，貼合穴位，（但不要緊壓，以免穴位感痛，而使患者誤爲熱之痛感。）由甫接觸穴時計數，用心默數數目，至患者不能耐熱時止，將數目寫在紙上；再試右穴，亦照樣數算和記錄，十指和十趾都測驗過，才算測驗的完成。如不用默數數目的方法，可觀看腕上時錶的秒針，每五分鐘的記號，秒針所過，也就是五秒鐘的數目，秒針環繞時錶一週，也就是六十秒，這六十秒，可當作六十的數目。如嫌手錶戴在腕上時，觀看不大方便，可將腕錶除下，放在檯上或比較方便的地方觀看，更是利便而清楚了。

筆型的探測器，輕便美觀，在出診時，或鄉村及艇戶，沒有電燈設備的地方，也可以應用。

按本器不需用時，當將器內乾電池取出，以免日久，電池發霉，致弄壞器之本身，用者請爲留意。

舉例說明：現將知熱感測定器的使用法，用舉例方法來說明一下：假如咳，本來多屬肺的毛病，有時屢醫不愈，多是由于左右肺經的不平衡而致，若用知熱感測定法來探測，就可以找出左或右的肺經不够溫度，就在不够溫度的那一邊肺俞灸艾，或用輕刺激針法，咳症便會全愈了。又五臟六腑都會發生咳嗽，那麼，知熱感的測定法，更是不可少了。又如哮喘症，五臟都會發生喘症，若在開始診症的時候，即用知熱感器探測一下，就可能知道病源的所在，在治療時候，就可以省却許多時間，而療效也非常的快捷了，又如頭痛，水腫，氣痛等，都有不同的病源，用知熱感器一測，使很容易找到病源，同時也容易想到治療的辦法了。

用法定例說明：假如探測某經左右井穴時，若左右穴的知熱感度相差一倍以上時，就是該經有病態的存在。假如左少商測得十度，右少商爲二十度，這就是右側肺經不够溫度，當灸右肺俞，病就全愈了。餘此類推。假如全身各經都相差不遠，單有一經左右都比其他各經都相差很遠時，這經的兪穴，便要两面同時施灸，或用針刺治療了。假如沒有指（趾）頭的人，可在該經的兪穴來探測，可收同樣的功效。現在將指（趾）頭井穴，和背上的兪穴相對照說明如下：

1 手太陰肺經少商穴取肺兪。（意即探得左少商比右少商穴差两倍，那麼便當灸左肺兪了，以下相同）。

2 手陽明大腸經商陽穴取大腸兪。

3 手厥陰心包絡經中衝穴（按此穴之正穴爲在中指的正中，但赤羽氏却主張改爲中指內側甲角後，但本人仍主張取中指正中之中衝正穴。）取厥陰俞。（此穴在第四胸椎旁開寸半。）

4 中澤穴在中指外側甲角後，取膈俞。（按赤羽氏書上所載，稱爲膈俞經，出於中指外側甲角後，約與三焦俞平行，至肩上再下行到膈兪穴止云云。）

5 手少陽三焦經關衝穴，取三焦俞。

6 手少陰心經少衝穴，取心兪。

7 手太陽小腸經少澤穴，取小腸俞。

8 足大陰脾經隱白穴，取脾俞。

9 足厥陰肝經大敦穴，取肝俞。

10 足陽明胃經厲兌穴，取胃俞。

11 第二厲兌穴（此穴在足之中趾外側甲角後，取八俞穴。）八俞穴在第八胸椎旁開寸半。此又稱爲八俞經，出於足的第三趾外側甲角後，在足底上縱行，

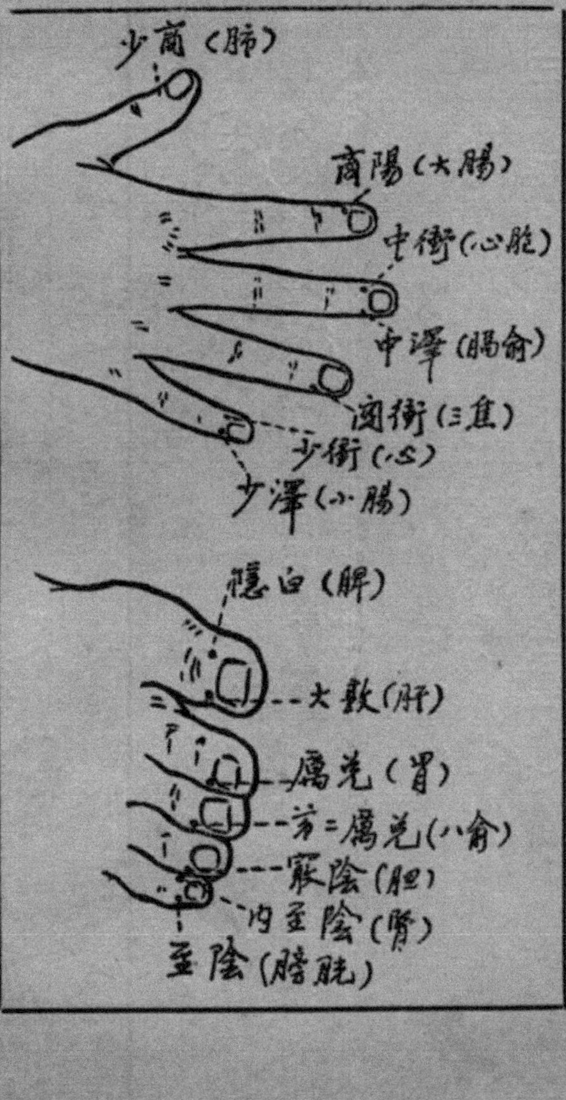

（赤羽氏式測定穴圖）

經下腿後邊直上，又經脊髓旁而上行第八胸椎之旁云云。）

12 足少陽胆經竅陰穴，取胆俞。

13 足太陽膀胱經至陰穴，取膀胱俞

14 足少陰腎經湧泉穴，取腎俞。（按日本人本經不取湧泉穴，却取小趾內側甲角後，稱爲內至陰，作爲探測腎經的井穴的代替穴；但本人對於內至陰和湧泉探測腎經，曾作比較，有時可靠，有時不可靠，而不可靠的成份居多，因此，本人仍主張用湧泉探測腎經。但两者均隨用者自便。

（蘇天佑式測定穴圖）

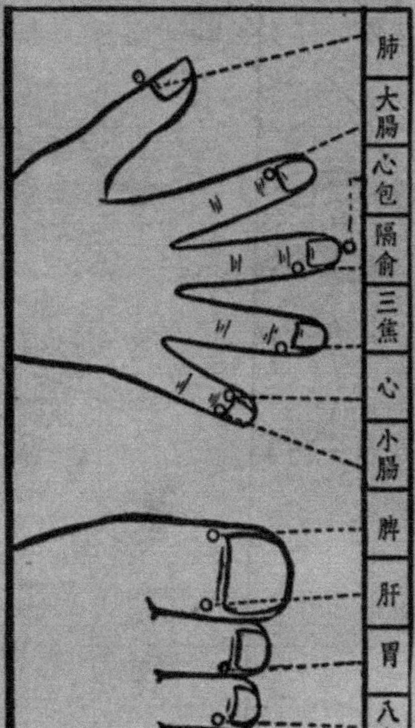

關於中澤穴應膈俞，第二厲兌應八俞的道理，日本人曾發現有些疾病的發生，是由於這两條經不平衡而發生，作爲十二經的補充穴。

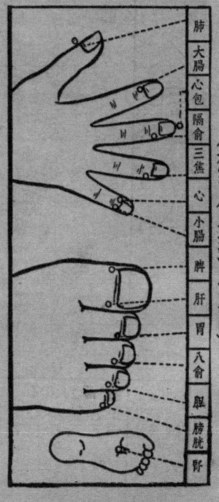

第一圖

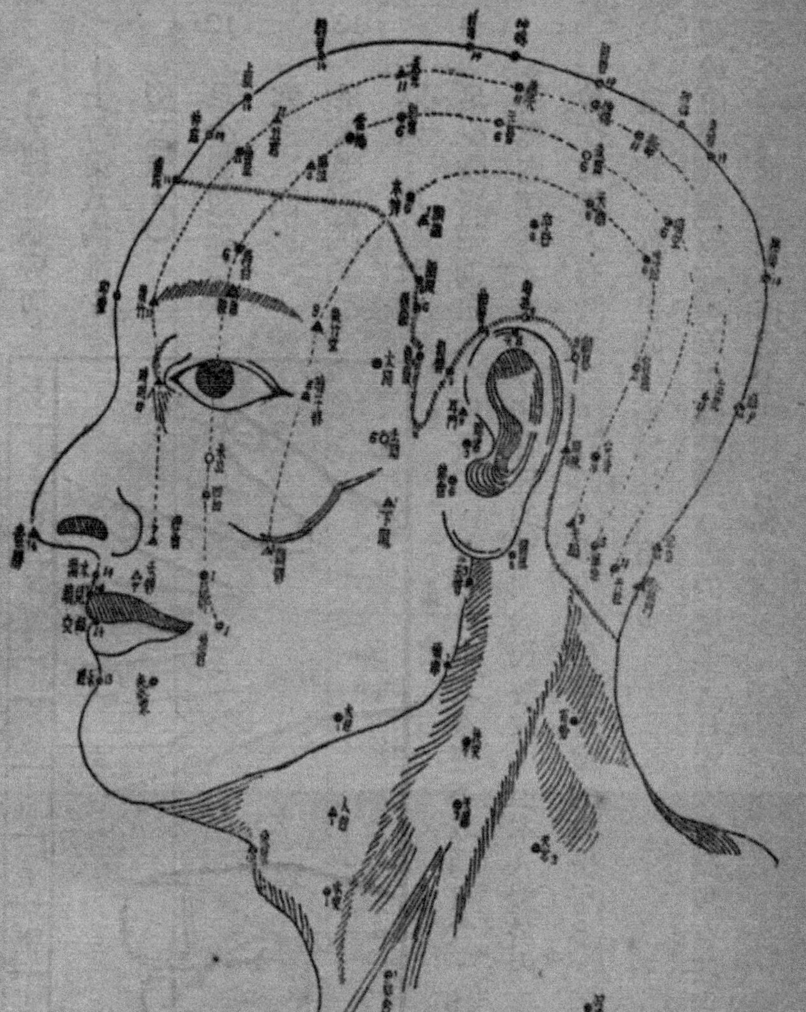

╳	▲	○	●	1	2	3	4	5	6	7	8	9	10	11	12	13	14
禁鍼灸穴	禁灸穴	禁鍼穴	正穴	胃脈	脾脈	小腸脈	心包絡脈	肝脈	胆脈	大腸脈	肺脈	三焦脈	心脈	膀胱脈	腎脈	任脈	督脈

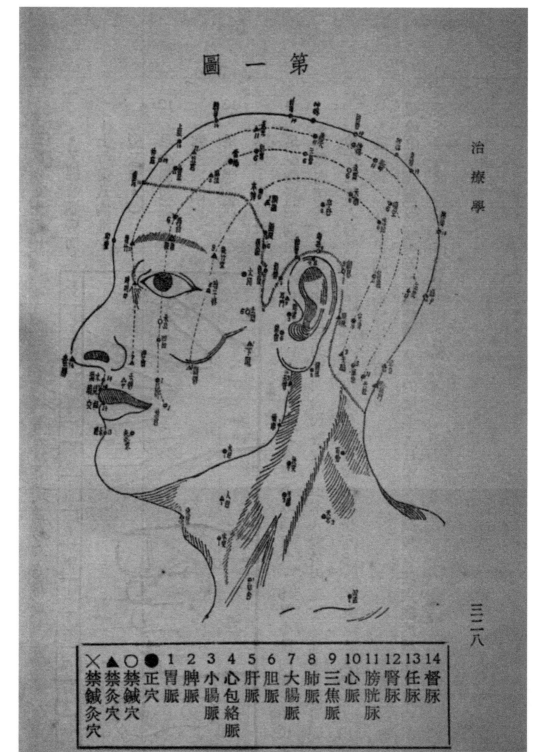

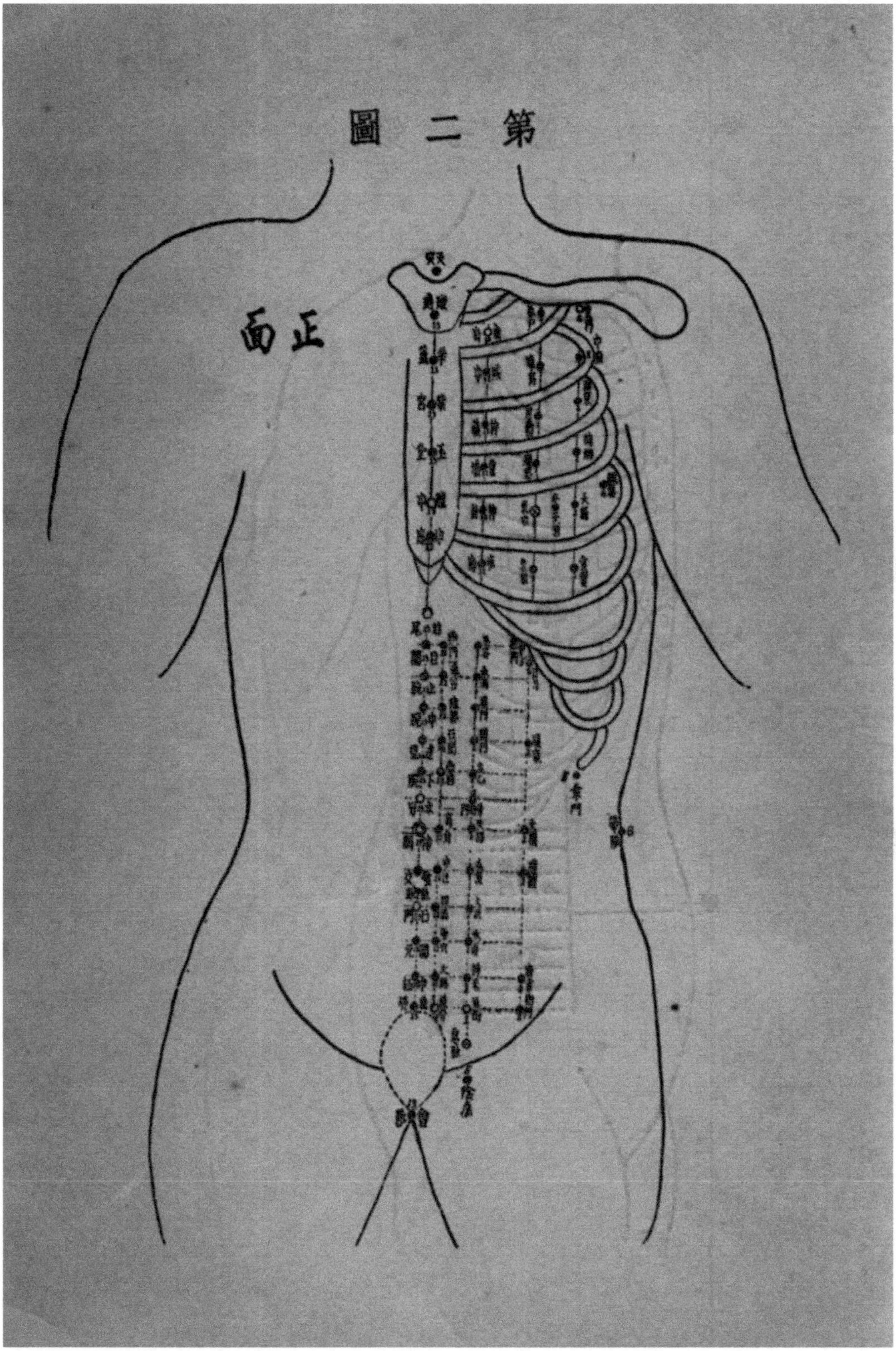
第二圖
正面

第三圖

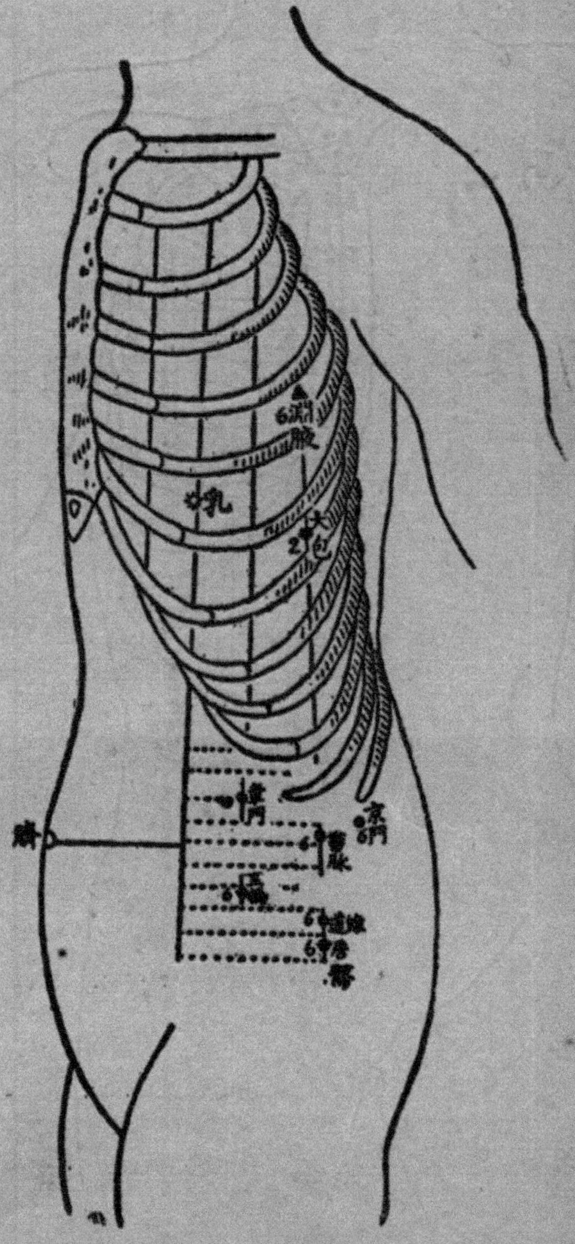

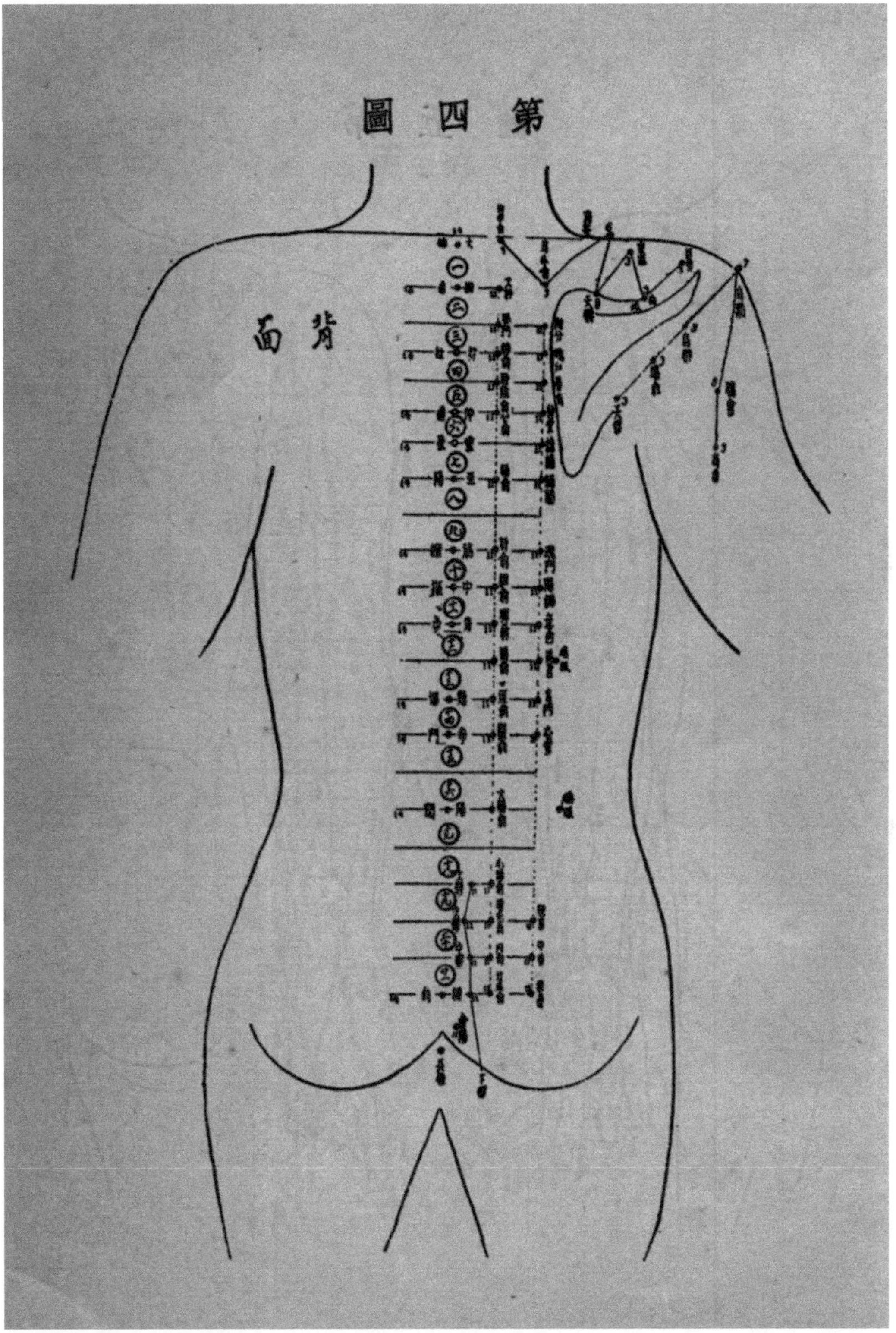
第四圖
背面

第五圖

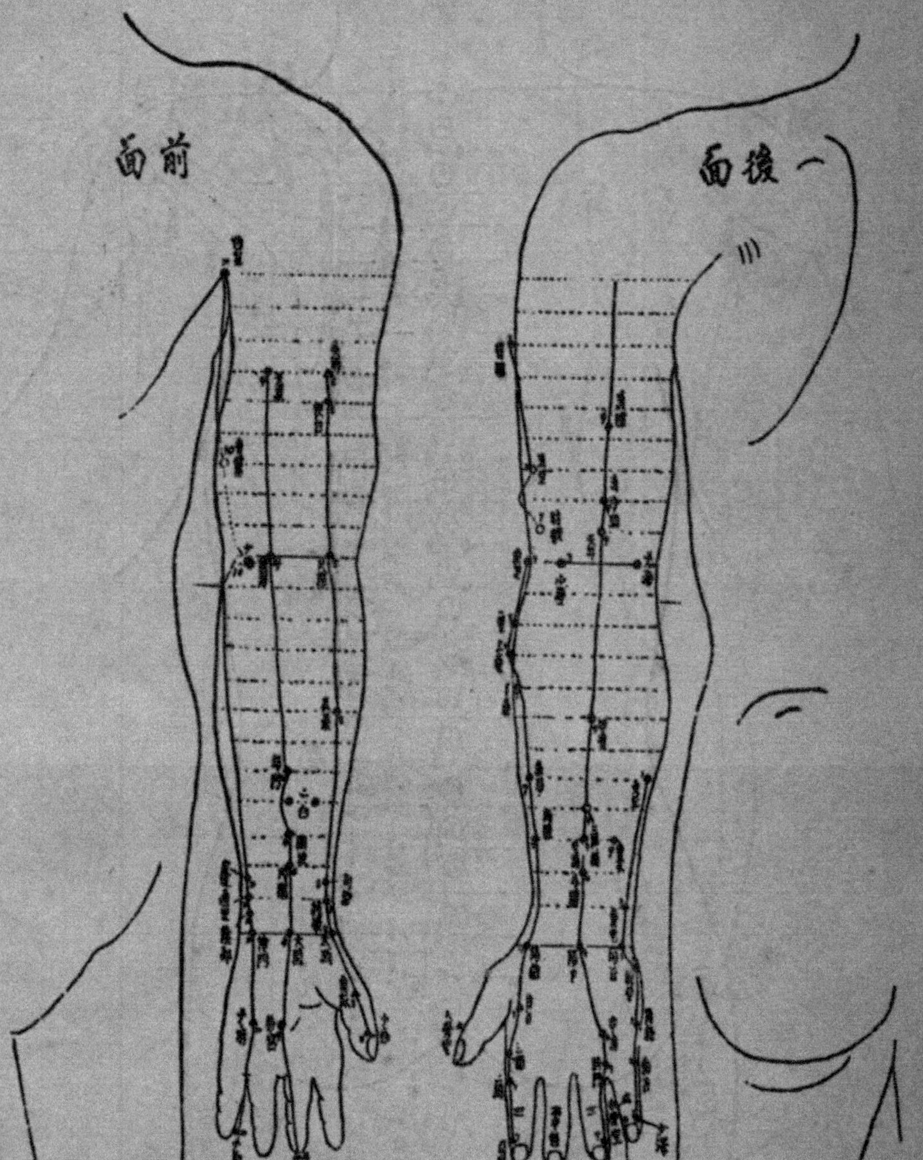

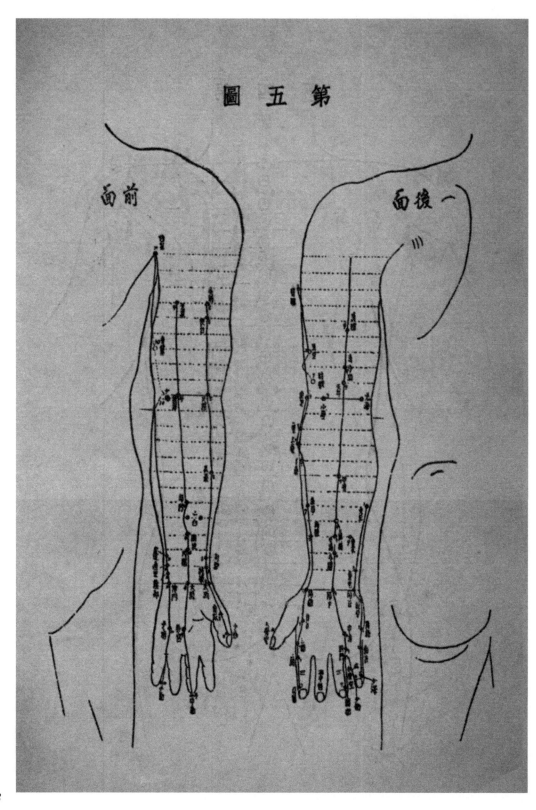

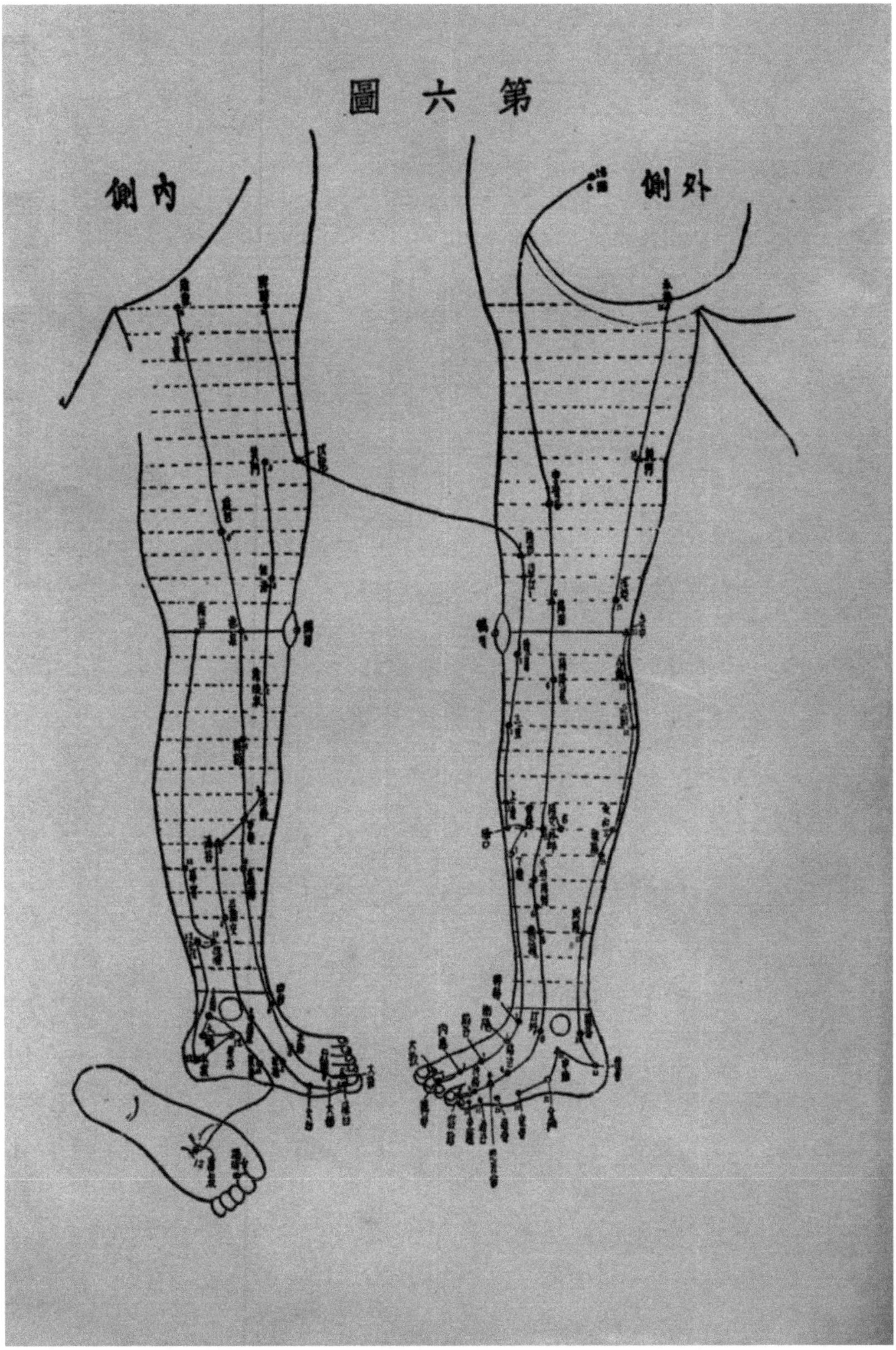
第六圖
內側
外側

談話集

針灸治療經驗談（代開業學）

我們經讀完針灸醫學全部課程後，可以與人治療了。在開業之先，最好先加入當地中醫師公會，並向衛生局，領得衛生局營業證書，方可掛招牌問世。茲將開業的幾點經驗，與諸君談談，藉資參考。

（一）設備

視經濟能力而定設備，大抵房舍須洒掃白凈，合乎衛生，布置精緻，美術，能惹起人注意爲妙。其必須之治療設備爲痰盂，酒精，藥棉，檢温器，艾絨，毫針，三稜針，線香，消毒器，櫈椅，診症床，經穴掛圖及生理掛圖等。入門爲客廳，次特闢一診症室。光線須充分，空氣要流通。

（二）印件

印件亦視經濟能力而定，大抵

一、鍼灸治療說明書，印備千數百張，分贈各界，俾各界明瞭針灸能治愈疾病之正確理由，而來求醫。（或開業宣言）。

二、針灸治療記事冊，印備數百張，分釘若干冊，內列姓名，年歲，性別，住址，職業，病歷與治療，現狀，脈博，體溫，治療次數，日期，針灸經穴，功效，末列共治若干次，結果如何等。至形式大小，紙張厚薄，臨時酌定之。病人來治時卽一一塡入，以備檢查。（成績報告卽根據此種記錄）。

三、優待券及贈醫券　內列治療所地址，醫生姓名，贈醫時間，贈醫病症種類等，後面備述針灸治療的優點，於開張時分贈親友及各界，以廣宣傳。

四、成績報告書　治愈之人有十幾個後，便將病人的姓名，地址病狀，治療次數，日期等據事實印成小冊子，分贈各界，此對於民衆信仰有極大關係（秘密病與體面有礙者不可刋，請不可忽略）。不可虛構事實，以免被人發現時失去信仰。

（三）進　行

醫務所已經租定，陳設妥當，則當舉辦

一、貼街招，視所在地而定，若廣州，香港及大都市，起碼要一萬幾千。若在鄉間則一百幾十亦足矣。贈醫痛症一二十天，文字要簡潔，正當，勿寫美術字，最好爲楷書，排列要美術，清楚，以能引起各界注意了解爲主。

如經濟力量許可，最好在報紙上登廣告，或在電台賣廣告，效力更好。

二、贈送朋友親屬各界開業宣言，或針灸治療說明書，請介紹病人來治。

三、請當地名人題字，懸掛客廳，病人送的紀念品，尤爲需要。

（四）治　療

一、病人到所請求治療，第一個問題是什麼？本病可治不可治是也。疾病甚多，症有輕重，醫者當按學力分別之。可治者爲之治療，不知可否者，則當對病人說明，姑試治之，觀其效果；不可治者，則當說本病鍼灸沒有辦法呵。（例如大跌打，兎唇，天花，梅毒，下疳等）。

二、診斷後認爲可治的病，則當

1　記錄病者之姓名，年齡，職業，住址，病歷，現在情形，脉博，體温，病名。

2　決定主要經穴，次要經穴。

3　決定應針應灸，針治當取何種手技？灸治當用何種灸法。

4　當向病者解釋針灸時並不甚痛，以除去病者之恐慌，而減少痛覺。
5　調節室內之空氣，不令太冷太熱，猛風吹來。
6　病者坐立臥之決定與實行。
7　檢點針有無缺點？
8　嚴重消毒。
9　取準經穴，然後刺針，或繼以灸治，切勿馬虎。
10　告訴病人應遵守之事。

（五）徵　求

爲欲加增病人對己的信仰心，及客廳的陳設，當留心徵求：

一、病人治愈後的謝函　病人能寫信的，可請他把病之經過及治療經過寫一封信，未蓋圖章，由郵寄來，特製備一個佈告箱，展覽着，俾凡來探的都可看見。

二、如遇腹水，口喎，鶴膝，腦水腫，——等有形可見之病人來治，又自信可以治愈的，當爲他先影一張照片，治愈後又影一張，懸掛于客廳，以供衆覽。

三、病人治愈後如可送記念品者可請他送鏡架，明鏡，銀盾，——等置客廳中，以供来覽。（務須實有其人其事。方生效力，否則反為不美）。

（六）收　費

收費當酌量情形，而以富者不苛求，貧者減收為原則。因富者苛求，名譽必不好，貧者減收，口頭宣傳，勝登告白。惟不可包醫，包醫，病治愈後，而病者說未愈，反為不美。收錢多少應一律用心治療，能夠一次治愈的，决不可延長時間，以求多收手術費。針灸治療以快愈為原則，快愈則病者減少負担，求治者必多，求治者多，則聲譽彰，收入必倍增。

（七）態　度

一、和平　病者求治請問必多，應對，治療，應極和平。切戒驕傲的態度。

二、慎重　一針一灸應用全付精神對付。稍有疏忽，必有不美。

三、誠實　可醫的病當為之醫治，不可醫的病不當與人醫，萬不可效市井庸醫危言嚇人。不可醫的病，而與人包醫，以期多收診療費，弄到後來信仰全失，怨言不絕，生意全無。

（八）研　究

一、吾人既執醫業，必須不停繼續研究，以求深造，勿以現在所學者為滿足。若遇不甚了解的病，或治療後不甚見效者，當抽暇時研究該症，以便治療時可收實效。

二、當按自己所專治之科目，陸續添置書籍，以爲參考。

三、醫藥雜誌，不甚昂貴，應添置數份，以廣見聞。

（九）發　表

針灸學理，奥妙之極，如研究有得，當爲文發表，公之於衆。如有奇特驗案，秘傳特效秘法，亦應打破秘傳陋習，公之於世。

爲什麽你的針灸學不成功

醫界中有被稱爲名醫，也有被稱爲庸醫的，這是什麽原因呢？這其中的原因多得很。針灸師在市面上掛招牌，不知歷盡幾許滄桑，也有紅極一時，也有名聲遠溢的；但有些却終生潦倒，两餐也難以維持的。以下就是幾個原因，寫出來給學者參考，以爲警惕，以免徒費金錢時間和誤却前程，學者不可不知的。

1．從師不良　這是一種根本的錯誤，和成功的路相背而行。世風日下，想找良師，難如登天。人的心多數是自私的，縱有實學和經驗，也未必肯全部教給學生，而學生的天資若是充足，也只得幾成工夫。何況那些剛從學校出來，一些經驗也沒有，便掛起什麼學院的招牌，以廉價招生，以搬字過紙式來教授學生，這樣怎能栽培出下一代的好人材。一般人都知道好的東西，永遠不會廉價教人的，反言之，廉價的東西，一定是劣貨無疑。想學一門成功的技術，師不可不小心選擇的。

2　不專不勤　專心或堅心，都是學習的成功秘訣。俗語說：『世上無難事，人心自不堅』；又說：『心堅石鑿穿』。既有心去學習一件東西，當專心向學，以期成功，但偏有一部份人是不專心的，學完以後，却一無所得，一無所知。除專心堅心以外，還須加以「勤」，因勤能補拙。針灸本身除了是醫學以外，也是技術和藝術。表面看來，並不困難，實際上正如俗語所說的『易學難精』，若是存心以爲容易，一知半解，便以爲了不起，一旦臨大陣，遇逕敵，却棄甲曳兵而走了。

3　非心所好　有些學者的不成功，是由于所學的並非自己的心所愛好的，只是服從家長的命令去學，是勉强學習的。也有些人因爲同伴或朋友去學，他也趁趁熱鬧，結果是有始無終。更有些人學針灸並非想做醫生，不過想求知，知道多少便算，學完了也不敢爲人治病，縱然治病也沒有成績。有良師沒有好學生，有好學生沒有良師，是同樣的值得慼嘆！

4　本領太多　本領太多，本來是好事，但本領太多了，就不能專心，心多了，就變了正如俗語所說的『週身都是刀，但是沒有一柄是鋒利的』。假如一個人，早已學習了中醫，又學過西法打針和用西藥，又曉得跌打和醫痔瘡，後來才學針灸。但因爲『先入爲主』的觀念作祟，針灸學雖然學了，也不會精純的；在心理學上來說，這種人的存心，只要樣樣都懂，就認爲心滿意足，其實他樣樣都不精，兵是貴精不貴多，何況學術，一種精純的學術，就足以養妻活兒，樣樣都懂些，是反而沒有飯吃的。凡掛專科招牌的，都賺了錢，那些『內外全科，大小方脉』的招牌，反而門庭冷落。

5　根基不固　假如一個學生，既已從得良師，也專心勤學，這學生一定學有所成的。但老師所敎的雖好，學者未必百份之百都記得，所以必須常常温習，以至純熟，老師所敎的技巧，未必百份之百曉得運用，所以必須繼以多所見習和實習，才能牢記於心，所謂達到熟能生巧的地步，以後才能永不遺忘。若是剛從針灸學院畢業出來，未經實習，立卽轉學中醫中藥或西法治療等，就很容易把先頭所學的遺忘凈盡了。這就是根基不穩固的失敗原因。

6　不再追求　從師不良的學者，學完後不再追求進步，當然在短期內，全歸烏有。若是從得良師，實在是幸福無窮，因良師的出身，當然也從別位良師而學習，繼以數十年的經驗，盡量的教給學生，那學問當然豐富。雖然如此，學者仍當追求進步，因醫學是永無窮盡的學術，人身的疾病，亦變化莫測，雖然能從良師，亦不當自滿自足的。除參考其他書本以求進步以外，當常和老師及同學們接近和研究，彼此交換經驗，又當接受同學的善意勸告和意見，這樣才有進步。假如自滿自足，當然學問不再會進步，若是自驕自傲，就得不到同學的進步資料。別人已經天天進步了，你還是停在原來的地方。同時老師也是天天進步的，若不與老師接近，有所新發現的時候，也無從告訴你了。

7　轉向異端　任何的失敗也沒有比這更甚的了。學者既從得良師，而良師的技術當然是成功的，遵師所教的去做，當然也會成功。因爲針灸界分開許多派，種種式式，人人都誇稱他們的本事，其實他們中有許多人只是一知半解的，也居然敢誇大口，明知自己功夫使不得，也竟然去教人，其實是騙人。至於坊上的書本，更不要盡信；須知許多人作書，都是欺世盜名的所爲，多是東抄西襲，拼合成書，並非有經驗的寫作，其中更有誤人誤世的作品，學者頭腦對本行並非深入，看不出眞僞，若捨棄本來師傳成功的技術，去跟隨那毫無經驗，無生命的書本去行，這就叫做轉向異端了。我也曾見過這樣的失敗者，亦也曾見這樣失敗後的同頭覺悟者，學者不可不愼。

總言之，一種學術的成功，一位老師的成名，都並非偶然的。求學者當有堅定的意志和信念，才有成功的一天。以上所說的各項，無非是對學者警惕與提示，望學者能瞭解就是了。

爲什麽你的業務日漸冷淡

針灸技術，既從得良師，得了豐富的學問的師傅的秘訣和經驗，對於治病，當有充份的把握；此外另有同學共同研究，有老師做後台，遇有困難或不明瞭的症候，可以詢問；若是開業問世，相信業務必會蒸蒸日上而不至於日漸冷淡的，但有些同學們，竟然行上這條路，其中當然另有許多原因。本篇所說的，並不專指任何人，不過廣泛而論，俾大衆共同研究，知所適從，以爲提撕警覺之意而已。

1　醫所問題　設立醫所，首先當要選擇地點，地點適中，在熱鬧的大街道，生意當然比幽靜地點好些；但是這些地點，也必須用大量經濟力量來栽培，然後能開出美麗的花，結出美好的果子。若是經濟力量不充份的，最好在貧窮地區開業，總之人口相當稠密的區域，也可以两餐温飽的。因地區細小，宣傳比較容易；若治好一二人，便會全區轟動，容易引起居民的信仰，生意很容易發展。還有，醫所最好在樓下，其次在二樓，太高了，患者因痛症多不能上。

其次說到醫所的內容：上等的醫所設備，當然地方廣濶，一大客廳，一手術室，新式傢俬，佈置堂皇，儀器齊備。此等診室，縱然收費稍高，客人也不好意思不給，這些佈置，能引起客人對醫生有一種高貴的感覺，信仰心也爲之增高，認爲這醫生若是沒有大本領，怎能有這等設備呢？雖然治療一時未發生功效，也有繼續治療的信念，這是社會通病的『虛榮心』使然。至於其次的設備，縱然不能美麗繁華，最少也要「齊整雅潔」，傢俬不必名貴，但也不可太粗劣或古舊，務使客人入來時，不會感覺不自然，這是最低限度的條件。醫所內部或客廳，若掛有患者贈送的牌扁，或名人題字等，會增加患者對醫生發生信仰；其次是畢業證書，醫會會員證書，一樣的會令患者生信念。我發覺許多學生，不掛畢業證書，因爲他們心中認爲掛了畢業證書，患者看見老師的名字，便會跑到老師處去看病，自己便失了生意；但由反面看去却不然，患者看見你的出身是出於有名氣的老師，反把你的身價看重了而增加了信心；同時患者也會想到有名氣的醫生，收費一定貴的，也會因貪廉費而不會跑到老師處的。此外還需懸掛生理圖或經穴圖，造成一種醫藥環境，令患者一入門庭，便會肅然起敬，這是很重要的。有些環境是連家庭在一起的診所，雖不能符合標準條件，但那些能引起他人信念的設備，是不可少的。

2　廣告問題　廣告問題，不單指賣廣告或貼街招，亦包括招牌問題。凡租賃醫所，先要注意招牌位置，地點雖然好，內容也好，但若是沒有地方掛招牌，就不要租，因招牌是醫館的生命線，招牌的位置太少，或位置不適宜，不爲人所注意，是醫務的致命打擊。招牌字體必須端正清楚，切勿寫美術字，顏色最好白地黑字，令人一目瞭然。若樓下門口處有許可的地方，當設備一個佈告牌，將治好了的患者，寫一張佈告貼出去，或有照片，或患者的來函，都貼出去，令經過的人看了，會引起很大的信心。

關於街招，也當字體清潔簡單，使看者一目瞭然爲佳，若是洋洋大文，滿版細字，試問過路人，誰有閒心去細看？若貼在街上，紙張當用四開版，印大字；若因經濟問題而用三十二開版，則當貼在樓梯口，這樣比較有效。另有一種寫在牆上的灰水廣告，也是經濟而有效的，但是好像不够高尙和斯文。在報上登廣告，若是登小廣告功效較少，若登大幅廣告，功效當然有，但有時也得不償失，若在初期開張時，連登幾天大廣告，也會衆所週知的，若長期登大廣告，多因廣告費所負累而致關門的。

3　技術問題　這就是醫學問題，第一首先當然要從得良師，從不到良師，技術便不合水準，更談不到業務。縱然從得良師，正如古語所說的，『取乎其上，僅得乎中，取乎其中，僅得其下』。這是指明從得良師的人，未必能全部領略良師所授的功課；或有能盡領略的人，但未必能盡量記憶，所以『僅得乎中』已是高材生了。因此，技術方面，當不斷研磨和艱煉，使記憶增多和技術進步，治病方有成績，否則技術就會日漸退化；在日日進步的人來說，他們已經越過更遠的去處，那些不進步的人，却向後轉，彼此之間的距離太遠了。許多醫生所犯的毛病，就是當他每天都有相當的人來診時，心意就高傲起來，便有了自滿自足的心，所謂「利令智昏」，反而退化起來，等到診者日漸減少時，才覺悟起來，已經把大好機會失去了。還有些人，自己不知覺悟的，只有自嗟命運之不齊，却不知道自己學術的退化使然。若然技術高超，縱然醫館地點不佳，設備不良，患者也要來的，因患者對你的技術生了信心，其他也在所不計的。

4　責任問題　這是說到對患者治療的負責問題。假如患者的病，應該一次治愈的，却留到两次三次，希圖多收手術費，愚昧的人，或許會被瞞過，但聰明的人，却會心裏明白。痛症患者，若可能一次止痛，當爲他們止了爲是，若循例施術，敷衍了事，患者會生出不滿意的感覺，下次就會不來了。掛起招牌的人，當依時在診所守候，若因有事或喝茶，離開醫舘時，當有一定的去處，隨時可以通知回來的才好，否則患者來了，醫生却無處可尋，患者不能久候，便會失掉生意了。寧失掉十次熟客的診症機會，也不要失掉一次生客的診症機會，因爲熟客必再回來，生客就不會再來，失掉一次生客，也即失掉生客人的朋友親屬診症機會了。不守責任的醫生，不關門的少得很。包醫並不是正當醫生所願意做的，但有時爲應患者的要求，也要應允，但出乎意料之外，該症頑痼非常，好醫生便不計較，一直治療至愈爲止，這就是守信用，盡責任，爭取美好的名譽。若是因估計錯誤而向患者多索醫費，或中途放棄不爲人治療，這患者會到處詆毁你的名譽，影响甚大；假如一個患者給你治好了，他又帶了十幾個人來診症，這入息是無可估計的。假如一個患者憎惡你，他不單不帶人來，那些有意來的，反被他阻止而不來，两頭計算起來，你的損失是何等的大呢？

假如晚上，半夜或淸晨，有客來診，或請出門，也當應命診症，因爲掛起招牌，是對全體市民都負有責任的，不要貪戀睡眠或娛樂而放棄爲人治病的責任，由於他人的感激，你的美名會傳遍市內，你的客人會源源而來了。

5　手段問題　這裏說到收費問題了。收費問題，以富不苛求，貧者減贈爲原則。假如手術費定爲十元，則富客來臨，也不應該藉口收超額的費用。貧客到來，負担不起的，當減爲七折或五折；認眞貧而無告的人，就應全部免費。這樣的人，雖窮極，他的口是不會窮的，他到處爲你宣揚大德和醫學高超，後來的收入，比他的報酬，不知多若干倍。若有急症或痛苦難堪的患者上門，當要馬上爲他救急和治療，不要斤斤計較討論收費問題而讓患者危急或痛苦。縱然事後患者付不起你所定的費用，也盡了醫德和「醫者父母心」的責任。那些坐地起價，臨危勒索的醫生，簡直是醫中敗類，人間蟊賊，只有錢心，沒有人（仁）心的人，眞正是『未得謂之人』了。又假如第一次收費若干，患者次日再來，不應加價，這樣才可以維持信用，得人景仰。假如某症須加服藥丸或藥散的，這種丸散須眞有治療的價值和效能才好，不要僞藥欺人就好了。因爲藥的成本根本不貴，富者可賣高些，貧者祇有些微利潤，便當賣出，賺錢是賺治療效能和學問的代價，少賺是濟弱扶貧的宗旨。包醫取價，當適可而止，不要「開天撒價」，否則把患者嚇縮了，不但生意做不成，他一出門就要講你的壞話了。

6　儀態問題　這就是儀表和態度，儀表是外貌和服裝，態度是言語表情和動作。你有上等的醫所，一定要有上等的服裝。你若是祇有中等設備的醫所，若能有上等的服裝就更好。若不然也須有中等服裝；若在鄉村區域設館，也須有中等服裝。服裝不一定要名貴，但一定要潔凈，齊整和合時。衣服不整和不潔，或有縐紋，是會給人看不起的。鞋要擦到光潔，破了的鞋，不要再穿才好。若醫所連家庭在一起的，也一樣當要衣服鞋襪整齊，不要貪便或貪懶而穿拖鞋，因爲衣服齊整才像個醫生。我曾見過有些醫生在家中穿日本凉拖而被客人責成的，也見過因爲天時熱而赤了上身，穿一條睡褲，一對木屐的醫生；又見過終日睡覺的醫生，客人來了，起來時，睡眼矇矓，身穿睡衣；這樣簡直不像一個醫生，怎能望生意興隆呢？又見過有些醫生所穿的衣服，污穢陳舊，鞋永遠不擦一下，令人看了，覺得他是一個機器師。從儀表看來，不像一個醫生，怎能叫人生信仰心呢？我有一次，出門診症，上身穿了「茄士咩」絨西裝衫，下身穿灰絨褲子。却被病家批評爲寒酸，因爲醫生沒穿全套服裝的原故。按當時該種服裝可算爲時尚，價値亦在百元港幣之間，尙被人如此批評，若衣履不整的，更不在話下。

關於面貌是生來的，是不能改變的。有两類容貌是不適於做醫生的：一種是生成醜陋黎黑，第二種是過於俊俏；前一種是使人望見了，覺得他像個苦力或勞工輩，女的像個鄉婦或拜神婆。後一種男的像個花花公子或亞飛之流。另有一種是長春不老者，已經三十歲人了，看來還像十七八歲中童；女的若加以美麗的打扮，很像一位交際花或女明星。這两種情形的人，都很難令患者相信你是一個醫生，或相信你的醫學。所以面貌生得不好的人，當從服式髮裝等來陪襯自己，但不可太過裝整，否則男的便變了大鄉里着西裝，女的便成了「東施效顰」，反為不美。俊俏的男子，要扮得老成一點，女的更要樸實一點，裝成醫生格局，令人看見不會生反感，那便是算成功了。假如衣履不整潔，髮不梳，鬚不剃，像個剛從監獄出來的囚犯，令人見而生長。不要單想到『有麝自然香』那句話而自傲自恃，須知都市不比鄉間，多少都看重外表，還要想到『牡丹雖好，還須綠葉扶持』那句話，有一首詩，試錄出使學者一觀。詩云：『有錢莫買燒哥（酒也）吞，要買衣裳打扮身，近今世界人眼淺，先敬羅衣後敬人』。

關於態度問題，有人主張做醫生態度要嚴肅，像那些西醫一樣，十問九不應，其實這是不適合於中醫或針灸師的，但太過輕鬆或和患者講笑，却有失尊嚴，便會令人失去信仰心的，所以一言一動，均能影响患者的心理。我以為對患者的態度不離『誠實，和靄，謹慎，專心』四個原則。你若有誠實的心，當然取價公道，不會外面寫明贈診一元，却要二三十元才可以離開醫館。對於患者有所詢問，按照醫學學理去解答，不會胡言亂道；診得患者症狀後，照實況說出來，却不要田言恐嚇，以圖包醫或取得多量診金，或施手術後又收取丸散費若干元。又輕症說成危症，會令患者生懷疑心；危症又自稱不怕，後來失治時，一方面誤了患者治療機會或性命；自己却壞了名譽和信仰，不誠實的結果，是會惹出禍來的。誠實却能令患者增加信仰心，雖然後來醫不好，患者也會說醫生是好醫生，醫不好是自己的命運不好或醫緣不好吧了。

和靄是關於面容的表情和言語方面。上文已經說過，太過嚴肅是不好，太過輕鬆也不好，所以面上的表情要帶幾分歡容，因爲患者來見醫生時，已經帶有幾分恐懼心，若醫生的面孔嚴肅或兇惡，那畏懼心更會增加起來。言語談吐須要溫柔有禮，有問必答，令患者覺得醫生和靄可親時，便會將病情向醫生盡量吐露，甚至連隱秘事也一併說出來，做醫者的，對於診斷上，有莫大的帮助。那些喜歡用罵人來自高身價的醫生，徒自招失敗而已。

謹愼是小心的意思，在診斷上和治療間，要小心謹愼從事，一則可清楚瞭解病情和使治療適當而有效，二則可免誤診誤治而招來煩惱和失敗，那些自恃技高而粗心大意的醫者，早已行在失敗的路途上了。又在施術前須極力安慰患者，使不要驚慌，施術時又當極力使患者避免手術上的痛苦，務使患者有滿意的感覺。患者不論聰明或愚拙，他們總有一個感覺，會覺得醫生對他們細心或否的。

專心是什麼呢？專心是指由與患者登記時起，至治療完畢爲止那一段時間。凡患者所答你的一切話，或由他本人申訴的一切病情，須專心全神貫注去留意細聽，不要忘記他們所說的話，在診脉時或治療中，不可和別人閒談，否則患者也一樣的不信你的。有一位針灸師，爲人置針於身上後，讓患坐着，自己却在看報紙，看完報紙後，拔了針就叫患者離去，當時治療有無見效，有無不良反應，一概不管，這患者出門後，對這醫生批評了許多壞話，這就是不專心的結果了。總而言之，醫生治病當胆大，對病人的態度就要細心了，但有一樣不要的，就是不要面皮厚，並不是說「追求」，乃是說「要錢」，勉强多向患者要錢，是屬於面皮厚那一類了。

俗語說『做醫生要預備三年糧』，這意思是說要捱苦的。這一行，捱下去，年中不知經過幾多次的風波起伏，受盡不知多少甜酸苦辣，才可以立穩根基。凡以醫業立身的，當深思以上的一切所陳述的，然仍不過是粗枝大葉而已，細微之處，要各學者自己去體會了。這一篇是給學者們的一番啓示，作爲參考的資料，學者細味一下，便可瞭然明白自己，有則改之，無則加勉，忘羊補牢，奮起直追，爲時未晚，前途光明，實在可期的。

患者心理面面觀

我們想生意好，除了檢點自己以外，還要了解患者的一般心理，才能有把握去應付他們，才不會失掉生意，或更可以使生意興旺起來的，現簡單將所知的幾種，略述於下：

1　恐懼　初來的患者，若是從來沒有試過用針灸治療的，多少總帶有幾分恐懼心，每有針還沒有刺到肉，已經呼痛；又沒有針到神經，已經說酸，這全是恐懼心理使然，對付這種客人，當用溫柔細心來解釋和安慰，像哄小孩子一般哄他，先針一針不痛的穴位，使他心理安定，以後便容易繼續下去，一次若能見效，以後便會繼續來診的了。

2　試辦　許多人對針灸學不大信任，以爲沒有藥是不能治病的，等到他的病，中西醫也束手時，便來一試針灸，雖然來到，但疑心很重，諸多詢問。對這種人，醫者當要將針灸學理，詳細解釋，用說服方法，使客人心悅誠服，便肯安心受治了。

3　詐窮　人人都想治好病，但人人都想慳錢，有些人是有錢的，但偏不願照付醫生所定的價錢，於是出於詐窮的方法，用許多話語說到自己的艱難處，希望醫生同情而減收診費。有些明明是老闆，却說自己是一名傭工；尤其是那些『金山婆』，連衣服也像是貧窮人的打扮，若非內行，很難看得出。有錢人的看法，不單看外表整齊；衣服名貴，還要有看所帶的手表是否名廠，墨水筆是否名廠的貴重出品；但這些還是外表，可能是從前有錢，如今破落，但外局仍然裝成有錢的樣子也有之，此外還要在診脉時看他們的手掌有無粗糙的痕跡，最重要的還是底衣褲，在刺針施術時可以看到。若是貧窮或破落的，外面雖然美觀，底衣褲多數陳舊或破爛，若是底衣褲新凈，或屬外國出品，這可斷定此人是有錢無疑。還有，由於他們的面容也可以看出多少；假如營養豐富的，面容及皮膚，都帶油潤和光彩，營養不良的，皮膚色帶枯槁。相法也不可不研究，富貴人的相貌是另具一格的，貧窮人的相格是大有分別的。雖然自己有權允許減收與否，但減了富人的費，是殊不值得的。

4　充潤　詐窮是欺騙醫生，充潤是難爲自己。有些人因醫生的定價或醫生開口取價若干，認爲少給或講價錢是不好意思的，於是只好照付，但結果後力不繼，不能把病治好，這是很可惜的事。對於這種人，醫者當體察情形，酌量減收，以期該病能治愈。

5　恃財　寫到這裏，却想到上文「詐窮」「充潤」以外，還有一種「恃財」。這些人是富有的，也暗示自己是富有的人，這些人當然驕貴，所以不肯多針，也不肯被艾灸，寧願慢慢好，醫費是不會少的，這些人客有好處也有不好處；好處是收足診金而減少工作，也長期來診；不好處是症好得慢，醫生的精神會有不愉快的感覺。

6　賴賬　有一部份人，是喜歡賴賬的，他可以藉口說一時錢未便，暫時欠賬，或適遇月尾，又藉口說還沒有出糧，還差三幾天，暫欠一時，出糧後一定清還；醫者以仁慈為懷，多數信任他們，但結果，十居其九是收不到賬的。又假如是包醫，分期收費的話，到末了，最後一两期的錢，多數收不到。假如包醫，用店號担保的，到治愈期，收費時未必順利可得。所以俗語說：『揞痛錢不痛，揞不痛錢痛』。這意思是指患者在痛苦時，肯把錢拿出來；但痛苦過去後，却不肯拿錢出來了，世上忘恩負義的人，是多於知恩報德的人。又古語說：『百鳥在林，不如一鳥在手』；這意是說既得到的，才是自己的，林中許多鳥，未必是自己的；所以做醫者，寧少收些醫費是比賒賬為高的。

7　貪婪　貪心是人的通病，但求醫治病，却不能如此的；這些人除了講價錢外，在針灸施術時，還要那里多針幾針，這里多燒幾粒艾；一方面好像醫生要受他指揮的，二方面他希望一次把他治好，這種可說是令人討厭的人，往往把醫生氣壞了。

8　矛盾　有些人更把醫生氣壞的，就是那些矛盾的人。這些人怎樣呢？一方面又想疾病快好，一方面又怕針怕灸，但是又要多針多灸，但在針到酸時或灸至痛時，却呱呱大叫，連候診的新客也被他鬧走了。

9　色情　做醫生的人，要當心色情的誘惑。男醫生要當心那些女色情狂者，女醫生也要當心那些男色狠。當診症時，醫生和女病人在一診室內，孤男寡女相對，有些性飢渴的女患者，會對醫生施行誘惑的，當診完脉預備施術時，這女患者，便會把外衣外褲脫去，她自己的訴說是恐怕衣服綳了，其實是一種誘惑，看醫生對她的態度如何，然後再行第二步。又有一些認眞大胆作風的，假如你爲她針肚，叫她把衣服解開些或拉高些，她却把上衣和乳罩也一併脫個清光，假如針小腹部位，叫她把褲頭解開些，她却連底褲一併除掉。此外還有些女患者當你爲她針上腹或針乳根灸膻中時，針完後她却拉你的手去撫摩她的乳房。更有些在手術完畢後，要醫生擁抱的，也有要醫生給她一個吻的；更兇的，要醫生和她性交的也有，種種式式，不必盡說。男醫生遇着女色情的客人，不要以爲艶事，其中可能成爲禍事。那些眞正性飢渴者，給你爲她撫摸擁抱接吻以後，可能得些安慰而有助於她病的痊愈；但那些有心敲詐勒索者，便在這時候大叫非禮，她同來的人，便會乘機勒索你，否則要告官，那時就會名利兩失了。至於女醫生遇着男色狠的話，不必細說，一想而瞭然了。

10　試探　試探分學術性試探和法律性試探：學術性的試探是屬於那些有醫學常識的人

，他信這醫生不過，所以先來一個試探，問長問短，認爲滿意時，才表示要針治。另有一種是政府醫務處的偵緝人員，看見針灸醫生的招牌，以爲是打針治病的暗示，常扮作有病狀，入門要求爲他們打針，問他患什麼病，往往說不清楚，但要求打一枝針，又有些說自己患性病，已帶有針藥，只請醫生施注射手術。若醫者不懂注射術的，當然拒絕；若然懂得注射術的，若貪幾塊錢的手術費，常會上大當，等你爲他注射時，他就表露身份是警探，那時就要犯官非了。

11　知恩　世上忘恩負義的人多，但其中亦有知恩報德的人，其中被治愈後送禮物送錢送牌扁的也有，這只限於有心而兼有力的人，才能够做到，但有心而無力者的報答，就是介紹別人來診，用口頭的話語作爲報答。這都是知恩報德的人。不要輕看窮人，優待窮人所得的報酬，比任何富人的答禮還多。我也曾治好了一名風濕患者，他曾用了萬多二萬塊錢也治不好，曾到過外國留醫，也不見效，有人介紹他來治七次好了，所費不過七十塊錢，這人却不曾送什麼給我。反而那些窮人却拿些菓餅之類的東西來以外，還替我宣傳，拉人來診症，這種報答是源源而來的。

12　不誠　有一種不誠實的心理，也和矛盾心理相似而不相同的。當治療一次後，第二天問他覺得如何，有無見效等，所得的結果，有两種不相同的不誠實心理。有一種已經見效了，他反說仍沒有見效，這種心理，是以爲說仍沒有見效，醫生一定用更多心機來治療，功效就會更好。豈知這種說法，在起初第一次時，對醫者仍沒有影响，若第第二次仍是如此，則醫者當然改變治療方針和更換穴位，弄成後來的治療全無功效，那時患者便會表露他的誠意，請求照開始時的經穴來治療。第二種不誠實的患者，治療一次後，第二天問他見效否，他實在沒有見效，但他認爲說不見效是不好意思，因而說覺得好些，醫者根據他說好些，便照舊爲們治療，三幾次仍不好，有些患者便不來了，醫者往往誤爲該患者一定已經好了，其實一點也不好。有些患者到三幾天不好，就會把實意表露出來。有這種心理的人，醫者千萬要注意，當叫患者說實話，以免躭誤時間和病情。

以上所述，不過是其大要，至於細微之處，讓學者自己去體會，時時留意，自然會瞭解更多的。

師生之間

蘇天佑

教學緣起

我開始教學生的時候，是在一九四零年。那時並沒有立心開學院，也沒有公開招生，只是有幾位親戚和朋友，要求我把針灸學術教給他們，讓他們好得着一種謀生技術，同時也一併教了自己的妻和妹妹，這就是所謂第一屆畢業學生。為着他們將來的前途打算，迫得在畢業照相的上面加上一條上欵，暫時命名為『香港針灸醫學院』。後來他們治病有成績，却引起幾位教友的興趣，也來要求學習，同時又有些病人被我治好了，也來要求學習，這就是第二屆的學生了。他們為要得着謀生的證件，要求我把證書發給他們；因此我又要費一番精神，和花了一筆錢，印了證書，發給他們。在印證書時期，又把學院名字，改為『香港針灸專科學院』了。後來學生源源而來，又教了第三期。同時業務亦相當發展，正在想着，過了新年，把醫所遷到彌敦道去，（按當時醫所在山東街，即旺角過海碼頭處），以期有進一步的發展，豈料在年底，新年來臨之先，日人進侵香港，一切計劃，頓成泡影。在淪陷時期，却又有一班人來要求學習針灸，因爲在戰時，他們失去原有職業，却一無所長，因而他們想到學針灸，可得一技傍身；這是第四屆的學生了。後來香港生活難以維持，便携眷逃到廣西的懷集縣去，一家五口，靠針灸度日。後來因生活問題，再轉到廣東境地的開建縣去，在那裏因治病的成績好，引起了當地人的興趣，又敎了三期學生。

一九四五年，戰事停息，一九四六年回港，繼續營業和招生直到今日；在寫本篇的時期，已經在敎着第二十一期的學生了。現值重編講義的機會，把我怎樣對待我的學生，這便是『我與學生』，更把學生怎樣對待我，這便是『學生與我』的大略，叙述一下。因爲我的年紀已經到了五十歲了，這次編講義，恐怕是最後的了，以後縱然出書，也不是出講義了。因爲我的學費昂費，也沒有大量招生，縱然仍有二十年的壽命，那講義也敎不完的，所以在這裏一吐二十年來的衷情，一則勉勵下一代的爲人師者，同時以儆後學者；因爲無論何人，既做了一件事出來，在社會上和在同學朋友中，便留下一個印象，也成爲人群歷史中的一部份。

我與學生

我的針灸學術，是從曾天治老師學來的，曾老師是從江蘇無錫承淡安老先生那裏學來的，我們當記念這两位老師祖，人說飲水思源，我們的學術也當像飲水一般，思念我們學術的來源。我編了這套講義，除了從曾老師處所得的學術，盡量寫在書上以外，還把二十年來的心得，或從別家書本得來，或從同業研究得來，或從經驗得來的，都放在講義裏。又有許多特效藥方，有些從民間搜羅而來的，有些由學生倒傳而來的，凡實驗有效的，都放在講義上。還有些藥方，是朋友的或學生的，他們靠這條方過生活的，他們不願意傳給他人，却給我知道了，我也把這些藥方，放在講義裏面，雖然在人情上有些不對，但在人道上，却是十分對的；一則使我的學生，知識豐富，二則這些藥方傳開了，可以救了許多人的性命。三則在現今的世代，應打破古人的秘傳陋習，盡地傳授給下一代，使國學大大發揚，則將來的進步和發展，可達無窮之境；除爲自己留名以外，對於民衆的裨益甚大？那些把學術帶進棺材裏面去埋沒了的人，是何等的愚拙呢？我更不怕會有正如廣東俗語說的『教識徒弟，餓死師傅』這件事，我是相信『船多不阻海』這句話語，所以我接到學生治病的成績報告時，我總是從心裏笑出來，慶幸我教導的成功。學生對我有所詢問時，均盡自己所知所能的答覆，遠方學生有來信時，我亦必有答覆！永不叫學生失望。學生有病，我總是義務爲他們治療，絕不收費；學生們的家屬有病，我也永不開口收費，經濟豐裕的，他們給我多少，我也不計較，經濟困乏的，縱然給我，我也不要。因爲在我的心目中，年青的學生，我看他們像兒女，年長的學生，我看他們像弟兄姊妹。我對學生，沒有裝起老師的派頭，不論在怎樣的場合中遇見，都是談笑風生，親熱如故。

學生中有一時經濟困難，叫我『移寬就緊』的時候，我很少推却，其中有人數年還未將欵清還的，我也不追究。欠我學費的學生也不少，其中有些不是貧窮而故意不還的，除了去函問過一二次後，我也沒有認眞追究；那些欠學費而眞實不能清還的，我連提也不提，免他難過。

我收學費，情形很參差，其中許多是相差很遠的，我沒有因爲收學費的多寡而對他們有輕重冷熱之分，都是一視同仁。過年過節，我不因有無禮物餽送而分彼此，反而那些困難而子女多的學生，還要接受我的贈送。

我對學生也有喜惡的心情，而這心情不在于金錢和禮物上，却在于學術上，凡學有所成者，我的心當然喜悅，凡學而不成者，除了勉勵以外，就是略加責成，責成而無效，只有寄予失望便了。凡學而不成，或久離而不見面的學生，我的心中常常掛念着他們，好像慈父掛念浪子一般。

我教學生，收了學費，不論多少，都望他們成功，我是按人教授，不是按月教授，若按月，則一班完了，若不成功，當再交學費；我却不然，交了學費，不論多少，一次不成功，除了可以常常來問以外，還可以常常來聽講，不另收費；又可以來醫所見習和實習，也不另收費。我敎學生，是敎一生的，那是說，你做了我的學生，我一生都有敎你的責任，在我未離世之前，學生可以問我，我也有敎導學生的永遠責任，這是我歷來所實行的。如有新發明的一方一法，一律繼續通知各學生，務使我的學生在逐日進步，從來不留一點一滴以自秘。

我的學生，稍有機會可以開業的時候，我都勉勵他們開業，甚至醫所在我的醫所附近，我也不在乎。凡開了業的學生，我有暇時，也會去巡視他們的業務，生意好的，和他們共同歡喜，生意不好的，除了勉勵他們以外，還指導他們，怎樣把招牌改良，和怎樣宣傳，以招徠顧客。

以上都是我對學生所做的一切，我對學生，雖不敢說盡情盡義和盡責，但我的良心可以無愧了。

學生與我

我對學生，縱然是情至義盡，但學生對我，却說不盡的『人心曲曲灣灣水，世事重重疊疊山』。我這句話，並不是說我的學生不好，乃是說有許多種不同情形的學生吧！我的學生，行爲，品德，學問和學業都美好的，大不乏人人，但對我的情感和敬意，却大有差別，我並不是說時節有禮物贈送，或常對我呵諛奉承的便是好學生，他們能領悟我所教授的，並能守本份，那些便是好學生。我的學生中，有一位最感動我的，就是胡立峯君，他年四十九歲才來學針灸，可謂學而不倦，他今年已經六十二歲了，他比我長十二年，他亦已行醫二十餘年了，還要向一位比他年青的人學習，可見他謙虛的心。後來他教了一位朋友學針灸，他並沒有收他的學費，却叫他的朋友，把全部學費給了我，把他的朋友，歸在我的名下做我的學生，這一點，可以看見他的品德高尙，和心地光明了，他的意思是說老師仍然在生，他不肯自立門戶招生授徒，一則以免有『與師爭食』之嫌，二則免使後學者之身份地位，無形中降低一級；比諸那些學了針灸，自己還沒有得到經驗以前，却胡亂招生教人，教人還不止，還要用一百幾十元的低廉學費以招徠，與胡君所做的相形，賢愚不肖，眞有天淵之別了。也許有人誤會以爲我得了那學費而對胡君讚揚，其實我的爲人，素來不看重金錢或物質，却看重精神和道德，胡君的所爲，是值得記念，也是同學們的一個好模範。胡君表面上雖然損失了那些學費，但針灸生意却比前好起來，成爲爲醫界中有名望的針灸醫師，可見冥冥中是有主宰的。

關於學術問題，有許多學生學了我所教的，照樣去爲人治病，收了很好的效果，因爲我所教的，和我所行的，並沒有二致。但有些學生，却因某醫生，出了一本新的針灸書，他們以爲很寶貴，却捨棄了我所教的，去依從那本新書所教的去做，豈知却全部失敗了，所治病症，全無效驗，却不肯回頭自己檢討失敗的原因，甚至灰心喪志，把針灸醫學，全部拋棄了。但有張作良君一人，回來告訴我一切失敗的原因，和回頭覺悟的經過，我才知道有這一回事，所以我的新編講義裏，叫學生『不要離宗』，就是這個原因，我所做的，二十年來，也不失敗，你們爲何要丢棄我這成功的，去追隨那些沒有把握的呢？

有一部份的學生，學完所學的功課以後，好像買斷賣斷一般，永不回頭，想見他一面，眞難如登天，有什麼特別的事情，通訊給他們，也永不回信，甚至開同學聯歡會，或我家有喜事，派帖請他們，也報以不啾不睬，日久他們搬遷了，所寄的信，也祇有打回頭。這種學生，他們想進步，眞難如登天，我有所新發現的東西，也無由通知他們，這些人，不但沒有進步，連師生和同學們的感情，也消失了。

又有一部份學生，他們自己偶有所得，却不肯公開，以爲自己曉得，別人一定不曉得，更有以爲連我也不曉得。有一次，有一位學生告訴一位認爲知交的同學，說他針某一穴位，有某種感應，這種感應，連老師也不曉得的，還叫那同學不要告訴老師云。那位學生的居心如何，我不得而知，而那位被他認爲知交的同學，却從心裏暗笑出來，便去告訴別一位同學說，這種感應，老師的講義中，早已寫明，還說老師不知道。記得戰前有一位學生，他學了中醫，更跟了外科專家學外科，他又來我這裡學針灸，他見我治外科也不用藥，他便拿一些外科散給我試用，我用過後，覺得效能好，叫他把方子給我，他却推說他的外科老師還沒有把方子給他，後來香港失陷，他快要回鄉，臨走時我還去探望他，他仍沒有把方子給我，幸而我在方便醫院出版的一本小册子得到這一條方。這就是炎症篇裡的加味四生散。區區一條外科散方，也不肯傳，他後來的損失，眞不止千萬倍。我平生沒有秘密，但學生們的秘密却太多了。凡向我守秘密的，我只有對他不多開口便了。其實自己偶有一得，當向老師或同學公開研究，較比自己獨知更爲有益。

還有一件事要說一說，許多學生，治不好的症，聰明的，便介紹同來給我看，但有許多位，看不好的症，却不肯介紹給我，由他流到別人處，這是最不好的，因爲治不好的症，也許我還有辦法，一則一人計短，二人計長，二則我無論如何也多些經驗，三則可以保存本派的名譽，不致被人毀謗，這是不可不知的。

關於學費問題，我也想一談，我的章程雖然定爲學費一千元，但仍依各人的力量所能負担而酌減，唯一能交足一千元學費的，只有雷沛君一人，我本來已減了他五十元學費，但他認爲不交足一千元，是過意不去的，後來竟交足一千元。這是雷君的一點美意，值得一提。我上文已經說過，並不因交學費的多少而有歧視或特別看起，我都是一視同仁。我教過好幾位朋友和親屬，其中也有朋友的兒女，全部不收學費，但成功的却沒有幾人，徒勞而無功，令我不勝感嘆。我的學生交學費，其中多數是分期交，或按月交若干的，這些都是受薪階級，除丁減收學費以外，還要零星收費，有交至年餘才交完的。這是給予受薪者或貧苦者的學習機會。其中固然多數清繳學費的，但到時不能按時清繳，拖欠數年的，也不乏人，其中因環境困難而不能交的、是值得原諒的，但其中亦有故意不交的。有一位學生，來學時是說受薪於某店，分期交費，但讀至半途，便推說妻兒已來香港，生活不敷，暫停交費，我只有同情和原諒，但直到畢業，仍是分文不交，後來查知他是該店股東之一，並且有房屋收租而故意不交清，且以後亦斷絕來往。又有一位富婦來學，但斤斤於討價還價，我自念她既有志學習，我也不計較多和少，於是接納她，她也是分期交欵，讀至中途，她和丈她去遊埠，因而在將畢業時期而停學，遊埠完畢，同學已經畢業，她却功課未完，叫他來醫所個別敎完課程，她却說要等新班再開時，才來再學，這只有由她了。但新班遲遲未開，加以我的生意一時冷淡，家用負担，並不能減少，因而去信叫她將所欠學費先交來，以應急需，豈知她收到信後不但不同情我，却在電話中，把我大罵一頓，說我不應寫了一個『欠』字，她說她一生沒有欠人債的，說她欠錢，是羞辱她云云。還說了許多蠻不講理的話，我只有放下聽筒便了，從此沒有下文，但下次開班，我仍然寫信叫她來上課，但她沒有來上課，也更不把餘欵交來。有幾位欠費學生，當他有一個時期有大量入息的時候，却不想到還一些給我，却自己拿着花光了事，變成一直拖下去，直到無了期，我雖然知道，却也不便問，問就失感情了。有一位學生，來取講義回家自讀的，交了一百元，拿了一部份講義，從此一去不再來，後來對人說，我也曾拜過他的門了，不過如是罷了。又有些學生，交了一部份學費，讀了一段時期，待拿到第三本講義以後，便推說沒有外滙寄來，便不來上學，以後便糊塗作了。學生來學的時候，不論怎樣交費，我也只有一個信任心，並沒有和他們簽什麽合約，若有人立心作負心人，就立什麽約，也沒有用處的。寧可人負我，我却不肯負人。在這末世的世代裏，尊師重道的，還有幾人呢？

關於尊師重道問題，我想一談，技擊武師，設舘授徒，每甚得徒衆的敬仰和尊崇，若將所有武功，盡傳於一位入室弟子，每得其弟子的奉養，以終其生，且後世萬代，均追念這武師的誕辰，稱爲師祖。但醫學界却大有分別，記念其師者，能有幾人。武功不過是强身和自衛而已，其悍者，每因武功而喪命；但醫學除保健外，還可以活人性命；更可以謀生，以養妻活兒，反不及武師的被人尊重和景仰，世事每每是反其道而行的。我也曾見過許多位醫中老者，被學生打倒，弄到幾乎臨老不能過日，死後無所爲殮的。有人勸我把學費盡量減低，我却不同意，我的感想是這樣，因爲我是將所有的一切都敎給下一代，若不收回相當學費，我的損失是太大了，因爲學生付了代價，他們日後賺了許多錢，或發了達，也沒有我的份，學生的錢，我固然沒有份使，學生買了房屋，我也沒有份住，那不如我收多些學費，以爲自己受用，更切實際。有一位學生買了新房子，大排筵席，却沒有我的份去吃，許久連地址我也不知道，連見面也不來了。還有一位學生，學了針灸，有人聘他到南洋去當敎員，下午有空便爲人治病，两年來，賺了幾萬塊錢，回港後，拿着幾萬塊，左炒右炒，又幾年，變了十幾萬塊，一直沒有來見過我，更沒有喝過他一杯茶。有人問他認識蘇天佑沒有，他却對人說，蘇天佑一生，也沒有他在南洋两年看那麼多的症云云。我從來沒有向學生借過錢，去年有一次，因家中有喜事，須多量欵項支消，恐經濟不敷，向幾位稍有經濟力的學生商借數百元，結果仍是借不到手，卒之將他人所送給我的小銅人賣去，以應開銷，還有什麼好說的呢？

還有一位學生，從澳門來向我訴苦，說妻子將近生產，身邊經濟十分困乏，有一筆外滙，有千多塊錢，信已到了，但欵需等待數日，但妻的產期在今明日之間，數日間的困難，很難渡過，叫我借錢給他；當時我也很窮，那時是一九五六年冬，我剛復業幾個月，生意不好，身上祗有二十元，但手上仍在黃金戒指一枚，約值三十元，我便把十元和一只金戒指，在手上除下來，借給他，他也應允在收到外滙後還給我。他去了以後，大約一個月後再回來見我，我問他收到欵沒有，是否把錢還給我，他回說，錢是收到了，但千多塊錢是沒有什麼用處，你老師『大把世界』，志不在這幾十塊錢的。我說我志在與否，是我的事，你借了錢，應當還，是你的責任。結果他仍是不還給我而走了，至今十多年沒有見過面，也沒有來信。

以上所說的，不過是舉幾個例而已，至於賴賬不交清學費的，還許多方式，做事對不起我，或令我難過的，大有人在，也不必贅述了。世風日下，道德衰微，所謂『尊師重道』，不過是對封建時代的古董吧了。我這篇拉什談，似乎在大發牢騷，但是所寫的，都是事實，至於還有些事情，也不必寫了。儘管我怎樣的盡心待學生，但學生待我，却各有不同，大概正如講義上所寫的『人各不同』吧了。歷來的名聖賢人，也曾都受過許多委屈，何有於我呢？

然而話又說回來，學生對我的態度，不論怎樣，我對我的學生，仍然是愛着，好像一個父親生了許多兒子，其中有不孝順的，或行爲不好的，做父親的，仍然是愛他們，希望他們有回頭一天，正如俗語所說的：『浪子回頭金不換』。我對我的學生的心情，也沒有二致。但可喜的，有一部份學生對我說，等我老了退休時，他們會集合同學們，每月每人給我若干費用，以爲養老，直至終老，他們表現得很熱情。雖然將來未必實現，我也未必需要，但這是給我精神上很大的安慰。我想起聖經上記載着，耶穌十二門徒中，有一個貪財賣師的猶大，也有一個和耶穌同釘十字架的彼得，又有一班爲他將福音傳遍天下的門徒，何況有幾百學生的我呢？總求針灸醫學能遍傳世界，衆生疾苦，得以解除，我底目的，便算達到，痛苦和打擊，是意料中事，在所不計的。

治療學終

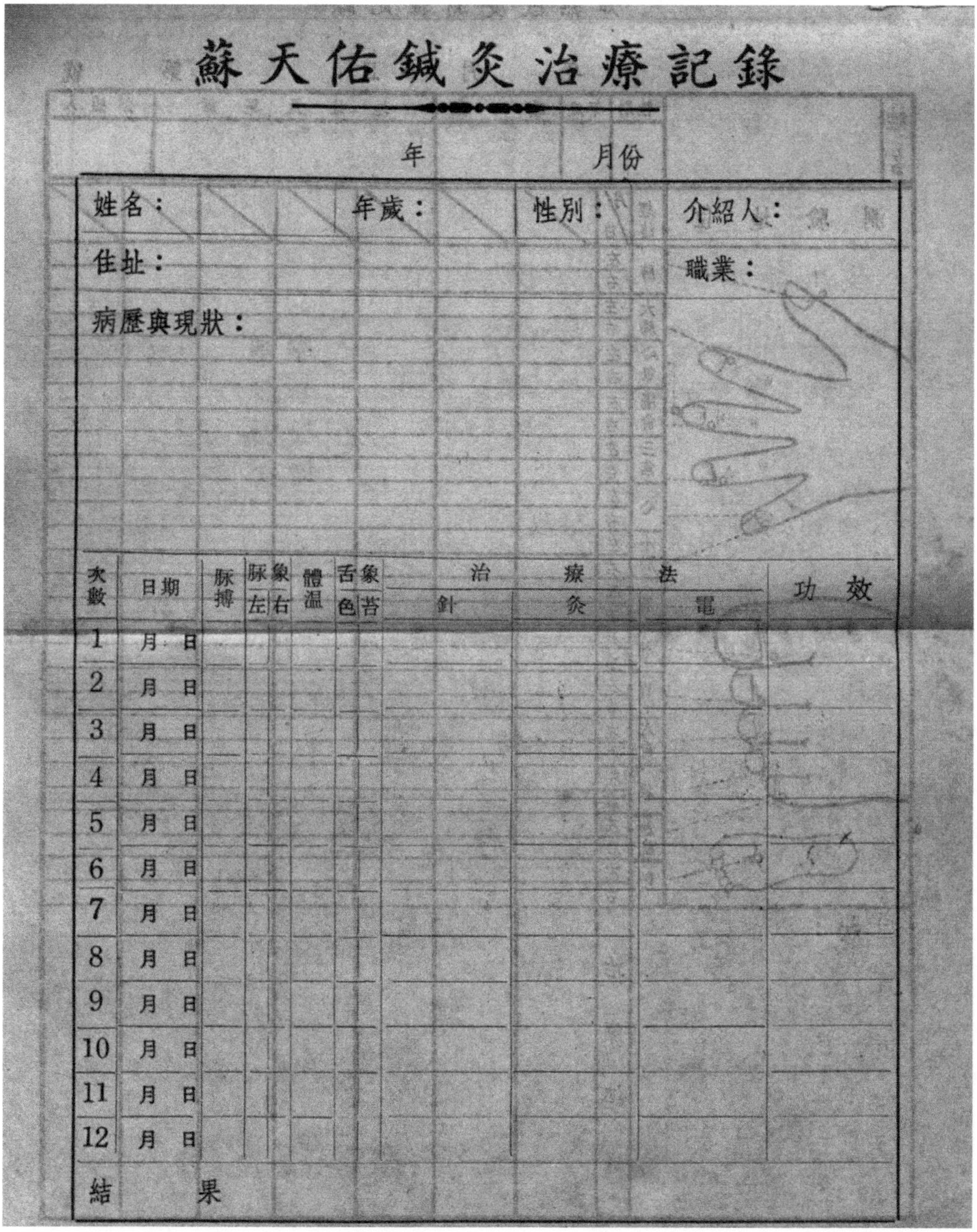

蘇天佑鍼灸治療記錄

年　月份

姓名：　年歲：　性別：　介紹人：

住址：　職業：

病歷與現狀：

次數	日期	脉搏	脉象 左	脉象 右	體温	舌象 色	舌象 苔	治療法 針	治療法 灸	治療法 電	功效
1	月　日										
2	月　日										
3	月　日										
4	月　日										
5	月　日										
6	月　日										
7	月　日										
8	月　日										
9	月　日										
10	月　日										
11	月　日										
12	月　日										
結果											

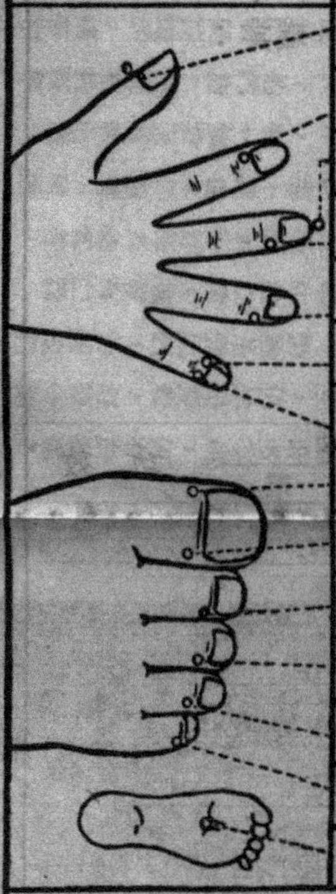

年　月　日　第　號

姓名		性別	年歲	職業	地址及電話	介紹人

測驗地位	經絡	月/日						
	肺	左						
		右						
	大腸	左						
		右						
	心包	左						
		右						
	膈俞	左						
		右						
	三焦	左						
		右						
	心	左						
		右						
	小腸	左						
		右						
	脾	左						
		右						
	肝	左						
		右						
	胃	左						
		右						
	八俞	左						
		右						
	胆	左						
		右						
	膀胱	左						
		右						
	腎	左						
		右						

症狀：	治療經過						

一九六〇年二月出版

香港針灸專科學院講義（非賣品）

全書分上中下三册

編著者：廣東陽江蘇天佑

發行者：香港針灸專科學院

承印者：華南印務公司
地址：九龍庇利金街廿八號
電話：六〇九三六